# TIEFENPSYCHOLOGISCHE DEUTUNG DES GLAUBENS?

QUAESTIONES DISPUTATAE

Begründet von
KARL RAHNER UND HEINRICH SCHLIER

Herausgegeben von
HEINRICH FRIES UND RUDOLF SCHNACKENBURG

113

# TIEFENPSYCHOLOGISCHE DEUTUNG DES GLAUBENS?

# TIEFENPSYCHOLOGISCHE DEUTUNG DES GLAUBENS?

## ANFRAGEN AN EUGEN DREWERMANN

HORST BÜRKLE
ERNST DASSMANN
FRANZ FURGER
ALBERT GÖRRES
WALTER KASPER
RUDOLF SCHNACKENBURG
JÖRG SPLETT
JOSEF SUDBRACK

HERAUSGEGEBEN VON
ALBERT GÖRRES UND WALTER KASPER

HERDER
FREIBURG · BASEL · WIEN

CIP-Titelaufnahme der Deutschen Bibliothek

**Tiefenpsychologische Deutung des Glaubens?:** Anfragen an Eugen Drewermann / Horst Bürkle ... Hrsg. von Albert Görres u. Walter Kasper. – Freiburg im Breisgau; Basel; Wien: Herder, 1988
(Quaestiones disputatae; 113)
ISBN 3-451-02113-7
NE: Bürkle, Horst [Mitverf.]; Görres, Albert [Hrsg.]; GT


Herstellung: Freiburger Graphische Betriebe 1988
ISBN 3-451-02113-7

# Vorwort

Das gegenwärtig vielbeachtete und vieldiskutierte Werk von Eugen Drewermann entspricht offensichtlich einem weitverbreiteten Bedürfnis. Seine grundlegende Intention, den christlichen Glauben mit Hilfe tiefenpsychologischer Methoden und Einsichten zu erschließen und phänomenologisch zu verdeutlichen, ist, sofern sie sich ihrer eigenen Grenzen bewußt bleibt, ohne Zweifel berechtigt. In der Durchführung zeigen sich bei Drewermann jedoch tiefreichende Probleme, welche die Frage aufwerfen, ob und inwiefern bei ihm das unterscheidend Christliche hinreichend gewahrt ist.

Es geht diesem Band um eine Auseinandersetzung in der Sache, welche die positiven Intentionen und Problemstellungen anerkennt, die aber auch klar die Punkte nennt, an denen Nachfragen gestellt werden müssen oder sachlicher Widerspruch geboten erscheint. Dazu sollen Vertreter verschiedener theologischer und nichttheologischer Disziplinen – ein Psychotherapeut, ein Exeget, ein Kirchengeschichtler, ein Religionsphilosoph und Fundamentaltheologe, ein Dogmatiker, ein Moraltheologe, ein Fachmann für spirituelle Theologie sowie ein Religionswissenschaftler – mit jeweils unterschiedlichen Akzenten zu Wort kommen. Die Auseinandersetzung bezieht sich durchweg nicht auf wissenschaftliche Spezialfragen, sondern auf die Grundfragen christlichen Glaubens und Lebens. Das Ziel ist es, dem Leser Gesichtspunkte für eine eigenständige kritische Auseinandersetzung mit dem Werk von Eugen Drewermann zu vermitteln und das theologische Gespräch über eine sowohl sachgemäße wie den Menschen in seiner Tiefe betreffenden Weitergabe des Glaubens neu anzuregen.

München – Tübingen, im Januar 1988

*Albert Görres* *Walter Kasper*

# Inhalt

# I

# Tiefenpsychologische Umdeutung des Christentums?

*Von Walter Kasper, Tübingen*

## *I. Ein dringendes Thema und ein berechtigtes Anliegen*

Das Verhältnis von moderner Tiefenpsychologie und Theologie war von Anfang an von schweren Konflikten bestimmt. Der Begründer der Psychoanalyse, Sigmund Freud, verstand die Religion als eine Art zwangsneurotische Massenveranstaltung[1]. In der Tat konnte er dem Christentum manche unangenehme Wahrheit ins Stammbuch schreiben. Dagegen hilft keine noch so gut gemeinte Mohrenwäsche. Die Frage bleibt freilich, ob Freuds Rückführung religiöser Symbole auf ursprünglichere Triebregungen das Ursprüngliche und Eigenständige des Religiösen überhaupt in den Blick bekommen hat[2]. Deshalb wird man Eugen Drewermanns erklärtes Programm, Tiefenpsychologie und Theologie neu ins Gespräch zu bringen und sie gegenseitig füreinander fruchtbar zu machen, lebhaft begrüßen.

Drewermanns Ausgangspunkt ist freilich nicht allein Freuds Psychoanalyse, sondern, trotz mancher kritischer Vorbehalte im einzelnen, mehr noch C. G. Jungs Tiefenpsychologie. Für C. G. Jung gehört die Religion unstreitig zu einer der frühesten und allgemeinsten Äußerungen der menschlichen Seele; sie ist nicht nur ein soziologisches oder historisches Phänomen, sondern auch eine wichtige persönliche Angelegenheit. Die Symbole, Riten und Dogmen der Religion entsprechen nämlich kollektiven seelischen Urbildern (Archetypen). Deshalb kommen sie fast überall und zu allen Zeiten vor; sie können sich spontan, gänzlich unabhängig von Migration und Tradition bilden. Sie zu vernachlässigen, führt zur seelischen Verwilderung und Demoralisierung[3].

---

[1] *S. Freud,* Die Zukunft einer Illusion, in: Ges. Werke, Bd. 14, Frankfurt a.M. 1948, 367.

[2] Vgl. *E. Drewermann,* Strukturen des Bösen I, Paderborn [6]1987, XXXV ff.

[3] *C. G. Jung,* Psychologie und Religion, Olten 1971, 19ff.

Genau an dieser Stelle setzt Eugen Drewermann an. Er wirft dem Christentum und insbesondere der modernen historisch-kritisch arbeitenden Exegese in der Theologie vor, sie hätten durch die Verdrängung der Welt des Emotionalen und des Unbewußten die Verwurzelung in den Tiefen der menschlichen Seele verloren. Dies sei der Grund, weshalb sie die Menschen nicht mehr in ihrer Existenznot erreichen und ihnen nicht mehr helfen können, mit ihrer Angst fertig zu werden. So sei das Christentum in der Gegenwart weithin geistig belanglos und kulturell ohnmächtig geworden. Es habe einen empfindlichen Kompetenzverlust erlitten[4].

In dieser Diagnose wird man Eugen Drewermann weithin zustimmen müssen. Er hat den Finger auf einen wunden Punkt gelegt und eine tiefe Not der gegenwärtigen Kirche angesprochen. Die historisch-kritische Methode, so unverzichtbar und in vielem hilfreich sie auch ist, kann in der Theologie keinen Allein- und Letztgültigkeitsanspruch stellen. Sie kann und muß durch andere Methoden ergänzt werden. Daß dabei auch die Tiefenpsychologie, sofern sie nicht selbst einen Allein- und Absolutheitsanspruch stellt, ihren Beitrag leisten kann, sollte nicht bestritten werden.

Deshalb wird man das Programm von Eugen Drewermann begrüßen, eine tiefenpsychologische Hermeneutik der dogmatischen Aussagen zu entwerfen, d.h. die dogmatischen Aussagen mit Hilfe des Instrumentariums der Tiefenpsychologie dem heutigen Menschen phänomenologisch neu zu erschließen und zu deuten[5]. Dies versucht Drewermann vor allem bezüglich der Erbsündenlehre, also just der Lehre, welche vielen modernen Christen zur schieren Verlegenheit geworden ist, die Drewermann aber für das Kernproblem des Menschen und des Glaubens hält. Er ist überzeugt, die weithin verkopfte Theologie könne durch eine tiefenpsychologisch orientierte Phänomenologie wieder neu erfahrungsgesättigt werden und so das Sprechen von Sünde und Gnade wieder neu lernen[6].

Drewermanns Ausgangspunkt ist die biblische, näherhin die jahwistische Darstellung der Urgeschichte in der Genesis. Sie ist „eine äußerst präzise und komplexe Entwicklungsgeschichte seelischer Not und Qual". „Aus der Sündenlehre der Theologie wird somit

---

[4] In bezug auf die konkrete Situation des deutschen Katholizismus vgl. Psychoanalyse und Moraltheologie III, Mainz 1984, 237–250.

[5] Programmatisch angekündigt in: Tiefenpsychologie und Exegese II, Olten [3]1987, 763.

[6] Psychoanalyse und Moraltheologie I, 129.

eine Krankheitslehre der menschlichen Psyche.“[7] Zur tiefenpsychologischen Deutung kommt die philosophische Deutung, vor allem im Anschluß an S. Kierkegaard; sie führt zu einer höchst bemerkenswerten und anregenden Neuinterpretation der dogmatischen Lehre von der Erbsünde[8]. Von Kierkegaard übernimmt Drewermann, daß Angst eine Grundbefindlichkeit des Menschen ist. Sie ist nicht Angst vor etwas, sondern Angst als Grundbefindlichkeit des Menschen, als Erfahrung der Bodenlosigkeit der eigenen Existenz, ja als Angst der Freiheit vor sich selbst. Nach Drewermanns Verständnis sind alle Neurosen im Grunde krankhafte Versuche, die Angst zu bewältigen. Dem stellt er gegenüber, daß es nur eine Erlösung von der Angst gibt: das religiöse Vertrauen, die Erfahrung, unbedingt angenommen zu sein. Die Grundfrage, vor die sich jeder Mensch gestellt sieht, liegt also in der Überwindung der Angst durch den Glauben. Allein in Gott ist Geborgenheit zu finden. Anders als für die atheistische Tiefenpsychologie ist Gott für ihn nicht eine Zwangsneurose, vielmehr kommt es gerade dort zu Neurosen, wo der Mensch ohne Gott zu leben versucht. Alle Grundkonflikte des menschlichen Daseins kreisen um die zentrale Frage, wie der Mensch zu Gott steht. So geht es auch im Christentum einzig darum, den „Gesang der Gnade gegen die Angst und des Vertrauens gegen die Verzweiflung“ wieder zu lernen[9].

Auch bezüglich dieses inhaltlichen Grundanliegens von Drewermann gilt, daß es sich um ein höchst dringendes Thema und ein sehr berechtigtes Anliegen handelt. Denn die Bewältigung der Angst ist zweifellos ein zentrales Problem gerade für den heutigen Menschen.

Dennoch muß schon an dieser Stelle eine erste Frage angemeldet werden. Ist die Überwindung der Angst wirklich das zentrale und das fundamentale Thema der christlichen Botschaft, oder geht es in ihr nicht zuerst um die Erlösung von der Sünde?[10] Genauer gefragt: Wie verhalten sich Sünde und Angst? Ist die Sünde eine zwanghaft neurotische Reaktion auf die Angst, oder ist nicht eher die Angst eine Folge der Sünde als frei gewählter Abkehr von Gott? Ist die

---

[7] Strukturen des Bösen I, 357 f.

[8] Bes. Strukturen des Bösen III, 540–562; zusammenfassend Art. Sünde/Schuld, in: Neues Handb. theol. Grundbegriffe IV, München 1985, 148–155.

[9] Tiefenpsychologie und Exegese II, 758.

[10] So vom exegetischen Standpunkt aus *G. Lohfink / R. Pesch,* Tiefenpsychologie und keine Exegese. Eine Auseinandersetzung mit Eugen Drewermann (Stuttgarter Bibel-Studien, Bd. 129), Stuttgart 1987, 36.

Sünde also notwendig und insofern natural, oder ist sie personal, als freie Tat, zu verstehen? Drewermann ringt mit diesem Problem; seine ursprüngliche Antwort ist überaus differenziert, in vielem bedenkenswert und weiterführend. Insgesamt scheint es aber nach ihm so zu sein, daß die Angst, welche zur Freiheit gehört, den Menschen in die Sünde hineintreibt, wie sie auch die Chance enthält, daß der Mensch im Glauben Gott begegnet, nachdem er die Ausweglosigkeit der Sünde erfahren hat. Die Frage, was zuerst ist, die Angst oder die Sünde, ist also von anderer Qualität als die müßige Streitfrage, was früher ist, das Huhn oder das Ei. Es geht um die ursprüngliche Bestimmung und Berufung des Menschen.

## *II. Verstrickung in Widersprüche*

Hören wir zunächst, wie Eugen Drewermann selbst seine Gedanken entwickelt. Sein erstes größeres Werk „Strukturen des Bösen" war eine exegetische, tiefenpsychologische und philosophische Interpretation der Sündenfallerzählung in Gen 2 und 3. Dieses respektable, von großer Belesenheit zeugende dreibändige Werk bildet den gedanklichen Hintergrund, auf den er in seinen späteren Werken immer wieder verweist. In diesem Frühwerk kommt Drewermann weithin im Anschluß an Kierkegaard zu einer existentialen Auslegung der Erbsündenlehre. Danach ist das Gefühl der Angst die Ursache aller Verfehlungen des menschlichen Herzens. Das Böse ist ein Sichaufblähen der Angst. In ihr setzt sich letztlich die menschliche Existenz an die Stelle Gottes [11].

Drewermann hält diese Thesen auch in seinen späteren Werken durch. Es kam aber schon in seinem Frühwerk eine zweite, eine religionsgeschichtliche Einsicht hinzu. Im Gedanken an eine Urschuld des Daseins kommt das Christentum mit den Mythen der alten Völker überein. Die christlichen Symbole und Dogmen sind Ausdruck von allgemein-menschlichen Archetypen; sie finden sich deshalb immer und überall in der Religions- und Menschheitsgeschichte. Dennoch stellt das Christentum einen wichtigen Schritt über die Welt der Mythen hinaus dar. Es lehrt den Glauben an die eine Person Gottes und verbindet ihn mit der Lehre von der absoluten Würde, der Unsterblichkeit und Freiheit der menschlichen Person.

---

[11] So auch Psychoanalyse und Moraltheologie I, 17 53 115ff 122 u.a.

Doch eben mit dem Monotheismus machte das Christentum zugleich gegen die Welt der heidnischen Mythen Front; ja, es meinte die mythenbildenden Kräfte im Menschen selbst verurteilen und verachten zu müssen. Aufgrund dieser Mythenfeindlichkeit wurde das Unbewußte nicht mehr integriert, assimiliert und aufgearbeitet, sondern unterdrückt, verdrängt, verteufelt. Schließlich richtete sich das Christentum durch diese Mythenfeindlichkeit selbst zugrunde. Diese Mythenfeindlichkeit führte nämlich zu einer einseitigen Rationalisierung und zu einer Entfremdung und Zerspaltung von Bewußtsein und Unbewußtem, Vernunft und Gefühl, Kultur und Natur, Kopf und Herz, ja zu einer Abspaltung von der Quelle, aus der alles Religiöse stammt[12].

Um das Christentum wieder zu verlebendigen, muß deshalb zur tiefenpsychologischen Deutung des Christentums dessen Deutung mit Hilfe der Mythen kommen. Beides gehört engstens zusammen. Mythologie ist ja projizierte Psychologie[13]. Dieser Gedanke, das Christentum im Zusammenhang der Mythologie besser und tiefer zu verstehen, wurde bei Drewermann mit der Zeit immer stärker. Wußte er anfänglich um die Ambivalenz und das Zwanghafte der Mythen, von dem die christliche Botschaft befreit[14], so kam er schließlich zu der Überzeugung, daß vor allem die ägyptische Mythologie die Tiefen der Seele viel reiner und tiefer widerspiegelt, als dies im biblischen Christentum der Fall ist[15]. Seine logische, aber doch auch überraschende, ja entlarvende Folgerung: „Wir sind als Christen zu sehr alttestamentlich und zu wenig ägyptisch, um wirklich christlich zu sein.“[16] Eine solche These steht offensichtlich in der Gefahr, die Grundlagen des biblischen Christentums zu verlassen. Die biblische Heilsgeschichte wird in die Religionsgeschichte hinein nivelliert, ja von dieser überwältigt und dominiert.

Schließlich findet sich noch ein dritter Gedankenschritt, der ebenfalls von Anfang an grundgelegt ist: Unsere psychische Konstitution, unsere Strukturen des Wahrnehmens, des Denkens und Fühlens sind ein Teil der Evolutionsgeschichte. Es gibt also eine Na-

---

[12] Strukturen des Bösen III, 514–540; Psychoanalyse und Moraltheologie I, 59f 171ff; Der Krieg und das Christentum, Regensburg ²1982, 277ff 359ff u.a.

[13] Tiefenpsychologie und Exegese I, 170; 2, 38ff.

[14] Strukturen des Bösen III, 514ff.

[15] Tiefenpsychologie und Exegese II, 786.

[16] Religionsgeschichtliche und Tiefenpsychologische Bemerkungen zur Trinitätslehre, in: Trinität. Aktuelle Perspektiven der Theologie (Quaestiones disputatae, Bd. 101), Freiburg i.Br. 1984, 142; vgl. Tiefenpsychologie und Exegese II, 540.

turgeschichte der menschlichen Psyche[17]. Damit greift Drewermann in sehr knapper Weise die Thesen und Hypothesen der sog. evolutionären Erkenntnistheorie von K. Lorenz u. a. auf. Das führt ihn dazu, sich gegen eine einseitige Herausstellung der Sonderstellung des Menschen in der Natur und gegen eine einseitige Anthropozentrik, welche den Zusammenhang des Menschen mit der Natur vergißt, zu wenden. Ein solches abstraktes Verhältnis der Freiheit führt nach Drewermann zu einer Unterdrückung der umgebenden wie der eigenen Natur des Menschen, seiner Aggression, seiner Sexualität und nicht zuletzt der archetypischen Bilder des kollektiven Unbewußten[18]. So kann es nicht überraschen, daß er sich die Thesen des weltanschaulich bestimmten Flügels der ökologischen Bewegung zu eigen machen kann, vor allem die These von der evolutiven Einheit des Menschen mit der ihn umgebenden Natur[19]. Konsequent übernimmt er die Forderung nach einem neuen Einheitsdenken, einer Harmonie mit der Natur, ihren Rhythmen und Kreisläufen[20], ja einer neuen Mystik der Natur[21].

Die Anklagen, welche Drewermann in diesem Zusammenhang gegen das Christentum richtet, sind ungeheuerlich. Das Christentum trägt nach ihm die Hauptschuld am tödlichen modernen Fortschrittsglauben und an der Naturzerstörung. Selbst der hl. Franziskus kommt bei diesen undifferenzierten und maßlosen Attacken gegen das Christentum nur mit Mühe und mit einigen Blessuren gerade noch einigermaßen gut davon. Auch Kierkegaard muß sich samt seinen Erben unter diesem Gesichtspunkt eine harte Abfuhr gefallen lassen. Diese Anklagen sind einfach zu undifferenziert, um wirklich überzeugen zu können. Die theonome Anthropozentrik der Bibel, wo der Mensch sich vor Gott und seinem Gebot verantwortlich weiß, ist zutiefst verschieden von der autonomistischen Anthropozentrik der Neuzeit und ihrem Fortschrittsglauben. Was Drewermann an sogenannten geistes- und kulturgeschichtlichen Zusammenhängen bietet, schlägt jeder seriösen, vorurteilslosen, um Differenzierungen bemühten geschichtlichen Betrachtungsweise ins

---

[17] Strukturen des Bösen III, 559ff; Tiefenpsychologie und Exegese I, 139; II, 15; Der Krieg und das Christentum 196f.
[18] Der Krieg und das Christentum 195ff.
[19] Der tödliche Fortschritt. Von der Zerstörung der Erde und des Menschen im Erbe des Christentums, Regensburg [4]1981, 136.
[20] Ebd. 105ff.
[21] Psychoanalyse und Moraltheologie III, 249.

Gesicht. Die ständige Bezugnahme auf K. H. Deschners kirchengeschichtliche Pamphlete können diesen Eindruck nur bestätigen.

Was schwerer wiegt als diese geistesgeschichtliche Schwarzweißmalerei, ist die Feststellung, daß Drewermann mit seiner überzogenen und undifferenzierten Kritik an der Anthropozentrik und seiner Forderung nach einer neuen Naturmystik den personalen Ansatz, von dem er ausging, letztlich aufhebt. Denn für das christliche Verständnis der menschlichen Person, die in Geist und Leib existiert, ist es wesentlich, ein verantwortliches Verhältnis zu ihrer eigenen wie zur fremden Natur zu haben. Doch Drewermann bringt den Gesichtspunkt der evolutionären Erkenntnistheorie zur Geltung, ohne auch nur mit einem Wort auf deren tiefe Problematik einzugehen. Denn denkt man diese Thesen bzw. Hypothesen zu Ende, dann führen sie zu einer Naturalisierung des Menschen und seiner sittlich-religiösen Anschauungen, bei Drewermann zu einer „Verpsychologisierung" des Glaubens.

Zwar ist es keine Frage, daß jeder der drei Gedankenschritte echte Fragen enthält, von denen man keine unter den Teppich kehren darf. Keine Frage ist es auch, daß es eine dringliche Aufgabe ist, diese verschiedenen Aspekte bzw. das jeweils Legitime an ihnen zu integrieren, so wie er es ursprünglich auch intendierte. Doch immer deutlicher gibt er die ursprünglichen Differenzierungen auf. So verstrickt er sich mit der mehr oder weniger äußerlichen Kombination dieser verschiedenen Elemente am Ende in unlösbare Widersprüche.

Am Anfang steht im weitgehenden Anschluß an Kierkegaard eine existentiale, ja personale Deutung des christlichen Glaubens. Doch eben diese personale Deutung müßte Drewermann nach seinem Feldzug gegen alle Anthropozentrik am Schluß konsequenterweise aufgeben. Die theologisch völlig inakzeptable These Drewermanns von der notwendigen theologischen Suspension des Ethischen[22] deutet in diese Richtung. Mit ihr endet die ursprüngliche existentiale Deutung in einer naturalen Deutung der Religion und des Menschen.

Der springende Punkt liegt im zweiten Gedankenschritt. Während nach Drewermanns Ausgangspunkt die Erlösung im Glauben und Vertrauen an den einen persönlichen Gott besteht, muß er mit seiner Hinwendung zu denMythen eben diesen Monotheismus problemati-

---

[22] Ebd. I, 95 ff.

sieren. Drewermann erkennt ja sehr wohl, daß die von ihm so beklagte und bekämpfte Mythenfeindlichkeit nicht etwa erst dem späteren Christentum angelastet werden kann, sondern schon in der Bibel, und zwar in der spezifisch biblischen Verhältnisbestimmung von Schöpfer und Schöpfung und in dem für die Bibel fundamentalen Monotheismus ihre Wurzel hat[23]. Er weiß auch, daß die von ihm so gescholtene rationale Weltsicht eben hier ihren tiefsten Grund hat. Denn die polytheistische Mythologie steht für eine letzte Zerrissenheit und damit Irrationalität der Welt; eine monotheistische Religion dagegen kann und muß die Einheit des Sinnzusammenhangs wahren und damit auch die Rationalität der Wirklichkeit verteidigen. Nur innerhalb der mythischen Weltanschauung ist ein tragisches Daseins- und Gottesverständnis, das Drewermann zu rehabilitieren versucht[24], möglich. Doch Drewermann hält nach wie vor an der existentiellen Bedeutung und Wahrheit des Monotheismus im Sinn des Glaubens an den einen persönlichen Gott fest. Aber wie will er diesen personalen Monotheismus mit seiner emphatischen Zuwendung zu den Mythen in Einklang bringen? Hebt hier nicht das eine das andere auf?

Diese Widersprüche zeigen, daß hinter dem umfangreichen und sprachgewaltigen späteren Werk Drewermanns mehr suggestive als argumentative Kraft steht. Letztlich stellt es ein gedanklich unverdautes Konglomerat heterogener Ideenkomplexe dar[25]. Die daraus sich ergebenden Probleme zeigen jedoch, daß nicht nur relativ nebensächliche theologische Detailfragen oder exegetische und dogmatische Feinheiten, die man getrost den professionellen Spezialisten überlassen kann, auf dem Spiel stehen. Es geht um die Grundentscheidung des Alten und Neuen Testaments zum Monotheismus. Damit geht es nicht nur um das unterscheidend Christliche, sondern um das unterscheidend Biblische. Mit dem Glauben an den einen persönlichen Gott steht auch die personale Würde des Menschen und seine personale Verantwortung für die Natur auf dem Spiel. Die eingangs gestellte Frage, ob die Sünde natural oder personal zu deuten ist, kehrt damit im größeren Zusammenhang wieder.

---

[23] Tiefenpsychologie und Exegese I, 30 64 138 156f 772.

[24] Psychoanalyse und Moraltheologie I, 19–78.

[25] Die Unausgeglichenheit und Sprunghaftigkeit des Gedankengangs stellt auch *L. Wachinger,* Exegese, Glaube, Tiefenpsychologie. Zu Eugen Drewermanns „Tiefenpsychologie und Exegese“, in: Stimmen d. Zeit 112 (1987) 701–712 heraus.

## *III. Die zentrale Frage: Wer ist Jesus Christus?*

Der zentrale und fundamentale Charakter der Anfrage an die Position von Eugen Drewermann wird vor allem deutlich, wenn man nach seinem Offenbarungsverständnis fragt. Seine Antwort: „Die Offenbarung Gottes geschieht nicht durch die Mitteilung bestimmter Lehren, Inhalte oder rein äußerlicher Fakten; sie ereignet sich allein durch die Erfahrung einer vorbehaltlosen, bedingungslosen und umfassenden Akzeptation, durch das, was in der Theologensprache ‚Gnade' heißt."[26]

Diese These ist im Sinn gegenwärtiger Fundamentaltheologie und Dogmatik insofern richtig, als die Offenbarung nicht in rein äußerer Information, sondern in personaler Kommunikation besteht. Doch während die Theologie diese Kommunikation als freie personale Selbstmitteilung Gottes versteht, die in vielfältiger Weise, auch in Träumen, Visionen u. a., vor allem aber im Medium von Worten und Taten und in ihrer Fülle in Person und Werk Jesu Christi geschieht, sieht Drewermann Offenbarung ausschließlich als traumhafte Projektion der archetypischen religiösen Wahrheiten der menschlichen Psyche[27]. Er will das christliche Dogma in der Psyche des Menschen selbst verankert sehen[28]. So geht es nach ihm in der Offenbarung nicht um Selbstoffenbarung des dem Menschen verborgenen Geheimnisses Gottes, sondern um Selbstoffenbarung der Tiefen der menschlichen Seele. Die Offenbarung ist folglich kein freies, unableitbares geschichtliches Ereignis, welches dem Menschen etwas Neues sagt, sondern eine ubiquitäre Wirklichkeit.

Anders formuliert: Drewermann unterscheidet nicht zwischen Religion als einem allgemein-menschlichen Phänomen und der geschichtlich geschehenden Offenbarung, wie sie das Alte und Neue Testament bezeugt. Für ihn ist die Religion ein Element in der Struktur des Bewußtseins, die Mythologie folglich projizierte Psychologie. Deshalb ist der Ausgangspunkt der religiösen Überlieferung nicht das Wort, sondern der Traum; er ist auch der Ort der Gottesoffenbarung. Das Besondere des Christentums besteht nicht in einer neuen und besonderen geschichtlichen Offenbarung, sondern darin, daß es den Mythen eine besondere Interpretation gibt. Das Chri-

---

[26] Psychoanalyse und Moraltheologie I, 11.
[27] Tiefenpsychologie und Exegese I, 17 20 99 109 116ff 138 170; Bd. 2, 38ff u.a.
[28] Psychoanalyse und Moraltheologie III, 249.

stentum bedeutet „die enorme Personalisierung aller Ausdrucksgebärden und Symbole“[29]. In diesem Sinn geht es in der Bibel nicht um pantheistische Verschmelzung von Gott und Mensch, sondern um einen Dialog zwischen Ich und Du. Nicht wortlose Meditation, nicht schweigende Entgrenzung, Transzendierung der Bilder bildet den Weg der biblischen Gotteserfahrung, sondern die Zwiesprache des Gebets, der Austausch der Liebe[30]. Jesus verkörpert und lebt in seiner Person und in seinem Leben die gesamte Fülle der mythologischen Bilder aufs reinste[31]. So bringt das Christentum Personalität und Individualität zur Synthese mit dem archetypischen Material der Psyche[32].

Das hört sich theologisch gut an, fragt sich nur, wie sich solche Aussagen mit den bereits zitierten pantheistischen Anwandlungen bei Drewermann vereinbaren lassen. Fragt sich außerdem nochmals, ob eine solche exklusiv-dialogische Gottesbeziehung nicht den Rahmen der Mythologie grundsätzlich sprengt.

Es kommt also alles darauf an, wie die Synthese von allgemeinreligiösem Mythos und speziell christlicher Gottesbeziehung bei Drewermann zu verstehen ist. Drewermann gibt die Antwort im Anschluß an J. Burckhardt und W. Dilthey mit Hilfe der Lehre von der Typologie. Sie besagt, daß in einer besonderen und bestimmten geschichtlichen Gestalt etwas allgemein und bleibend Gültiges, immer Gegenwärtiges geschieht[33]. Das bleibend Gültige im einmalig Historischen ist bei Drewermann darin begründet, daß sich in einem geschichtlichen Ereignis die archetypischen Bilder der Psyche spiegeln. Diese Bilder betrachtet Drewermann im Anschluß an C. G. Jung als apriorische Anschauungsformen des Menschen[34]. In ihnen „liegt das Einende und Verbindende zwischen den Kulturen und Religionen aller Zeiten und Zonen“[35]. Mit ihrer Hilfe verdichten sich bestimmte historische Ereignisse zu archetypischen Szenen, wie umgekehrt die wirkliche Geschichte archetypische Bilder zu ihrer Deutung hervorruft[36]. Allein „die erträumte, die erdichtete Geschichte erlaubt es dem späteren Leser, das Geschehen von einst

[29] Tiefenpsychologie und Exegese II, 139.
[30] Ebd. 345 359 769 782.
[31] Ebd. 139.
[32] Ebd. 777.
[33] Ebd. I, 54ff; II, 700ff.
[34] Ebd. I, 66ff.
[35] Ebd. 71.
[36] Ebd. 301.

mitträumend, mitfühlend, mitleidend, mithoffend für sich selber mitzuerleben“ [37].

Damit ist deutlich, wie es zu verstehen ist, wenn Drewermann an der Historität der Offenbarung, besonders des Christusgeschehens, festhält und wenn er gleichzeitig sagt, die Offenbarung bringe keinen neuen Inhalt. Für ihn ist die Geschichtlichkeit der Offenbarung nicht Ausdrucksgestalt der unableitbaren Freiheit, mit der Gott aus seiner Verborgenheit heraustritt, um sich selbst uns mitzuteilen, was notwendigerweise den Charakter des Neuen und Einmaligen hat, für Drewermann ist die Geschichte vielmehr die typische Gestalt eines menschlich Allgemeinen und Ubiquitären. Die Offenbarung ist eine Gestalt allgemeinmenschlicher Religiosität.

Innerhalb einer solchen Konzeption verändert sich die Funktion des Offenbarers wie des Priesters bzw. Seelsorgers grundlegend. Sie ist nunmehr die eines Therapeuten. Der Therapeut lehrt und belehrt ja nicht; er schafft vielmehr ein Klima des Vertrauens, und so ist er „die historische Bedingung der heilenden Bilder eines reifenden, sich in Bildern vollziehenden Vertrauens“. So wird man auch die Offenbarung Gottes in Jesus von Nazaret „nicht anders verstehen können, als daß von der Person Jesu eine solche Güte und Wärme ausging, daß all die Bilder des Heils, die in der menschlichen Seele angelegt sind, durch seine Nähe auf den Plan gerufen wurden, sich mit seiner Gestalt verbanden und sich zu einem Gesamtgemälde formten, in dessen Widerschein ein jeder Mensch die Wahrheit Christi zu erkennen vermag, indem er sich selber darin offenbar wird“ [38].

Was in den großen Werken von Drewermann angedeutet wird, kommt in einer für das breite Publikum gedachten Veröffentlichung völlig klar zum Ausdruck: „Unter dem Titel ‚Gottessohn‘ wird, tiefenpsychologisch betrachtet, ein archetypisches Symbol aufgegriffen, dessen innerer Erfahrungsreichtum in der Weise mit der Person Jesu verbunden wird, daß in ihm der Inhalt des Archetyps als wirklich und wirksam gesetzt wird.“ Das Wesen Jesu wird also so gedeutet, „daß mit seiner Person unabtrennbar all die Erfahrungen verschmelzen, die in der Seele eines jeden Menschen grundgelegt sind …“ [39]. „Wer sagt: ‚Ich glaube an Jesus Christus, Gottes eingebo-

---

[37] Ebd. 26.
[38] Ebd. II, 768f.
[39] Dein Name ist wie der Geschmack des Lebens. Tiefenpsychologische Deutung der Kindheitsgeschichte nach dem Lukasevangelium, Freiburg i.Br. 1986, 42.

renen Sohn', bekennt sich im Grunde dazu, daß er in seinem Leben all die Erfahrungen mit Christus gemacht hat, die der Alte Ägypter mit der Person des Pharao verband."[40]

Angesichts solcher, die qualitative Einmaligkeit Jesu Christi völlig auflösenden Aussagen ist es verständlich, daß Drewermanns Konzeption sehr oft dem Vorwurf der Gnosis begegnet. Versteht man unter Gnosis die Lehre, daß der Mensch dadurch erlöst wird, daß er sein wahres Selbst erkennt, dann hat dieser Vorwurf viel Plausibilität für sich. Denn Quelle der Gottesoffenbarung ist für Drewermann ja das Unbewußte selbst. Der Vorwurf der Gnosis und des damit verbundenen Doketismus erhält auch dadurch zusätzliche Nahrung, daß sich Drewermann in immer wiederkehrenden Polemiken vehement gegen die Jungfrauengeburt und deren biologisches Verständnis wendet[41]. Doch gerade das Ins-Fleisch-Gekommensein Jesu Christi stellt schon das Neue Testament als das unterscheidend Christliche gegen die beginnende Gnosis heraus (1 Joh 4,2; 2 Joh 7). Übrigens verwickelt sich Drewermann auch hier in seltsame Widersprüche. Während er sich bei der Behandlung des Schamanentums nicht genug tun kann, dessen ganzheitliches Heilsverständnis zu preisen[42], vertritt er bei der Lehre von der Jungfräulichkeit in recht polemischer Weise eine Aufspaltung von wirklichem Sein und bloßer theologischer Bedeutung.

Zweifellos hat es immer etwas Mißliches an sich, alte Ketzerhüte auszuteilen; sie passen selbstverständlich nie ganz. Das gilt in diesem Fall doppelt, da die Gnosis historisch betrachtet ein vielfältiges und vielgestaltiges Phänomen ist. Das macht es Drewermann leicht, sich öfters energisch gegen diesen Vorwurf zur Wehr zu setzen[43]. Er verweist darauf, daß er die Historizität Jesu nicht leugnet und ein personales Gottesverhältnis lehrt. Mit denselben Argumenten wehrt er sich auch gegen Feuerbachs Projektionstheorie, auf die seine eigene Theorie ebenfalls hinauszulaufen scheint[44]. An anderer Stelle kommt ihm diese Theorie aber in erstaunlich leichtfertiger Weise auch wiederum gar nicht so schlimm vor[45]. Aber will Feuerbach nicht gerade auch das personale Gottesverhältnis als Projektion ent-

[40] Ebd. 60.
[41] Tiefenpsychologie und Exegese I, 393ff 503ff; Dein Name 53ff.
[42] Tiefenpsychologie und Exegese II, 74ff, bes. 114ff.
[43] Ebd. I, 298; II, 769f u.a.
[44] Ebd. II, 782.
[45] Dein Name 123.

larven? Schreckt Drewermann also am Ende nur vor den eigenen Konsequenzen zurück? Oder sind seine verschiedenen Aussagen einfach nicht auf einen Nenner zu bringen?

Schwer zu entscheiden. Sicherlich hat Drewermann wie jeder Autor das Recht, bis zum strikten Beweis des Gegenteils in meliorem partem interpretiert zu werden. Es läßt sich jedoch nicht leugnen: Ein starkes gnostisches Gerüchlein steigt dem Leser der Opera Drewermanns in die Nase hinauf, und das müßte nicht nur den Leser, sondern auch den Autor nachdenklich machen. Bloße Versicherungen, daß er gar nicht meine und wolle, worauf seine Aussagen schlußendlich hinauslaufen, helfen nicht weiter. Es muß an den Prämissen selbst liegen, und die laufen entweder in die Richtung Gnosis, oder sie sind zutiefst widersprüchlich. Sachlich geht es dabei um die alles entscheidende Frage: Ist Jesus der Sohn Gottes, oder bedeutet er das nur für uns, weil wir ihn so deuten? Aber kann Jesus wirklich etwas für uns bedeuten, wenn er es nicht selbst ist? Wieder geht es nicht um letztlich belanglose Detailfragen und Quisquilien, sondern um die zentralste Frage des christlichen Glaubens: Was haltet ihr von Jesus Christus? *Ist* er der Sohn Gottes? Ist er der eine und einzige Sohn Gottes, der eine und einzige Mittler, dem man den Pharao eben nicht zur Seite stellen kann?

## *IV. Methodische Grenzüberschreitungen*

Mit den zuletzt gestellten Fragen haben wir den Bereich einer tiefenpsychologischen Deutung des Christentums überschritten. Diese kann ja nie die Wirklichkeit an sich, sondern unsere psychologischen Vorstellungen von der Wirklichkeit zum Gegenstand haben. Der Psychologe muß sich im Rahmen seiner Methode auf die Beobachtung und Deutung seelischer Phänomene beschränken; er kann keine ontologischen Aussagen machen[46]. Für ihn ist eine Idee wahr, insofern sie psychisch existiert, über deren extrapsychische Wirklichkeit kann er mit psychologischen Methoden nichts sagen. Insofern kann eine tiefenpsychologische Deutung des Glaubens von vornherein nur dessen Bedeutung für uns zum Gegenstand haben.

Drewermann reflektiert die Ergänzungsbedürftigkeit der Tiefenpsychologie ausdrücklich. Sosehr die Theologie nach seiner

---

[46] Tiefenpsychologie und Exegese II, 762.

Überzeugung auf die Tiefenpsychologie angewiesen ist, um nicht eine Konstruktion aus gußeisernen Begriffen zu werden, so sehr bleibt die Psychoanalyse ohne Theologie eine Kerkerwissenschaft; sie bliebe eingesperrt in das innere Gefängnis[47]. Die Tiefenpsychologie muß von der Theologie lernen, „daß sich das Gefängnis des menschlichen Daseins nur dann wirklich öffnet, wenn die verinnerlichte bzw. von außen erzeugte Menschenfurcht durch eine tiefere Verankerung der menschlichen Existenz im Absoluten überwunden wird". Erst der Glaube schenkt die Einsicht in den Vorrang des Seindürfens vor dem Seinmüssen. So geht es ihm gleichermaßen um „die Beendigung einer seelenlos gewordenen Gotteslehre" wie „einer gottlos gewordenen Seelenkunde"[48]. Der methodische und oft auch theoretische Atheismus der heutigen Psychologie gerät in die Gefahr, mehr Neurosen zu schaffen als zu beseitigen[49]. Drewermann will also die Tiefenpsychologie keineswegs als eine Art Allheilmittel[50], als eine Universalwissenschaft oder als eine Form von Religionsersatz verstehen[51]; sie ist kein Sesam-öffne-dich[52].

Fragt sich nur, ob die ganze Logik und Dynamik der Gedankengänge Drewermanns nicht doch in eine andere Richtung laufen und seine eigenen nachträglichen Versicherungen wirkungslos machen. In den konkreten Darlegungen jedenfalls trägt Drewermann seinen eigenen besseren Einsichten kaum Rechnung. Da wird vielmehr völlig ungebremst und ungeniert tiefenpsychologisch interpretiert und die Theologie präjudiziert. Die neuere Theologie ist in den sonst so reichen Literaturhinweisen Drewermanns ohnedies so gut wie abwesend; Drewermann nimmt sie praktisch nicht zur Kenntnis. So geschieht die geforderte Vermittlung von Tiefenpsychologie und Theologie bei Drewermann einseitig von der Tiefenpsychologie her. Die Theologie kommt mit ihren eigenen Anliegen gar nicht zu Wort. Wohl nicht zuletzt deshalb wirken Drewermanns dicke Wälzer so unerträglich monoman. Gegenrede und kritische Einwände sind offensichtlich nicht erwünscht.

Auf der anderen Seite muß Drewermann die Möglichkeiten der Tiefenpsychologie sehr weit fassen. Er will mit den Methoden der

---

[47] Psychoanalyse und Moraltheologie III, 10.
[48] Ebd. 12.
[49] Tiefenpsychologie und Exegese II, 762.
[50] Ebd. 760.
[51] Ebd. 789.
[52] Ebd. 34.

Tiefenpsychologie festhalten, „daß Gott nicht als Teil der Gesamtheit der menschlichen Psyche verstanden werden darf und daß es unbedingt erforderlich ist, jenseits des Meeres des Unbewußten an ein anderes Ufer zu glauben, an dem Gott auf uns wartet“[53]. Die Frage ist, ob damit ein psychologisches Bedürfnis oder eine transpsychische Realität ausgesagt wird. Im Sinn Drewermanns offensichtlich das Letztere. Doch sind damit die methodischen Möglichkeiten der Tiefenpsychologie nicht überschritten?

Drewermann vergleicht einmal die Tiefenpsychologie mit einem Floß, das über einen Strom hilft. Am anderen Ufer angelangt, braucht man das Floß nicht mehr, man kann es zurücklassen und das heißt die tiefenpsychologische Hermeneutik vergessen[54]. Damit ist m. E. zugleich zu viel und zu wenig behauptet. Zu viel, weil nicht einzusehen ist, wie die Tiefenpsychologie mehr als das Bedürfnis, die Sehnsucht und die Ausrichtung nach dem anderen Ufer aufweisen kann; das verheißene Land zu betreten ist ihr als Tiefenpsychologie nicht möglich. Das Boot muß uns vom anderen Ufer her entgegenkommen, um uns abzuholen und mitzunehmen. Doch eben mit-nehmen! Hier besagt der Vergleich zu wenig. Der Gläubige schüttelt ja seine seelische Konstitution nicht ab, so wie man ein Boot zurückläßt, nachdem man übergesetzt ist. Die Offenbarung drückt sich im Medium des Menschen aus. Sie greift die Bilder und Träume der anima naturaliter christiana (Tertullian) auf und nimmt sie in Dienst. Nur so kann sie zu einer die menschliche Existenz in ihrer Tiefe treffenden und verwandelnden Erfahrung werden. Will die Theologie den Menschen wirklich in seiner Tiefe erreichen, dann braucht sie die tiefenpsychologische Hermeneutik nicht nur zeitweise, sondern bleibend. Das aufgezeigt zu haben ist Drewermanns unbestreitbares Verdienst. Daß er in seinen späteren Werken nicht auch zugleich und mit gleicher Intensität die Grenzen seiner tiefenpsychologischen Hermeneutik reflektiert, ist freilich seine Grenze.

So ist eine angemessene Vermittlung zwischen Tiefenpsychologie und Theologie im Werk Drewermanns bisher nicht gelungen. Sie könnte nur gelingen, wenn die theologischen Aussagen nicht nur in tiefenpsychologischer Reduktion, sondern in sich selbst zur Sprache kämen, wenn er also das diakritische Erkenntnisorgan der Theolo-

---

[53] Ebd. 769; vgl. Strukturen des Bösen II, 124ff; III, 148ff.

[54] Tiefenpsychologie und Exegese II, 789f.

gie[55] entschiedener und auch vorurteilsloser zur Geltung bringen würde. Es dürften deshalb nicht nur die dürftigen, aber auch längst überholten neuscholastischen Ausläufer einer dürren Schultheologie kritisiert werden; es müßte die reiche Tradition der geistlichen Theologie der Kirchenväter, Mystiker und großen Scholastiker wie die Versuche von deren schöpferischer Erneuerung bei H. de Lubac, R. Guardini, K. Rahner, H. U. von Balthasar, um nur einige, wichtige Vertreter zu nennen, in die Diskussion gebracht werden. Solange dies nicht geschieht, macht sich Drewermann seine Auseinandersetzung nicht nur zu leicht, so lange muß seine Methode vom Gesichtspunkt der Theologie aus gesehen auch als naiv und unkritisch erscheinen.

Die Grundfrage einer kritischen Vermittlung von Theologie und Tiefenpsychologie lautet: Genügt das psychotherapeutische Modell und Paradigma für ein sachgerechtes Offenbarungs- und Erlösungsverständnis? Geht es im Offenbarungsvorgang nur darum, Bedingungen und ein Klima zu schaffen, in dem die Selbstheilungskräfte der Seele wirksam werden können, oder geht es nicht eher um ein unableitbares Freiheitsgeschehen „vom anderen Ufer her", geht es also nicht eher um reale Vergebung und Neuschaffung, die sich zwar im Medium der menschlichen Seele und ihrer Archetypen ausspricht, diese dabei aber auch in kritischer und schöpferischer, ja neuschöpferischer Weise in Dienst nimmt? Die für die Offenbarung des Alten wie des Neuen Testaments wesentliche Geschichtlichkeit ist die Ausdrucksgestalt dafür, daß das Christentum die Botschaft von der freien Gnade ist. Als Geschenk der freien und ungeschuldeten Gnade nimmt die biblische Offenbarung den Menschen in seiner Freiheit in Anspruch und Verantwortung. Zur Freiheit gehört das Moment des Neuen und des nicht Ableitbaren. Darum ist Erlösung mehr als restitutio in integrum und Rückkehr ins Paradies[56]. Sie führt nicht ins träumende Dasein im Mutterschoß zurück, im Gegenteil, sie ist eine neue Geburt, die zur christlichen Mündigkeit und ins sohneshafte Erwachsenenalter führt. Das psychotherapeutische Modell greift dafür zu kurz.

Drewermann mag mit einigem historischen Recht dem Christentum vorhalten, daß dieses oft einseitig den Verstand betont und die naturalen und emotionalen Kräfte unterbewertet, ja unterdrückt hat.

---

[55] Ebd. 769.

[56] Psychoanalyse und Moraltheologie III, 27ff.

Es ist jedoch zu fragen, ob er nicht den Menschen wie die Offenbarung einseitig naturalisiert und die Freiheit verkennt, mit welcher sich der Mensch verantwortlich zur Natur verhalten kann, wie die Freiheit, aus der die christliche Offenbarung entspringt und die sie schenkt. Solange dies der Fall ist, werden die Wirkungen des imponierenden Werkes von Drewermann über seine gut gemeinten und sachlich weithin wohl begründeten Intentionen hinweggehen und zu einer Verpsychologisierung und letztlich zu einer Naturalisierung des Glaubens führen, welche weder der Personalität Gottes noch der des Menschen gerecht wird. Schade, denn damit wird ein gutes, mit erstaunlichem Arbeitsaufwand und enormer Kenntnis verfolgtes Anliegen um den Erfolg gebracht, den es verdiente und den man ihm wünschte: Eine erfahrungsgesättigte Verkündigung und eine Theologie, welche den Menschen in den Tiefen seiner Seele trifft, anrührt und verwandelt. Ein postmoderner Psycho-Mythos jedoch kann der Weg des Christentums ins dritte Jahrtausend nicht sein.

# II
# Exegese und Tiefenpsychologie

*Von Rudolf Schnackenburg*

Wenn ein Fachexeget das zweibändige, mit Registern über 1400 Seiten umfassende Werk von Eugen Drewermann „Tiefenpsychologie und Exegese“[1] liest, in dem der Verfasser, wie er zugibt, die „historisch-kritische Exegese als Methode zur Interpretation *religiöser* Texte ... auf das heftigste attackiert“ hat (II, 760), könnte bei ihm leicht die Reizschwelle zu einer ebenso heftigen Gegenattacke überschritten sein. Die von den Exegeten betriebene Art der Auslegung ist nach Drewermann „in ihrer Abgetrenntheit vom Gefühl, in ihrer Isolation vom Subjekt ... prinzipiell gottlos, so oft sie auch den Namen ‚Gott‘ in ihrem Mund führen mag“ (I, 12). Sie ist „in ihrem ganzen Wesen unreligiös und, schlimmer noch, in theologischer Verkleidung Heuchelei und Mummenschanz“ (I, 13). Aber die Sache, um die es geht, ist viel zu ernst, als daß man sich von Emotionen leiten lassen und auf Aggressionen einlassen kann. Die notwendige Auseinandersetzung mit dem Bemühen Drewermanns, „die Exegese insgesamt vom Kopf wieder auf die Füße zu stellen“ (I, 16), muß sich an der Frage orientieren: Wie ist die Bibel nach dem christlichen Glauben, der sich auf sie stützt und von ihr nährt, zutreffend und zureichend zu interpretieren? Das setzt den Willen voraus, Fehler und Fehlentwicklungen in der Exegese zuzugeben, aber ebenso, das unveräußerlich Christliche, das den „Logos“ von Gott („Theologie“) und die existentielle Bindung an Gott („Religion“) gleicherweise umfaßt, konsequent festzuhalten.

### *1. Die inkriminierte „historisch-kritische Exegese“*

Was Drewermann als charakteristisch an der heutigen Exegese ansieht, was er auf die Entwicklung der Bibelwissenschaft seit der Aufklärung zurückführt und für die Zukunft prognostiziert (vgl. I, 42 f),

[1] Olten 1984/85. Zitate aus diesem Werk werden im Text durch beigefügte Band- und Seitenzahlen belegt.

betrifft die historisch-kritische *Methode,* die allerdings in einer Zeit des Rationalismus und Historismus (im 19. Jahrhundert) ausgebildet und mit ihrem Methodeninstrumentarium bis in unsere Zeit verfeinert wurde. Diese Methode wird allgemein auf literarische Texte in ihrem geschichtlichen Kontext angewendet und ist für die biblischen Schriften, *sofern sie das sind,* unaufgebbar. Aber es ist nicht das einzige leitende Interesse heutiger Exegese. Die Grenzen der historisch-kritischen Methode sind schon länger erkannt, und heutige Hermeneutik bemüht sich, über das historisch Feststellbare hinaus den Sinn und den existentiellen Anspruch der biblischen Texte zu erheben.

Was uns die Schriften des Neuen Testaments hier und heute „zu sagen haben", was sie jedem einzelnen und der Gemeinschaft der Glaubenden zu sagen haben, ist ein vorrangiges Interesse heutiger Exegese[2]. Von der Sprachforschung und Textlinguistik befruchtet, will der Exeget nicht nur die Aussageabsichten der biblischen Schriftsteller gegenüber ihrer damaligen Leserschaft feststellen, sondern auch in den heutigen Horizont übertragen. Besonders die „pragmatische" Textdimension, die das erhellt, wozu ein Autor seine Leser und Leserinnen bewegen will, ermöglicht und verpflichtet zum ständigen hermeneutischen Nachdenken, was uns die Texte, die nach dem christlichen Glauben Gottes Wort an uns enthalten, heute sagen und wozu sie uns bringen wollen. Die in historischen Zusammenhängen angesiedelten Texte enthalten ein Sinnpotential, das sich nicht in ihren ursprünglichen Gebrauchssituationen erschöpft, sondern auf weitere, auf gegenwärtige Rezeption angelegt ist[3]. Insofern kommt heutige Exegese dem Verlangen Drewermanns nach einer existentiellen „Ergriffenheit" durch die biblischen Texte entgegen. Die von S. Kierkegaard erkannte und von Drewermann betonte „Gleichzeitigkeit" der religiösen Rede hat in der Exegese durchaus ihren Platz, freilich nicht um den Preis ihrer geschichtlichen Fundierung. Denn niemals darf das in der Bibel modo humano auf uns kommende Wort Gottes aus der Heilsökonomie herausge-

[2] Vgl. schon *R. Bultmann* in den Epilegomena zu seiner weitverbreiteten „Theologie des Neuen Testaments" (zuerst Tübingen 1953, [9]1984) 599 bzw. 600.

[3] Vgl. *W. H. Schmidt,* Grenzen und Vorzüge historisch-kritischer Exegese. Eine kleine Verteidigungsrede: Evangel. Theol. 45 (1985) 469–481, bes. 472; *M. Theobald,* Die Autonomie der historischen Kritik – Ausdruck des Unglaubens oder theologische Notwendigkeit? Zur Schriftauslegung Romano Guardinis, in: *L. Honnefelder / M. Lutz-Bachmann* (Hrsg.), Auslegungen des Glaubens, Berlin-Hildesheim 1987, 21–45, bes. 36–38.

löst werden, nach der Gott „viele Male und auf vielerlei Weise einst zu den Vätern gesprochen hat durch die Propheten, in dieser Endzeit aber zu uns durch den Sohn“ (Hebr 1,1). Dieses letzte, „eschatologische“ Sich-Mitteilen Gottes in seinem Sohn ist die letzthin verbindliche, uns unmittelbar angehende Anrede Gottes. Aber ohne die Heilsgeschichte, in die sich Jesus hineingestellt weiß und in die er selbst durch Kreuz und Auferstehung von Gott hineingestellt ist, verliert diese Anrede Gottes ihren Grund. Der religiöse, ins Innere des Menschen eindringende Anspruch des Wortes Gottes, das „lebendig ist, kraftvoll und schärfer als jedes zweischneidige Schwert“ (Hebr 4,12), setzt die geschichtliche Offenbarung voraus und nimmt sie in sich hinein. Der historisch-kritischen Methode fällt die Aufgabe zu, die geschichtlichen Bedingungen, die Umstände, die Artikulationen der in menschliche Sprache gekleideten und darin nie wirklich eingeholten göttlichen Offenbarung zu erforschen. Das ist wegen der Geschichtlichkeit der Offenbarung ihre unerläßliche Aufgabe, aber auch ihre Grenze. Den Glauben selbst und den existentiellen Anspruch an den Glaubenden vermag sie nicht zu begründen. Aber wie soll das geschehen?

Nach Drewermann sind „die Mythen, Märchen, Legenden, Wundererzählungen, kurz: alle Zeugnisse wirklicher Gottesbegegnung unendlich weiter und tiefer ⟨...⟩, als es mit den Mitteln bewußter Reflexion zu irgendeiner Zeit gesagt werden kann ...“ (I, 19f). Aber kann „bewußte Reflexion“ für den suchenden menschlichen Geist ausgeschaltet werden? Solches vernunftmäßige Bemühen gesteht Drewermann der klassischen Philologie, der Philosophie und anderen Wissenschaftszweigen zu, hält sie aber in der Bibelauslegung für irreführend (I, 29). Aber kann man „Religion“ aus dem hellen Bewußtsein menschlichen Geistes herauslösen und allein in den Tiefen der Seele, genauer: im „Unbewußten“ ansiedeln, wo sie in den „Archetypen“ ihren Sitz und ihre Legitimation hat? Die der Exegese als theologischem Fach zufallende (und von der Kirche zugewiesene) Aufgabe besteht jedenfalls darin, den Aussagegehalt der biblischen Bücher nach ihrem „Literalsinn“ zu erheben. Das bedeutet keineswegs eine Beschränkung auf historische, archäologische, philologische Fragen, sondern auch ein Bemühen um den theologischen und religiösen Gehalt der Texte[4].

---

[4] Vgl. die Bibelenzyklika „Divino afflante Spiritu“ vom 30.9.1943, Herder-Ausgabe 1947, 32 (lat.), 33 (deutsch).

Zweierlei ist dabei beachtlich: Die Kirche stützt sich auf ihre *Erfahrung,* die sie mit andersartigen Schriftauslegungen gemacht hat, und zweitens geht es darum, Gottes *Wort* immer wieder zu erwägen und zu betrachten. Nun ist *Gottes* Wort nicht biblizistisch oder fundamentalistisch mit den in der Bibel von Menschen geschriebenen Worten gleichzusetzen, auch nicht in „Lehrbegriffen" (so im 19. Jahrhundert) oder in theologischen Aussagen aufzufangen und festzulegen; aber es hat doch einen „Logos" in sich, der sich eben in menschlicher Weise „um unseres Heiles willen" kundtun will. Dieses „nostrae salutis causa" (Dei Verbum 11), das den Akzent auf die Heilswahrheit der göttlichen Offenbarung legt, gibt das Recht und nimmt in Pflicht, die religiöse Rezeption der biblischen Texte mehr als bisher in Betracht zu ziehen. Das wird man als Defizit der bisherigen Exegese zugeben müssen, erklärt es doch das verbreitete Unbehagen an der historisch-kritischen Methode. Aber aus dem Interpretationsprozeß, der weiter reicht, läßt sie sich wegen des biblischen Offenbarungsverständnisses nicht ausscheiden (mehr dazu unter 4).

Die Spannweite heutiger Exegese bekommt Drewermann nicht in den Blick, weil er von ihr ein eingeengtes und verzerrtes Bild hat. Berechtigt ist seine Kritik dort, wo Exegeten bei historisch-kritischen Fragen stehen bleiben. Wenn er auf die Verschiedenartigkeit und die Divergenzen der in den biblischen Schriften hervortretenden „Theologien" den Finger legt (I, 34 f), bedenkt er nicht den geschichtlichen Prozeß göttlicher Selbstoffenbarung und die Beschränktheit und Wandlungsfähigkeit menschlicher Rezeptivität. Aber ihren Einheitsgrund finden die verschiedenen theologischen Entwürfe doch in dem biblischen Gottesgedanken: Es ist der sich immer neu, endgültig in seinem Sohn offenbarende Gott, der sich im menschlichen Fassungsvermögen unterschiedlich darstellt. Aber es ist derselbe Gott, der einzige Gott, zu dem sich Israel bekennt (Dtn 6,4 f) und an dem das Neue Testament festhält (Mk 12,29 f; vgl. 1 Kor 8,6; Röm 11,33–36 u.a.)[5].

---

[5] Vgl. das Bändchen: „Ich will euer Gott sein". Beispiele biblischen Redens von Gott (Stuttgarter Bibel-Studien, Bd. 100), Stuttgart 1981. Darin *Jörg Jeremias* über Aktualität und Allgemeingültigkeit im prophetischen Reden (75–95); *E. Gräßer,* „Ein einziger ist Gott" (Röm 3,30) (177–205).

## 2. *Die hochgepriesene tiefenpsychologische Auslegung*

Es ist Drewermann zu danken, daß er den Ansatz und die Durchführung der von ihm geforderten tiefenpsychologischen Auslegung deutlich darlegt. Sein Programm klingt in der Überschrift eines Kapitels auf: „Die Umkehrung des Standpunktes: Mit dem Traum, nicht mit dem Wort ist zu beginnen“ (I,92). Die Abweisung einer geistigen Erfassung religiösen Redens und dessen Zuweisung zum Gebiet der Träume, des Mythos usw. begründet er u. a. mit dem Satz L. Wittgensteins: „Wovon man nicht sprechen kann, darüber muß man schweigen“ und dessen weiterem Urteil, daß es allerdings Unaussprechliches gebe, das sich im Mystischen zeige. Daran schließt Drewermann seine Auffassung an: „Dieses ‚Mystische‘ aber, das in Begriffen des Verstandes nicht auszusprechen ist, *zeigt* sich gerade in archetypischen Bildern und Symbolen, und ihrer muß darum die Religion zu allen Zeiten und Zonen sich notwendigerweise bedienen, indem sie an die Stelle des Begriffs die Ergriffenheit durch das Symbol setzt“ (I,99). Dem Traum als Grundlage archetypischer Erzählungen, zu denen dann Drewermann auch Mythos und Märchen, Sagen und Legenden rechnet, widmet er ein langes Kapitel (I,101–162). Liest man allerdings den Abschnitt „Variationen der Traumdeutung“ (154–162), wird man skeptisch, ob und wie man sich auf die Traumdeutung als Instrument der Textinterpretation verlassen kann. Drewermann betont vorweg, „daß die Tiefenpsychologie kein homogenes Gebilde ist und ihr Umgang mit Traum und Symbol je nach Schule und Methode recht unterschiedlich ausfallen kann“ (I,154). Zwar versucht er, trotzdem eine praktikable Linie zu finden; aber wenn dies schon für einen Psychotherapeuten schwierig ist, wieviel mehr für einen Exegeten! Man fragt sich, ob selbst Psychoanalytiker zu gleichen Deutungen biblischer „archetypischer“ Erzählungen und Symbole wie Drewermann kommen werden. Da wird eine andere, in sich selbst nicht einige Wissenschaft eingeschaltet und zur Voraussetzung der Interpretation gemacht, die mit ihren eigenen Problemen zu ringen hat. Doch das mögen die Fachleute beurteilen.

Nun gibt Drewermann im folgenden „Regeln und Techniken zur Auslegung archetypischer Erzählungen, insbesondere von Mythen und Märchen“ an (I,163–388), dann noch „zusätzliche Regeln und Techniken zur Auslegung besonders der Psychodynamik von Sagen und Legenden“ (I,389–482). Das ist der Hauptteil des I. Bandes über „Die Wahrheit der Formen“ und soll, wenn ich es recht verstehe, die wissenschaftliche Methodik der Auslegung begründen. Es ist zweifellos ein Verdienst gegenüber der Abwertung des Mythos bei Bultmann und anderen, die in Mythen und Märchen, Sagen und Legenden liegende „Wahrheit“ wieder entschieden ins Licht zu rükken. Das ist freilich auch schon vorher und von anderer Seite mannigfach geschehen. Das Besondere bei Drewermann ist der Versuch, daraus eine *Methodik* zu entwickeln und dafür „Regeln und Techniken“ anzugeben, die er aus seiner archetypischen Theorie und seiner therapeutischen Praxis ableitet. Daraus können überzeugende psychologische Auslegungen gelingen, wie Drewermann z.B. an der „Sünderin“ (Lk 7,36–50) demonstriert (I,450–456). Für ihn ist es ein Beispiel für „gesprächspsychotherapeutische Verbalisationstechnik“ (I,444). Nur scheint mir bei der feinsinnigen Einfühlung in die Gestalt der Sünderin die Rolle Jesu zu kurz zu kommen. Im Rahmen des Lukasevangeliums soll doch Jesus als der Freund der Zöllner und Sünder gezeichnet werden, der auch die Vollmacht hat, das Wort zu sprechen: „Deine Sünden sind dir vergeben“ (Lk 7,48), von Lukas durch die Frage der Mahlteilnehmer unterstrichen: „Wer ist dieser, daß er sogar Sünden vergibt?“ (7,49). Dieser christologische Skopus geht bei der psychologischen Interpretation unter. Aber gibt nicht erst der Glaube an diesen von Gott gesandten Retter der gequälten Frau letzte Sicherheit und „Frieden“ (vgl. 7,50)?

Ähnliches muß man zu den Heilungs- und Wundergeschichten sagen, mit denen sich Drewermann im II. Band ausführlich beschäftigt. In solchen Geschichten wird der Glaube, das unmittelbare gläubige Vertrauen zu Jesus, dem Heiler und Heiland, greifbar und stimmt zu persönlicher Ergriffenheit. Hier kann man Drewermann zustimmen, wenn er „Angst und Glauben“ als zentrale Alternative bezeichnet (II,27). Er beginnt mit dem Seewandel des Petrus (II,29f) und entwickelt, was uns diese „mythennahe Erzählung“ für unsere Ängste und unser Vertrauen zu sagen hat. Aber welche Bedeutung hat Jesus dabei? Darauf kommt es dem Evangelisten an, wenn er diese Erzählung zwischen den Seewandel Jesu (Mt 14,22–27) und das Bekenntnis der Jünger im Boot: „Wahrhaftig, du bist Gottes Sohn“ (14,33), einblendet (14,28–31). Das Thema von der Überwindung der Angst und dem Vertrauen-Gewinnen ist in V.27 gestellt: „Habt Vertrauen, ich bin es, fürchtet euch nicht.“ Für Drewermann kommt alles darauf an, in der Gestalt Jesu die Gestalt dessen (wieder-)zuerkennen, als was Gott uns will und uns gemeint hat (II, 30). Jesus also als Auslöser unserer Selbstfindung, mehr nicht? Kann uns diese Person des ganz „Anderen“, die in Christus lebte und lebt und zu der wir berufen sind, in einem jeden Menschen begegnen (II, 31)? Als Besonderheit im Wirken Jesu sieht Drewermann nichts weiter als „die enorme Personalisierung aller Ausdrucksgebärden und Symbole“ (II, 139).

Für das Verständnis der Heilungsgeschichten bedarf es schwerlich des Rekurses auf die Heilfähigkeit und Heilpraxis der Naturvölker, besonders der Schamanen (II, 74–141). Dafür genügt das biblische Verständnis des Glaubens und geben schon die Paradigmen des Alten Testaments reichlichen Stoff. Die zwei Beispiele, die Drewermann ausführlich bespricht, die Heilung des Besessenen von Gerasa (Mk 5, 1–20) und die Heilung der blutflüssigen Frau und der Tochter des Jairus (Mk 5, 21–43) (II, 246–309), werden psychologisch faszinierend behandelt; aber alles bleibt auf der Ebene der seelischen und sich körperlich auswirkenden Traumata, ausgelegt für neurotische und psychotische Zustände. So gekonnt die tiefenpsychologischen Analysen erscheinen, fragt man sich doch: Woher weiß Drewermann, daß die Krankheit der blutflüssigen Frau „gewiß ihre ödipalen, kastrativen Angsthintergründe im Erleben des eigenen Vaters besitze“ (II, 293), und aus welchem Grund man annehmen müsse, daß die Tochter des Jairus „zentral daran leidet, eine Frau zu sein bzw. von einem Mädchen zu einer Frau werden zu müssen“ (II, 296). Das sind Hypothesen, hinter denen die Hypothesen historisch-kritischer Untersuchungen eher harmlos erscheinen. Von der Frage, was in diesen Geschichten wirklich geschehen sein könnte, rückt Drewermann weit ab; sie sind für ihn „verdichtete Gestaltbilder typischer Erfahrungen von Heil und Unheil in der Spannungszone zwischen Angst und Vertrauen“ (II, 308).

Die Interpretationsregeln, die Drewermann zu diesen Erzählungen aufstellt, gelten für ihn auch für die Erscheinungs- und Berufungsgeschichten, Visionen und Prophetien, die er in einem weiteren langen Kapitel behandelt (310–435). Bei den Erscheinungen (Epiphanien) geht Drewermann zum Teil mit dem, was auch die Formgeschichte erarbeitet hat, konform[6]. Wieder braucht man nicht die „Himmelsträume und die Jenseitswanderungen der Schamanen“

---

[6] Doch vgl. die Kritik bei *G. Lohfink / R. Pesch,* Tiefenpsychologie und keine Exegese. Eine Auseinandersetzung mit Eugen Drewermann (Stuttgarter Bibel-Studien, Bd. 129), Stuttgart 1987, 17.

(320–329) zu bemühen. Die solche Geschichten auslösenden Faktoren werden, wie nicht anders zu erwarten, psychologisch erklärt. „Um das Plötzliche, Einbruchartige der Erscheinungserlebnisse zu begründen, bedarf es, psychologisch gesehen, eines starken Aufstaus affektiver Regungen" (II,330). „Als Ursachen der Halluzinationen können cerebrale Reizzustände in Frage kommen ..." (II,333).

Mich interessiert besonders die Frage, ob Drewermann auch die sogenannten Erscheinungen des Auferstandenen in dieser Weise erklären will; denn einer psychologischen Erklärung des Glaubens an die Auferstehung Jesu kann gerade die historisch-kritische Forschung starke Argumente entgegensetzen[7]. Wie Drewermann darüber urteilt, ist mir nicht klar geworden; aber unter seinen Beispielen behandelt er des längeren die Erscheinung Jesu am See nach Joh 21,1–14 (II,392–423), und wie er es tut, ist lehrreich. Daß diese schwierige Erzählung symbolische Züge enthält, habe auch ich in meinem Kommentar beachtet, und ich bin bereit, darüber noch hinauszugehen[8]. Der sogenannte johanneische Symbolismus ist ein schwieriges Gebiet. Aber Drewermann stößt sich daran, daß ich nicht die *ganze* Erzählung symbolisch verstehe. Zu dem Ausruf des Jüngers, den Jesus liebte: „Es ist der Herr" (Joh 21,7), schreibt er: „In der Vision am anderen Ufer erschien den Jüngern eine Gestalt, die sie zunächst nicht mit dem Herrn verbinden konnten: sie war lediglich ein Bild dessen, was wahres Menschsein an sich selbst bedeuten kann; doch immerhin ging gerade von diesem Wesensbild der Menschlichkeit der entscheidende Befehl aus, alles noch einmal neu, am hellen Tag zu versuchen" (II,410). Woher weiß er, daß der Mann am Ufer das „Wesensbild der Menschlichkeit" sein soll? Aber dazu baut er sich vorher eine Brücke: Das Wort, das die anderen sechs Jünger zu Petrus sagen: „Wir kommen auch mit dir" (Joh 21,3), soll „ein durch und durch von anderen bestimmtes Leben" beschreiben, „in dem man keinerlei andere Existenz besitzt, sondern dahinlebt als ein ‚Mann ohne Eigenschaften'" (II,397). Aber in der ekklesialen Perspektive von Joh 21, die Drewermann grundsätzlich anerkennt, liegt es doch viel näher, das „Mitkommen" der Jünger

---

[7] Vgl. zuletzt *H. Kessler,* Sucht den Lebenden nicht bei den Toten. Die Auferstehung Jesu Christi, Düsseldorf 1985, 136–219, bes. 161–173.

[8] Vgl. *E. Ruckstuhl,* Zur Aussage und Botschaft von Johannes 21, in: Die Kirche des Anfangs (Festschr. H. Schürmann), Leipzig-Freiburg i.Br. 1978, 339–378, näherhin 340–351.

auf die Gemeinschaft der sieben Jünger zu deuten, die so ein Symbol für die Kirche werden. Ihr wird durch den gläubigen Blick des Jüngers, den Jesus liebte, die Bedeutung des Auferstandenen erschlossen. Für Drewermann kommt es „von der Vision der wirklichen Gestalt des Menschlichen zu der inneren Wahrnehmung von der Auferstehung des Menschensohnes“ (II, 403). Da wird der Offenbarungsvorgang, daß der Auferstandene Glauben erzeugt - zunächst beim Jünger, den Jesus liebte, dann bei Petrus, schließlich bei allen Jüngern - genau umgekehrt. „Die Erfahrung der Fülle des eigenen Lebens wird mithin *zur Voraussetzung* (von mir hervorgehoben), um die Person Jesu in ihrer Wahrheit und Lebendigkeit wirklich erkennen zu können“ (II, 410). Allerdings beschränkt Drewermann seine Deutung auf das „dritte Mal“ des Erscheinens Jesu (II, 394f), auf die Zeit der Kirche; die ersten beiden Erzählungen vom Erscheinen des Auferstandenen vor den Jüngern können ihr Gewicht behalten. Aber ob die tiefenpsychologische Ausdeutung der dritten Erscheinung die Intention des Erzählers trifft, bleibt höchst fraglich.

Das mag zur Charakterisierung der Auslegungsweise Drewermanns vorerst genügen.

### *3. Selektion und Reduktion*

Für Exegeten, die in der Jesusüberlieferung das Schwergewicht auf den Worten und der Predigt Jesu liegen sehen, allerdings durch seine zeichenhaften Taten unterstützt und zu einem einheitlichen Bild seiner Person verschmolzen, ist es verwunderlich, daß Drewermann nach der langen Beschäftigung mit den „mythischen“ Geschichten nur relativ wenig Raum den Wortüberlieferungen im engeren Sinn widmet (II, 666–759). Auch hier will er „eine bislang scheinbar unangefochtene Bastion der historisch-kritischen Methode für die Tiefenpsychologie erobern“ (II, 665). Den formgeschichtlichen Fächer der Wortüberlieferungen übernimmt er von Bultmann (II, 681 f) und bemerkt dazu: „Je nachdem, ist der Beitrag und Stellenwert der tiefenpsychologischen Betrachtung der verschiedenen Redeformen natürlich unterschiedlich“ (II, 682). Die Auswahl der Beispiele ist bezeichnend: für die Streit- und Schulgespräche die Geschichte vom Zinsgroschen Mk 12, 13–17 (II, 683–686) und das Gespräch Jesu mit der Frau am Jakobsbrunnen Joh 4,1–42 (II,686–697)[9]; für die biographischen Apophthegmata die Geschichte vom reichen Jüngling Mk 10,17–27 (II,698–707). Für die Seligpreisungen, Gesetzesworte und Weisungen stehen nur gut vier Seiten zur Verfügung (707–711). Größerer Raum wird den Gleichnissen und Parabeln gewidmet (712–738) mit zwei anschließenden Beispielen: das Gleichnis vom Sämann (739–746) und die Parabel von den unterschiedlichen Talenten (746–753).

Auf diese Paradigmen, die wieder mit erheblichem psychologischem Aufwand interpretiert werden, kann ich nicht eingehen. Worauf ich hinweisen möchte, ist die Selektion der Wortüberlieferungen und die dabei stattfindende Reduktion ihres Aussagegehaltes. Warum werden die „Weisungen" Jesu, wie sie sich besonders konzentriert in der Bergpredigt (Mt 5–7) finden – doch gewiß ein wesentlicher Gehalt der Jesuspredigt im Zusammenhang seiner Reich-Gottes-Verkündigung –, fast gar nicht (abgesehen vom reichen Jüngling) behandelt? Warum werden die zentralen Worte von der Kreuzesnachfolge und Selbstverleugnung (Mk 8,34–38 u. Par.) übergangen? Warum klingen die ernsten Warnungen Jesu vor dem göttlichen Gericht nur hier und da an? Das alles gehört doch auch zur gut bezeugten Wortüberlieferung. Es drängt sich die Frage auf: Scheut der Tiefenpsychologe vor den sittlichen Forderungen zurück? Offenbar paßt dies nicht in sein Konzept: „Nicht *wie* man leben soll, sondern *woraus* man leben *kann*, die religiöse, nicht die ethische Problematik des Lebens berührt die Botschaft Jesu."[10] Gewiß war Jesu Verkündigung eine Heilsbotschaft, in der Gottes unendliche Güte und Barmherzigkeit allen Menschen, auch gerade den Sündern und den gesellschaftlich Geächteten zugesprochen wird, und gewiß soll diese befreiende Botschaft heute die Menschen, besonders die seelisch belasteten, aus ihren Ängsten herausrufen. Aber aus der Botschaft Jesu folgt auch der Appell, der Liebe Gottes mit gleicher Liebe zu den Menschen zu entsprechen, das ganze Leben auf dieses Prinzip „Liebe" auszurichten. Die sittliche Botschaft Jesu kann von seiner Reich-Gottes-Verkündigung, von der jetzt hereinbrechenden Gottesherrschaft nicht abgetrennt wer-

---

[9] Vgl. die Kritik bei *Lohfink/Pesch* (Anm. 6) 97–99.

[10] *E. Drewermann,* Dein Name ist wie der Geschmack des Lebens. Tiefenpsychologische Deutung der Kindheitsgeschichte nach dem Lukasevangelium, Freiburg i.Br. 1986, 75. Im folgenden mit „Dein Name" und Seitenzahl in Klammern belegt.

den[11]. Sonst kommt es zu einer folgenschweren Reduktion dessen, was Jesus gesagt, getan, gewollt hat.

Ähnliche Verkürzungen und Entstellungen lassen sich bei dem tiefenpsychologischen Ansatz Drewermanns noch in anderer Hinsicht feststellen. Das Sterben Jesu, sein Blutvergießen „für viele" (Mk 14,24), sein Sterben „zur Vergebung der Sünden" (1 Kor 15,3), das der Urkirche für ihre Erlösungsbotschaft im Mittelpunkt stand, kommt bei Drewermann, soviel ich sehe, nirgends zur Sprache. Und doch ist die Verbundenheit mit dem Gekreuzigten und Auferstandenen für viele gläubige Menschen in ihrer Trauer und Verzweiflung der größte Trost, die stärkste Ermutigung zu Vertrauen und Hoffnung. Gehört nicht auch drückendes Schuldbewußtsein zur Quelle von Angst, und befreit nicht das Bewußtsein vergebener Schuld von solchen Ängsten und inneren Bedrückungen? Ein optimistisches Menschenbild, das alles in Harmonie, Einverständnis mit sich selbst, Einheit mit dem All auflöst, und eine sich darauf aufbauende „neue Religiosität", wie sie heute propagiert wird, verkennt die existentielle Situation des Menschen und verhindert seine wahre Befreiung aus den tiefsten Nöten des Menschseins.

Die von G. Lohfink / R. Pesch hervorgehobene Bezogenheit der ganzen Verkündigung und des Wirkens Jesu auf die Geschichte des Gottesvolkes, die Begründung einer Gemeinschaft von Glaubenden und ihm Nachfolgenden wird von Drewermann scharf zurückgewiesen. Für ihn hat die Religion allein mit der Befreiung des einzelnen aus seinen Ängsten und Nöten zu tun[12]. Aber die Einbindung des einzelnen in eine Gemeinschaft, in der er „Brüder, Schwestern, Mütter, Kinder" findet (vgl. Mk 10,30) und in der das gegenseitige Dienen zum befreienden Grundgesetz wird (Mk 10,43 f), ist schlechterdings nicht zu bestreiten. Der Einwand, daß sich eine solche Gemeinschaft in unseren Gemeinden nicht vorfindet, der einzelne in ihnen keinen Halt und keine Hilfe erfährt, ist zum Teil berechtigt, eine bedrückende Tatsache. Aber es ist ein Pauschalurteil, das den vielfachen Liebesdienst der Brüder und Schwestern mißachtet und die stützende Kraft der Gemeinschaft unterschätzt. So entschieden Jesus jeden einzelnen vor das Angesicht Gottes stellt, „jener anderen

---

[11] Vgl. *R. Schnackenburg,* Die sittliche Botschaft des Neuen Testaments, Bd. 1: Von Jesus zur Urkirche, Freiburg i. Br. 1986, 31–67.

[12] Vgl. *E. Drewermann,* Falsch' Zeugnis abgelegt. Erwiderung auf den Angriff von Rudolf Pesch und Gerhard Lohfink, in: Publik-Forum 1987, Nr. 18, S. 25–26. Dort betont er den absoluten (!) Vorrang des Einzelnen (S. 26, 3. Spalte).

*absoluten* Person, die wir Gott nennen" und die ihn zu formen vermag[13], ebenso stellt er jeden in die von ihm gewollte und begründete Liebesgemeinschaft hinein, die ihn ebenfalls formen soll. Nicht neben, sondern in der Gemeinde kann und soll der einzelne Gott begegnen. Die Ausblendung der ekklesialen Dimension ist im Blick auf das Leben und Streben der urchristlichen Gemeinden eine arge Verkürzung und, so scheint mir, eine Folgeerscheinung des Subjektivismus und des übersteigerten Autonomiestrebens der Neuzeit.

Schließlich wird auch die eschatologische Perspektive der Botschaft Jesu bei Drewermann so gut wie gänzlich unterdrückt. Sie ist in der (Nah-)Erwartung des Reiches Gottes bei Jesus („Dein Reich komme!") angelegt und läßt sich für das Erlösungsbedürfnis jedes einzelnen und das Welt- und das Geschichtsverständnis der christlichen Glaubensgemeinschaft nicht eliminieren. In dem langen Kapitel über Eschatologien und Apokalypsen (II, 436–591) will Drewermann – auch mit Kritik an der existentialen Deutung Bultmanns (442–447) – die unleugbaren Schwierigkeiten der Interpretation eschatologischer und apokalyptischer Texte dadurch überwinden, daß er sie als Ausdrucksformen von Verzweiflung und Hoffnung in den innerseelischen Bereich verlegt. Für ihn ist Eschatologie eine „regressive Mythologie der Zukunft" (so die Überschrift auf S. 447), und die Eschatologisierung der Geschichtserwartung stellt „eine *ubiquitäre* Reaktionsmöglichkeit der menschlichen Psyche dar, um angesichts einer hoffnungslosen Gegenwart die Hoffnung trotz allem nicht preiszugeben" (450). Nach dieser Erklärung, wie solche Zukunftsbilder entstehen, überrascht es nicht, daß Drewermann für die Interpretation von Prophetien und Apokalypsen den hermeneutischen Grundsatz aufstellt: „Im Sinne einer tiefenpsychologischen Interpretation derartiger Visionen kommt es darauf an, all die Momente ‚eschatologischer' Hoffnung nach innen zu ziehen und als Bilder eines psychischen Prozesses zu deuten, der phasenweise gegen alle Widerstände, insbesondere einer unmenschlichen Vergangenheit, die Gestalt einer wahren und eigentlichen Existenz hervorbringt" (453). Also Eschatologie als Widerspiegelung eines seelischen Gesundungsprozesses? Es ist hier nicht der Ort, auf die von den biblischen Texten provozierten Theorien einzugehen, wie sich Zeit und Geschichte in das christliche Daseins- und Weltverständnis einfügen. Aber Jesus hält die eschatologische Perspektive

[13] Ebd.

sogar nach dem Scheitern seiner Mission in Israel fest: Im Blick auf seinen bevorstehenden Tod ist er gewiß, daß er vom Gewächs des Weinstocks mit den Jüngern neu trinken wird im kommenden Reich Gottes (Mk 14,25). So kann es nicht richtig sein, „wenn man seine Botschaft ganz und gar auf die Gegenwart *jetzt* bezieht" (II, 488). Die Todesgrenze und das Dunkel der Welt erzwingen ein Nachdenken über die Zukunft des einzelnen wie der Welt. Sollen die Zukunftsvisionen nur „Kontrastbilder und Heilungssymbole gegenüber dem durchgehenden Alptraum eines schlechthin in die Endlichkeit eingepferchten Daseins" sein (II, 509)? Können sie eine therapeutische Wirkung haben, wenn man nicht an die Wirklichkeit des verheißenen Lebens bei Gott und an die Vollendung der Welt durch Gott glaubt? Diesen Glauben will wohl auch Drewermann nicht einfach in Frage stellen (vgl. II, 500–503); aber durch die Fixierung auf das gegenwärtige Erleben und auf den innerseelischen Bereich gerät die Zukunft des einzelnen und der Welt ins Nebulose. Die Johannesapokalypse schildert für Drewermann den „mühsamen Weg ⟨...⟩, auf dem ein Mensch aus Angst und Fremdbestimmung zu sich selbst und dem Ursprung seines Daseins zurückfindet" (II, 590). Die Reduktion der heilsgeschichtlichen Schau der Bibel ist eklatant, sehr zum Nachteil auch eines tiefenpsychologischen Heilungsprozesses.

### *4. Biblischer Offenbarungsglaube und archetypische Gottinnerlichkeit*

Die tiefste Kluft zwischen biblischer Exegese und tiefenpsychologischer Auslegung wird sichtbar, wenn man auf das jeweilige Offenbarungsverständnis und den darin implizierten Gottesgedanken achtet. Für die Bibel ist es der sich in der Geschichte des Gottesvolkes immer neu bis zur vollen und letzten Offenbarung in Jesus Christus den Menschen erschließende Gott, der in dieser Selbsterschließung und Selbstmitteilung an die Menschen als der „ganz Andere" erfahren wird, immer im Geheimnis bleibend und doch die Menschen zu sich als der Quelle des Lebens und Heils rufend. Israel bekennt: „Wahrhaftig, du bist ein verborgener Gott. Israels Gott ist der Retter" (Jes 45,15). Dieser Gott hat sich nach dem Glauben der Bibel *von außen,* aus der Höhe seiner Transzendenz zu den Menschen herabgelassen, um sie zu sich emporzuheben, an sich zu ziehen, „mit Stricken der Liebe" (Hos 11,4). Darum *gedenkt* Israel stets aufs neue der Befreiung aus dem Sklavenhaus Ägypten; dieses Gedächtnis ist lebendige Gegenwart (vgl. das „kleine Credo“ Dtn 26,5–11). Für die Urchristenheit ist Gottes höchste Offenbarung in Jesus Christus nicht ein vergangenes „historisches“ Ereignis, sondern Jesus Christus ist jetzt und für immer „der Weg, die Wahrheit und das Leben“ (Joh 14,6), „derselbe gestern, heute und in Ewigkeit“ (Hebr 13,8). Jesu einst gesprochene Worte sind nicht verklungen und verblaßt, sondern werden erinnernd und erschließend je und je der Kirche dargeboten. Wenn die Evangelisten sie nicht im Gedächtnis festhalten und zugleich ihren Gemeinden in ihrer unmittelbaren Bedeutung für ihr Leben nahebringen wollten, hätten sie nicht die eigentümliche Gattung ihrer Evangelien gewählt. Was sie überliefern wollten, waren eben die Worte Jesu und keines anderen. Aus dem gleichen Grund wird aber auch das Leiden und Sterben Jesu erzählt. Im „Gedächtnis“ seines Todes feiert die Kirche die Eucharistie zu lebendiger Gemeinschaft mit ihrem Herrn in der Gegenwart (1 Kor 11,23–25).

Mit einem Wort: Die geschichtliche Offenbarung schließt die gegenwärtige religiöse Erfahrung, auf die es Drewermann ankommt, nicht aus, sondern ermöglicht sie, ruft sie heraus, hebt sie ins Licht. Die tiefenpsychologischen Einsichten Drewermanns können für die Überwindung menschlicher Ängste und für ein neues Vertrauen-Gewinnen befruchtend und hilfreich sein; aber er baut mit seinem Verständnis einen anderen Offenbarungsgedanken auf: Gott ist ohne die geschichtliche biblische Offenbarung in den Archetypen der Seele wirksam (vgl. II,762). Aber wir sahen, daß die biblischen Geschichten, die Worte der Propheten, die Aussprüche und Gleichnisse Jesu keineswegs „einmalig historisch“ fixiert sind, sondern je und je ihre religiöse Sinnfülle entbergen. Sie sind aber nicht nur „Bilder einer inneren Wirklichkeit“ (II,754), sondern vom geschichtlichen Offenbarungshandeln Gottes geprägt und davon nicht lösbar. Für Drewermann spricht Gott „in den ewigen Träumen unserer Seele, in denen er sich selbst träumt als Mensch, damit wir ihn schauen können als den einzigen Grund unserer Menschlichkeit“ (Dein Name 142). Damit wird der Gott der biblischen Offenbarung seiner Einzigkeit und Besonderheit beraubt und aus der Welt und ihrer Geschichte in das Innere der Seele verwiesen. Das biblische „Gedenken“, das die vergangenen Geschehnisse in den gegenwärtigen Horizont hereinholt und ihre religiöse Sinnfülle erschließt, ist Drewermann anscheinend außer Sicht geblieben. Die ganze Heilsgeschichte bleibt für ihn belanglos, im Grunde überflüssig, weil sich

Gott ubiquitär allen Menschen in allen Religionen gleichermaßen enthüllt, nämlich in den von ihm der Seele eingesenkten Archetypen.

Diese Reduktion göttlicher Offenbarung auf die Archetypen der Seele ist äußerst folgenschwer, vor allem für den Erlösungsgedanken. Gottes befreiendes Handeln, das sich für Israel in Geschehnissen seiner Geschichte, für die Christenheit im stellvertretenden Sühnetod Jesu manifestiert, wird zu einem ubiquitären seelischen Geschehen, bei dem der Mensch „sich selbst findet" (ein häufiger Ausdruck bei Drewermann). Zwar kann dieses Sich-selbst-Finden für Drewermann durch die in der Bibel, doch ebenso und noch deutlicher in anderen Religionen auffindbaren religiösen Symbole, „mythischen" Erzählungen und Vorstellungen angeregt, katalysiert, befruchtet werden; aber im Grunde ist es eine im Menschen erfolgende Selbsterlösung. Was bleibt von dem paulinischen Grundverständnis, daß Gott seinen Sohn in der Fülle der Zeit sandte, „geboren von einer Frau und dem Gesetz unterstellt, damit er die freikaufe, die unter dem Gesetz stehen" (Gal 4,4f)? Was bleibt von dem grundlegenden johanneischen Satz: „Die Liebe Gottes wurde unter uns dadurch offenbart, daß Gott seinen einzigen Sohn in die Welt sandte, damit wir durch ihn leben" (1 Joh 4,9)? Auch der christliche Glaube weiß: „Und wäre Christus tausendmal in Betlehem geboren und nicht in dir, du wärest dennoch ewiglich verloren" (Angelus Silesius). Die Immanenz Gottes wird in der christlichen Mystik tief erfahren; doch die von Gott ausgehende geschichtliche Offenbarung und vor allem die Erlösung in Jesus Christus wird in ihr nicht geleugnet. Darüber gäbe es noch viel zu sagen[14]; hier muß die Feststellung genügen: Wer die Voraussetzung der geschichtlichen Erlösungstat Jesu Christi, in der sich Gott in seiner äußersten Liebe offenbart hat, nicht teilt, wer das geschichtliche Geschehen in Symbole auflöst oder darin nur eine mythische Wahrheit erblickt, trifft den christlichen Glauben in seiner Herzmitte. Er zerstört die Grundlage, die Gewißheit der Erlösung, entleert das Wort vom Kreuz (vgl. 1 Kor 1,18–25), entfernt sich von Jesus Christus, „den Gott für uns zur Weisheit gemacht hat, zur Gerechtigkeit, Heiligung und Erlösung" (1 Kor 1,30). Der Verdacht, daß damit eine Spielart der Gnosis auftaucht, gegen den sich Drewermann wehrt

---

[14] Vgl. *J. Sudbrack,* Neue Religiosität. Herausforderung für die Christen (Topos-Taschenbuch 168), Mainz 1987, zur Mystik bes. 65–70 76f 219–229.

(II, 769–771), ist nur schwer zu unterdrücken. Wenn er allein auf das „Gegenüber einer absoluten Person" abhebt und meint, „daß die Personwerdung des Menschen ohne eine ausdrückliche Erfahrung der Personalität Gottes sich niemals hätte vollziehen können" (II, 769), ist das eine wichtige Einsicht, aber noch nicht das christliche Verständnis der Erlösung durch Jesus Christus. Welche Bedeutung hat die Person Jesu Christi für Drewermann?

### *5. Jesus Christus, einziger Mittler des Heils oder Symbolgestalt mit personalen Zügen?*

Für das Glaubensverständnis der Urkirche steht es im Rückblick auf das irdische Wirken Jesu und im Aufblick zu dem Gekreuzigten und Auferstandenen, den Gott „zu seiner Rechten eingesetzt hat", unverrückbar fest, daß Jesus Christus der einzige Mittler unseres Heils ist. Das gilt unabhängig von den mannigfachen Christusbezeichnungen, Würdenamen oder Hoheitstiteln, die ihm beigelegt werden. In ihnen spiegelt sich vielmehr diese Grundüberzeugung in der Variationsbreite jeweiliger Verstehens- und Rezeptionsfähigkeit wider. „In keinem anderen gibt es die Rettung; denn es ist kein anderer Name den Menschen auf Erden gegeben, durch den wir gerettet werden sollen" (Apg 4, 12). „Einer ist Gott, einer auch Mittler zwischen Gott und den Menschen, der Mensch Christus Jesus" (1 Tim 2, 5). „Wir haben gesehen und bezeugen, daß der Vater den Sohn gesandt hat als den Retter der Welt" (1 Joh 4, 14). Der Ausdruck „der Sohn Gottes", in dem das urchristliche Bekenntnis kulminiert, kann freilich in seiner menschlich-analogen Bildung noch verschieden verstanden werden, wird jedoch für die Urkirche zur dichtesten Aussage des von Gott in die Welt gesandten, „für uns" dahingegebenen und zu Gott erhobenen Erlösers (vgl. Gal 4, 4; Röm 8, 3.32; Joh 3, 16; 20, 31 u. a.).

Vielleicht läßt sich am Verständnis dieses führenden Christusbekenntnisses bei Drewermann am ehesten seine Stellung zur Gestalt Jesu Christi, die mir in vielen Texten nicht klar geworden ist, erkennen. Im Zusammenhang der Verkündigungsgeschichte Lk 1, 26–38 schreibt er: „Unter dem Titel *‚Gottessohn'* wird, tiefenpsychologisch betrachtet, *ein archetypisches Symbol* aufgegriffen, dessen innerer Erfahrungsreichtum in der Weise mit der Person Christi verbunden wird, daß in ihm der Inhalt dieses Archetyps als wirklich und wirksam gesetzt wird" (Dein Name 42). Nun steht für Lukas „Sohn Gottes" in 1, 35 unleugbar auch in Relation zu „Sohn des Höchsten" in

1,32, dem angekündigten Kind mit dem Namen Jesus, dem von Gott ewige Herrschaft verliehen wird (1,33). So wird schon in der Geburtsankündigung die Bestimmung und Bedeutung Jesu in der Heilsgeschichte, ausgehend vom Volk Israel und sich auf die Völkerwelt ausweitend (vgl. 2,30–32), sichtbar. Aber für Drewermann stellt der Titel „Jungfrauenkind" oder „Gottessohn" nur den Versuch dar, „das Wesen Jesu so zu deuten, daß mit seiner Person unabtrennbar all die Erfahrungen verschmelzen, die in der Seele eines jeden Menschen grundgelegt sind, wenn es um den Bereich von Neuanfang, Regeneration, Wesensverwirklichung und Ganzwerdung geht", und das deutet Drewermann dann auf das „Kindwerden" des Menschen (Dein Name 42f). Wieder erscheint Jesus, wie wir schon früher sahen, als Auslöser einer innerseelischen Erfahrung, eines Werdeprozesses, einer Wende zum eigentlichen Menschsein. Wir müssen wohl schließen: Er wird zu einer Symbolgestalt. Seine geschichtliche Person wird nicht verflüchtigt, Worte von ihm werden zitiert, seine Heilungen erzählt und dabei der körperliche Kontakt beachtet; aber wesentlich ist das, was dadurch in der Seele der Patienten entzündet wird. Das geschieht ebenso und noch wirksamer bei den Heilungen der Schamanen (vgl. II, 114–141), ähnlich bei den göttlichen Ärzten des Hellenismus in der Zeit und im Umkreis Jesu (II, 141–188).

Was ist das Besondere, das der christliche Glaube im Rahmen der allgemein zu machenden Erfahrungen von Überwindung der Angst, von Heilungen körperlicher und seelischer Störungen, durch die Person Jesu einbringt? Eine „Personalisierung des Rituellen" und „der archetypischen Bilder", die nach einer besonderen Form personalen Glaubens verlangt (vgl. II, 148f)! Im Buch zur Kindheitsgeschichte nennt es Drewermann den *„Unterschied der personalen Vertiefung"* (Dein Name 62). Wenn für den Ägypter der König die Stelle einer korporativen Person einnimmt, „ist es die große Leistung des Christentums, den zentralen Symbolismus des Alten Ägyptens in seinem geistigen Inhalt gänzlich erfaßt und *in reiner Innerlichkeit* zu dem zentralen Ausdruck des eigenen Glaubens erhoben zu haben" (ebd. 63). Ist das alles, was den christlichen Glauben von dem Glauben der Ägypter an ihren Gott-König und Gottessohn unterscheidet? Ist Jesus Christus nur die Personalisierung einer mythischen Vorstellung, die im Reflex der archetypischen Bilder in der Seele Befreiung von Angst, Vertrauen und Jenseitsglauben erzeugt? Da wird der christliche Glaube an den gekreuzigten und auferweckten Christus, der allein Rettung aus dem Tod und leibliche Auferstehung verbürgt, eben in Vereinigung mit Christus (vgl. 2 Kor 4,14; Röm 6,4.5.8; 8,17), völlig eingeebnet und seines Sinnes entleert.

Aber ist diese Verbindung mit Christus, dem sterbenden und auferstehenden Gott, nicht auch eine mythische Vorstellung, die die Religionsgeschichtliche Schule ebenso in den Mysterienkulten und anderen Ausdrucksformen des ewigen, zyklisch gedachten „Stirb und werde!" erkennen wollte? Drewermann zieht eine enge Verbindungslinie von der Verehrung der ägyptischen Götter Amun-Re und Osiris zum christlichen Glauben. Zu Amun-Re sagt er: „... ein jeder ist dazu berufen, in einem Akt zweiter Geburt den Thron seines Lebens zu besteigen und für sich selber den Anspruch eigener Souveränität Entscheidungsvollmacht und Freiheit unmittelbar aus den Händen des Wind- und Geistgottes Amun zu empfangen", und die anschließend zitierten Worte Joh 3,1 (muß heißen: 3,8) sind für Drewermann nichts anderes als ein „später Nachhall der uralten ägyptischen Vision unserer wahren Herkunft und Zukunft" (Dein Name 52). Ärger kann man den Sinn der „Geburt von oben" in Joh 3,3–8 nicht verkennen, die gerade nicht auf „eigene Souveränität und Entscheidungsvollmacht" angelegt ist. Osiris, der zu einem neuen Leben erweckte Gott, wird herbeigerufen, um auch den Übergang zu einem fortdauernden Leben damit zu verbinden. „Der zentrale Begriff des christlichen Glaubens (die Gottessohnschaft, der Verf.) verdankt sich nach dem Gesagten der großen dreitausendjährigen Religion am Nil, und er stellt – neben der zugehörigen Unsterblichkeitslehre der Osirisreligion – das großartigste Geschenk des Geistes dar, welche das Alte Ägypten dem aufkommenden Christentum hinterlassen konnte. Ja, in gewissem Sinne ist das Christentum selbst eine neue Verkörperung der alten Religion des Lichts, der neue geschichtliche Auferstehungsleib des Amun-Re *im Moment der Geburt* und des Osiris *im Augenblick des Todes*" (ebd. 59). Das Christentum also nur ein Erbe jener „Symbolvorlagen" (ebd.) für ein vergeistigtes und verinnerlichtes, im Grunde naturmythologisches Verständnis von Geburt und Tod? Aus dieser Sicht erklärt sich für Drewermann auch die Geburt Jesu aus einer Jungfrau. „Nur wenn ihm (dem Menschen) die Gestalt Jesu Christi so begegnet (ist), daß er sich selbst dabei wie ‚neugeboren' erlebt, kann er den Mann aus Nazareth als ‚(wieder-)geboren aus der Jungfrau' glauben" (ebd. 60). Wenn man den christlichen Glauben an den als Mensch geborenen, geschichtlich aufgetretenen, gekreuzigten und von Gott auferweckten Jesus in dieser Weise in die Welt der Glaubenssymbole nicht nur

Ägyptens, sondern auch anderer Völker einebnet, nimmt man ihm sein Spezifikum. Hier rächt sich in verhängnisvoller Weise die Ausschaltung der geschichtlich-heilsgeschichtlichen Sicht der Bibel.

Damit dürfte deutlich geworden sein: In dieser Sicht verliert Jesus Christus sein klares Profil als der einzige und allein rettende Heilsmittler und verblaßt die Gestalt des geschichtlich Gekommenen, der sein Leben am Kreuz für uns alle hingegeben hat, von Gott aber auferweckt und zum „Anführer des Lebens" (Apg 3,15), zum „Anführer und Retter" (Apg 5,31; vgl. Hebr 2,10) eingesetzt wurde, zu einer Symbolgestalt, zwar mit personalen Zügen, die aus seiner Vita festgehalten werden, aber nicht seine eigentliche Heilsbedeutung ausmachen. Als Heilsbringer tritt er neben andere Heiler und Wundertäter, ja tritt er hinter andere Symbolgestalten (die ägyptischen Götter) zurück. Wie sollen wir die Weihnachtsgeschichte lesen? „Im *Zeichen des Christus*", sagt Drewermann. „Das Evangelium erzählt nicht den Beginn des Lebens Jesu, es erzählt den Anfang unseres eigenen, vermenschlichten Lebens, die Geschichte unserer Menschwerdung, wie sie durch die Person Jesu Christi möglich geworden ist" (Dein Name 98). Der tiefenpsychologische Ausleger dieser Geschichten wird dann zum eigentlichen Erzähler; die ursprünglichen Erzähler haben nichts anderes, nichts mehr zu sagen. Das erinnert an ähnliche Tendenzen in Strömungen der „neuen Religiosität".

### *6. Der Traum einer universalen Weltreligion*

Am Ende seines Buches über die Kindheitsgeschichte nach Lukas läßt Drewermann sein eigentliches Interesse, das er mit seiner tiefenpsychologischen Deutung verfolgt, erkennen: „Wenn es eine universale Menschheitsreligion des menschgewordenen Gottes geben soll, muß sie dort begründet werden, wo Gott selbst sie vorbereitet hat: in den ewigen Träumen unserer Seele, in denen er selber sich träumt als Mensch ..." (Dein Name 142f). In diesem Träumen Gottes in der Seele der Menschen, wie Drewermann es versteht, erwacht in ihm selbst der Traum einer universalen Weltreligion. So schön dieser Traum ist, im hellen Licht des Tages zerfließt er. Wenn man die tatsächlich bestehenden Religionen der Menschheit miteinander vergleicht, zeigen sich tiefgreifende Unterschiede, vor allem darin, wie das Ziel der Erlösung gesehen und gesucht wird. Bei der Besprechung von Visionserzählungen hebt Drewermann selbst den Unterschied zwischen Erfahrungen, Sehnsüchten, Zielsetzungen anderer

Religionsformen und dem jüdischen und christlichen Glauben hervor: Gnostische und mystische Systeme, vor allem der Buddhismus, streben nach einer Entpersönlichung, wollen das individuelle Bewußtsein auslöschen, sich „der Welt der äußeren und inneren Wahrnehmung immer mehr ⟨...⟩ entleeren". „Demgegenüber hat der jüdisch-christliche Personalismus den größten Wert darauf gelegt, die eigene Individualität und Personalität so intensiv wie möglich zu betonen" (vgl. II, 344f). Die Bibel kennt an keiner Stelle eine „pantheistische" Verschmelzung. „Der Gott der Bibel ist *wesentlich* Person, und er meint uns Menschen wesentlich als Einzelne. Insofern sind die Erscheinungen Gottes in der Bibel in der Tat nicht nur psychologische Begebenheiten, sondern vor allem Chiffren einer theologischen Wahrheit: daß Gott am tiefsten erfahrbar ist im Dialog der Liebe ..." (II, 345). Man kann bedauern, daß Drewermann diese Erkenntnis nicht weiter verfolgt für das Ziel der Erlösung, dem die Menschen in den verschiedenen Religionen zustreben. Das Nirwana, zu dem der Buddhist, vielleicht nach langen Wegen der Reinkarnation, gelangen will, ist etwas Grundverschiedenes von dem Reich Gottes, in dem der Christ höchste personale Erfüllung in der Gemeinschaft mit Christus und Gott erwartet, und zwar nicht nur als einzelner, sondern als Glied des Gottesvolkes. Die Vereinigung mit den Ahnen, an der besonders den afrikanischen Religionen so viel liegt, ist noch nicht das gleiche wie die Hochzeit des Lammes mit seiner Braut, der Kirche. Die in vielen Kulten erstrebte Unsterblichkeit drückt noch nicht das aus, was der Christ mit der leiblichen Auferstehung erwartet, nämlich die volle Restitution seines ganzen Menschseins in der transzendenten Welt Gottes. So könnte man fortfahren. Hinter der jüdisch-christlichen Religion steht ein anderer Gottesgedanke, eine andere Sicht auf die Welt und ihre Geschichte (kein zyklisches Geschehen!), ein anderes Selbstverständnis des Menschen, der als Bild und Gleichnis Gottes geschaffen wurde und dem die Welt zur Verwaltung und Behütung übergeben ist. Doch mögen diese Unterschiede zwischen den Religionen der Menschheit von Religionswissenschaftlern noch stärker durchleuchtet werden. Eine universale Weltreligion bleibt ein Traum trotz aller Ehrfurcht vor dem je Eigenen, das die religiösen Vorstellungen der Völker zum Phänomen „Religion" beitragen.

Zur Zeit der Entstehung des Christentums gab es einen religiösen Synkretismus, ein Zusammenfließen verschiedener Gedanken, Frömmigkeitsformen und Kulte; aber das Christentum hat sich so wenig wie das Judentum aus seinem Gottesgedanken und seinem besonderen Glauben in diesen Strom eingefügt. Allerdings hat das Urchristentum an die religiöse Sehnsucht der damaligen Menschen angeknüpft, wie das Beispiel der berühmten, von Lukas gestalteten Areopagrede des Paulus in Korinth zeigt (Apg 17,16–31). Gott ist „keinem von uns fern. Denn in ihm leben wir, bewegen wir uns und sind wir, wie auch einige von euren Dichtern gesagt haben: Wir sind von seiner Art“ (17,27f). Aber der Zorn des Paulus über die vielen Götzenbilder in der Stadt wird nicht verschwiegen (17,16), und die Predigt des Paulus klingt in die Verkündigung von Jesus Christus aus (17,31f). Das ist das Proprium des christlichen Glaubens, das sich nicht in den Archetypen der Seele finden oder aufheben läßt.

### *7. Bereicherung und Bedrohung der Bibellesung durch die Tiefenpsychologie*

Am Ende seiner heftigen Attacke gegen die historisch-kritisch arbeitende Exegese schlägt Drewermann versöhnlichere Töne an. Er spricht von der „Dialektik zwischen historisch-kritischer Exegese und tiefenpsychologischer Hermeneutik“ (II,760). Er will die historisch-kritische Methode nicht als illegitim oder als überflüssig hinstellen und stattdessen die Tiefenpsychologie als eine Art Allheilmittel anpreisen. Im Gegenteil setze die vorliegende Arbeit an jeder Stelle der Argumentation die Ergebnisse der historisch-kritischen Exegese, vor allem der Formgeschichte, voraus.

Aber die „Dialektik“ wird dann doch zur „Antithetik“ (II,761f). Indem die Tiefenpsychologie zeigt, „daß bestimmte religiöse Vorstellungen den Menschen nicht von außen durch die Einmaligkeit historischer Gegebenheiten vermittelt werden, sondern dem Menschen innerlich sind, vermag sie jenseits der historischen Kritik allererst die innere Wahrheit der religiösen Aussagen zu erschließen“ (II,762). Nun wurde oben (unter 1) dargelegt, daß eine recht verstandene Exegese den religiösen Aussagegehalt der Bibel ebenfalls zu erschließen vermag, allerdings nicht unter Verzicht auf die geschichtliche Dimension der biblischen Offenbarung, sondern sich darauf stützend und darauf aufbauend (vgl. unter 4). Dann braucht in der Hermeneutik kein Gegensatz zu bestehen; die Tiefenpsychologie kann als Ergänzung und Befruchtung der herkömmlichen Exegese angesehen werden.

Den Wert einer den Exegeten meist nicht verfügbaren Tiefenpsychologie und ihre Bereicherung der Bibellektüre sehe ich besonders in folgendem: Zunächst wird dadurch die tiefe, im Menschen, in jedem Menschen vorhandene und eingewurzelte religiöse Anlage wie sonst selten herausgestellt. Der Mensch, wo immer und wie immer er in der Welt steht und nach dem Sinn seines Daseins sucht, sieht sich Gott, dem „ganz Anderen" und doch ihm Nahen, gegenüber, der ihm in aller Not und Dunkelheit seines Menschseins Licht und Stärke gibt, aus Angst und Verzweiflung herausreißt, Vertrauen und Zuversicht gewinnen läßt. Das ist in unserer Zeit der Gottvergessenheit, der inneren Zerrissenheit und Verunsicherung, ja der Verwüstung des Menschlichen nichts Geringes.

Sodann vermag die tiefenpsychologische Auslegung das, was vermutlich in den Menschen vorgegangen ist, die nach den Zeugnissen der Bibel, besonders in der Person Jesu, Gott begegnet sind, in einer bewegenden Weise aufzuschlüsseln und unmittelbar dem religiösen Suchen aufzuschließen. Dadurch werden die Leser und Leserinnen existentiell angesprochen und ergriffen, besonders jene, die ähnliche Erfahrungen der Angst und Verzweiflung gemacht haben. Die in die Tiefe des Unterbewußtseins abgesunkenen und verdeckt weiterwirkenden Erlebnisse werden ins Bewußtsein gehoben und im Aufblick zu Gott bewältigt. Daß der Tiefenpsychologe viel Not und Leid aufdeckt und geplagte Menschen davon zu befreien vermag, steht außer Zweifel. Wenn das die bisherige Exegese zu wenig beachtet hat, liegt darin ein Defizit. Auch manche symbolischen Auslegungen können, wenn sie in den Texten Anhalt finden, als Bereicherung angesehen werden.

Aber gerade an dieser symbolischen, immer wieder auf die Archetypen der Seele durchblickenden, alles in die „Gleichzeitigkeit" aufhebenden, die Geschichtlichkeit biblischer Erzählungen für belanglos haltenden Auslegung muß auch die Kritik ansetzen. Gegen den Vorrang der Träume und Mythen vor den Gedanken, gegen die Mißachtung der geschichtlichen Offenbarung Gottes in Israel und in Jesus Christus müssen wir Widerspruch erheben. Am Anfang steht nicht der Traum, sondern, wie es im johanneischen Prolog, allerdings in einer viel tiefergreifenden Aussage heißt: „Im Anfang war der Logos", und von ihm heißt es weiter: „Und der Logos ist Fleisch geworden", und dann noch einmal: „Der Einzige, der Gott ist und am Herzen des Vaters ruht, er hat Kunde gebracht" (Joh 1,1.14.18). Das ist der Weg, wie Gottes Leben und Heil bringende Offenbarung zu uns gelangt ist, und dafür müssen wir Ohr und Herz öffnen.

Welche Gewißheit kann eine tiefenpsychologische Auslegung für sich beanspruchen, wenn sie am Wortlaut der Texte vorbeigeht oder erheblich darüber hinausgeht? Hier ist ein nicht geringes Defizit der weitschweifigen Auslegungen Drewermanns festzustellen. Eine verantwortliche Exegese biblischer Texte braucht zwar nicht den historischen Grund genau aufzudecken und kann es häufig nicht; aber sie muß doch dem Text bis in den Wortlaut hinein verpflichtet bleiben und aus ihm den eigentlichen Sinn, den er bis heute hat, zu erheben suchen. Das Sinnpotential, das ein Text in sich birgt und das er dem religiös suchenden Menschen zu entbergen vermag, muß aus ihm selbst gewonnen werden. Hier haben Philologie und Linguistik eine unersetzliche Kontrollfunktion. Das gleiche können die Träume der Seele und die Mythen der Völker nicht leisten, wenn sie auch für manche Erzählgattungen aufschlußreich und hilfreich sind.

Das stärkste Bedenken gegen diese Art der Auslegung aber stellt sich ein, wenn die biblische Offenbarung in den Strom religiöser Gedanken, Vorstellungen und Empfindungen aller Völker einbezogen wird und darin untergeht. Israel hat sich gegen den verführerischen Sog der es umgebenden heidnischen Kulte gewehrt. Sein Gott spricht: „Ich bin der Herr und sonst niemand. Außer mir gibt es keinen Gott. Ich habe dir den Gürtel angelegt, ohne daß du mich kanntest ..." (Jes 45, 5). Trotz aller Offenbarung bleibt Gott verborgen, ein Geheimnis. Der gleiche Gott hat sich für den christlichen Glauben endgültig in Jesus Christus mitgeteilt, damit wir durch ihn, und durch ihn allein, Rettung und Leben finden. Wenn die uns durch Kreuz und Auferstehung Jesu geschenkte Erlösung, auf der allein unsere Hoffnung beruht, nicht mehr gesehen oder doch verdunkelt wird, ist der christliche Glaube in seinem Kern bedroht[15]. Das Kreuz Jesu Christi darf nicht beseitigt werden; es ist die tiefste Antwort Gottes auf Schuld und Leid der Menschen. Wenn die Ägypter zu ihrem Gott Amun sagten: „Dein Name ist wie der Geschmack des Lebens", so sagen die Christen von Jesus Christus: „Es ist uns Menschen kein anderer Name unter dem Himmel gegeben, durch den wir gerettet werden sollen" (Apg 4, 12).

---

[15] In einem persönlichen Gespräch mit Eugen Drewermann habe ich seine Intentionen und anthropologisch-theologischen Positionen besser verstehen gelernt. Darum möchte ich alle Härten vermeiden. Ein offenes und brüderliches Gespräch sollte weitergehen.

# III
# Geschichtlichkeit der Offenbarung und gnostische Bedrohung

*Von Ernst Dassmann*

## I.

Das weithin beachtete theologische Werk Eugen Drewermanns wird in seinem Anliegen z. T. überschwenglich gewürdigt, in vielen seiner Behauptungen und Ergebnisse aber auch scharf verurteilt. Ein Kritikpunkt, der häufig auftaucht, lautet, Drewermann vertrete gnostische Positionen[1]. Das Unbefriedigende an diesem Vorwurf ist, daß sich mit der Bezeichnung „Gnosis", „Gnostizismus" für viele nur unklare Vorstellungen verbinden. Was ist Gnosis? Wann und wo entstand sie? Worin besteht ihre Gefahr, und warum wurde sie von den Kirchenvätern so erbittert bekämpft und als tödliche Häresie ausgeschieden? Auf diese Fragen soll aus kirchengeschichtlicher Sicht eine kurze Antwort versucht werden.

## II.

1. Zwei Grundprobleme bewegten die Kirche in nachapostolisch-frühchristlicher Zeit: a) Wie behält die Gemeinde bzw. der Christ bei fortschreitender zeitlicher Entfernung von Jesus und den Augenzeugen Kontakt mit den geschichtlichen Grundlagen des Glaubens? Und b) Wie kann verhindert werden, daß die Gläubigen, die in der eschatologischen Heilszeit leben, die mit Christus gekommen, aber noch nicht vollendet ist, wieder welthaft werden?

Verschiedene Reaktionen waren möglich. Eine stellten die Montanisten dar, die die Verzögerung der Parusie Christi nicht wahrhaben und die noch verbleibende kurze Spanne Zeit mit einem verschärften ethischen Rigorismus überbrücken wollten. Die weitaus größere Gefahr bildete die Gnosis. Aufgrund der antihäreti-

[1] Zum Beispiel *H.-J. Lauter,* Rezension in: Pastoralblatt für die Diözesen Aachen ... 37 (1985) 93; *H.-J. Venetz,* „Mit dem Traum, nicht mit dem Wort ist zu beginnen", in: Orientierung 49 (1985) 194.

schen Schriften der Kirchenväter (Irenäus, Hippolyt, Epiphanius) und vor allem, nachdem man bei Nag Hammadi in Oberägypten eine ganze Bibliothek gnostischer Schriften entdeckt hat, lassen sich eine Reihe von gnostischen Sonderrichtungen und Schulhäuptern unterscheiden. Mit der Aufzählung oder Beschreibung dieser Spielarten ist das Phänomen Gnosis als religiöse Bewegung und kirchliche Gefahr aber noch nicht erfaßt. Die Gnosis als kirchliche Häresie ist ein Endstadium in ideologischer Erstarrung. Was ist sie in ihrem Kern und Ursprung?

2. Man hat inzwischen längst entdeckt, daß es neben der christlichen auch eine vorchristliche, heidnisch-antike Gnosis gegeben hat, ebenso eine jüdische. Wo ihre tiefsten Wurzeln liegen, im iranischen Dualismus oder im babylonischen Astrologismus, darüber geraten die Religionsgeschichtler noch immer in Streit. Die einen verweisen auf Ägypten, die anderen auf den hellenistischen Synkretismus. Bei näherem Zusehen ergibt sich, daß viele Wurzeln in Frage kommen können, denn „es tritt dem Betrachter kein geschlossenes System mit klar geprägten Begriffen oder dogmatisch festgelegten Lehrsätzen entgegen, sondern ein vielfarbiger Strom religiöser Ideen und Anschauungen, der an jedem Ufer ein anderes Aussehen gewinnen kann“[2]. Doch, und das ist entscheidend, es sind immer dieselben Gedanken und Daseinsgefühle, von denen die gnostische Bewegung geprägt wird. Sie kann sich babylonisch, iranisch, ägyptisch geben, sie kann in jüdische oder christliche Sprachgewänder schlüpfen, sie kann mit Philosophie, Mythos und kultischer Mystik kollaborieren, sie kann sich vielgestaltig geben und bleibt doch immer dieselbe. Darum ist es wichtig, den gnostischen Kern genauer zu fassen. Nur auf diese Weise kommt man der Herausforderung auf die Spur, die die Gnosis gegenüber der Kirche darstellte. Hat man das Wesen der Gnosis erfaßt, dann läßt sich unschwer zeigen, wie ihre Vorstellungen bereits in die Schriften des Neuen Testaments hinein wirken und wie sie in vieler Hinsicht die Theologie bei den Apostolischen Vätern, bei Irenäus und bei den antignostischen Theologen des 3. Jahrhunderts, bei Tertullian, Hippolyt, Klemens von Alexandrien und Origenes beeinflußt hat.

Unabhängig von ihren Ursprüngen und Ausprägungen ist die

---

[2] *K. Baus,* Von der Urgemeinde zur frühchristlichen Großkirche = Handbuch der Kirchengeschichte I, Freiburg i. Br. 1962, 215.

Gnosis Teil der allgemeinen geistigen Bewegung spätantiken Denkens und Daseinsverständnisses. Meist wird ein Wort des Theodotos gleichsam als Definition der Gnosis und der sie bewegenden Fragen angeführt: „Wer waren wir; was sind wir geworden; wo waren wir, wohin sind wir geworfen; wohin eilen wir, wovon werden wir frei; was ist Geburt, was Wiedergeburt?“ [3] Nicht eigentlich die Fragen an sich – die könnte ein spätantiker Philosoph oder ein Kirchenvater auch stellen –, sondern die Antworten, die darauf gegeben werden, oder auch schon die Grundstimmung, die in diesen Fragen schwingt, charakterisieren die Gnosis.

Diese Grundstimmung ist dem modernen Menschen gar nicht so fremd, viel weniger jedenfalls, als ein Blick in die manchmal seltsam abstrus anmutenden gnostischen Schriften vermuten lassen könnte. H. Schlier meint sogar, erst unter dem Einfluß des vertieften Wissens um die Gnosis sei die im Positivismus der Jahrhundertwende erstickte Interpretation der europäischen Geistesgeschichte wieder in Gang gekommen. Ihm zufolge kann die Gnosis zu einem Verständnis der heutigen europäischen Geisteslage beitragen, insofern sie „paradigmatisch das Erlebnis der Welt als einer Fremde, in der sich der Mensch verirrt und aus der er wieder heimfinden muß in die andere Welt seiner Herkunft, vorgebildet und insofern sie vor allem den Weg der Erlösung, eben den des Heimfindens in den Ursprung, repräsentativ vorgedacht hat“. Um den Menschen zu retten, muß die Erlösung nicht – wie nach christlichem Verständnis – in der Gnadenordnung, sondern in der Seinsordnung verankert sein. Die antike gnostische Ontologie bindet die Erlösung an einen fremden, verborgenen Gott, der durch seinen Abgesandten den Menschen den Weg weist aus dem Gefängnis des bösen Weltgottes, sei es Zeus oder Jahwe oder irgendeiner der alten Vatergötter. In der modernen Gnosis, meint Schlier, „wird die Erlösung gesichert durch die Annahme eines absoluten Geistes, der in der dialektischen Entfaltung des Bewußtseins aus der Entfremdung zu sich selbst kommt, oder eines dialektisch-materialistischen Prozesses in der Natur, der ... über die Entfremdung durch Gott oder Privateigentum zur Freiheit des vollmenschlichen Daseins führt, oder durch die Annahme eines Willens der Natur, der den Menschen (evolutiv) über sich selbst hinaus zum Übermenschen macht“ [4]. Jedenfalls sind es immer notwendige, nicht

[3] Excerpta ex Theodoto 78; vgl. *Baus* ebd.
[4] *H. Schlier,* Die Gnosis (Vorlesungsmanuskript Bonn 1965) 27.

frei gestaltete Prozesse, die die Heilung der menschlichen Entfremdung vorantreiben. Die Verflüchtigung der Gegenwart, einen atemlosen Dynamismus, eine Entwertung der Natur, Empörung aus der Tiefe heraus, das Vertrauen in ein unbegrenztes Wissen als einzigen Heilsweg, Immoralismus und die grenzenlose Verlassenheit in einer entgöttlichten Welt betrachtet Schlier als Symptome nicht nur der alten, sondern auch einer modernen Gnosis. Damals hatte das aufstrebende Christentum die geistige Kraft, den gnostischen Pessimismus, Relativismus und Immoralismus zu besiegen. „Ob dies alles noch einmal vom Glauben überwunden werden kann", ist für Schlier die Frage[5].

Negatives Weltverständnis und Erlösungssehnsucht machen die Grunderfahrung des Gnostikers aus. Im Rahmen seiner ontischen Möglichkeit entfaltet der Gnostiker das Werk der Erlösung, indem er die Bindungen seiner Psyche an die Ordnungen der Welt löst und gleichzeitig die Kräfte des Pneuma sammelt und von ihrer Weltverhaftung befreit. Die Phasen dieser Erlösung können in den einzelnen Richtungen der Gnosis sehr verschieden vorgestellt werden; sie reichen von magischen Praktiken bis zu mystischer Ekstase; sie können mit Libertinismus über Indifferentismus bis zu schärfster Askese verbunden sein, insofern alle diese Formen ethischen Verhaltens Weisen der Weltverachtung zu sein vermögen. Mittel der Erlösung ist letztlich immer die Gnosis selbst. Da die Verstrickung des Menschen in die Welt durch Unwissenheit verursacht worden ist, geschieht die Befreiung durch das Bewußtmachen der wahren Herkunft und des Ziels des Menschen[6].

So ungefähr könnte man abstrakt-theoretisch den Grundgedanken der Gnosis umschreiben. Es dreht sich alles um die Frage, wie der Mensch in den Zustand, in dem er sich vorfindet, gelangt ist und wie er sich aus ihm befreien kann. Die Frage ist so fundamental und allgemein bewegend, daß man sich leicht vorstellen kann, wie sie nachdenkliche Menschen umgetrieben hat. Irgendwann einmal muß dieses gnostische Schema in einen ätiologischen Mythos, d.h. in eine Geschichte, die den Ursprung und die Herkunft der menschlichen Verlorenheit beschreibt, gekleidet worden sein, um die gnostische Grunderfahrung in einem mythologischen System zu objektivieren.

---

[5] Ebd. 14.
[6] Ebd. 23.

Dieses postulierte anfängliche System, gleichsam ein Kunstmythos, ist von H.-M. Schenke so rekonstruiert worden: „In der Achtheit ..., in der Fixsternsphäre, wohnt der unbekannte Gott zusammen mit seiner Sophia, die als sein göttliches Weib vorgestellt wird. Gott und Sophia erzeugen gemeinsam viele himmlische Kinder als Bewohner der Achtheit. [Sie bilden die Fülle, das Pleroma.] Die Sophia versucht, auch einmal ohne ihren göttlichen Gatten ein Kind hervorzubringen; das wird eine Fehlgeburt von Sohn, der im siebenten Himmel, der obersten Planetensphäre, wohnt. Er ist der Demiurg und bringt zunächst die übrigen sechs Planetenherrscher hervor, so daß die Zahl der sieben Archonten voll wird. Die sieben Archonten, angeführt von ihrem ersten, dem Demiurgen, schaffen nun aus der Materie die irdische Welt und in ihr den Menschen. Aber der Mensch kriecht wie ein Wurm am Boden und kann sich nicht aufrichten. Da sendet der unbekannte Gott aus seiner Lichtwelt die Seele in den menschlichen Leib hinab. Der Mensch richtet sich auf, erkennt die Welt als Werk der Archonten und weiß, daß er selbst, d.h. sein Ich, seine Seele, dem Lichtreich oberhalb der Archonten zugehört."[7]

Dieser konstruierte Mythos enthält die gesamte gnostische Theologie, Kosmogonie, Anthropogonie, Anthropologie, Soteriologie und Eschatologie im Urzustand. Er wucherte weiter, wurde verfeinert, logisch durchdacht und in philosophische Systeme rückübersetzt, aber auch mit weiteren Auswucherungen belastet und verunklärt. Liest man einmal die voll entfalteten gnostischen Systeme der verschiedenen Richtungen und Schulen, lassen sich die Grundelemente des vorausgesetzten Grundmythos dennoch unschwer wiedererkennen. Umgekehrt dürfte einsichtig sein, daß sich die gnostischen Grundanliegen – sowohl ihr abstrakt gedanklicher Inhalt als auch ihre mythologischen Einkleidungen – anderen Weltanschauungen, Philosophien oder Religionen leicht anpassen konnten.

Alle Literaturgattungen ließen sich heranziehen – bis hin zur religiösen Märchendichtung –, um der gnostischen Sehnsucht Ausdruck zu verleihen. Ein schönes Beispiel ist das dem iranischen Typ der Gnosis entstammende „Perlenlied", das in den christlichen Tho-

---

[7] *H.-M. Schenke,* Die Gnosis: Umwelt des Christentums I, hrsg. von J. Leipoldt / W. Grundmann, Berlin 1967, 413; für eine umfassende Charakterisierung der Gnosis und ihrer Systeme vgl. *C. Colpe,* Art. Gnosis II (Gnostizismus), in: Reallexikon für Antike u. Christentum, Bd. 11, Stuttgart 1981, 537–659.

masakten überliefert ist[8]. Die kosmologischen und kosmogonischen Zutaten, der ganze Rahmen des gnostischen Systems fehlt hier; alles konzentriert sich auf die Verirrung und Heimkunft der Seele. Das Motiv kehrt in zahlreichen Brechungen wieder, von der Höllenfahrt Christi in den Oden Salomos bis hin zur Parzivaldichtung des Wolfram von Eschenbach.

Das „Perlenlied" berichtet von einem parthischen Königssohn, der von seinen Eltern nach Ägypten hinabgeschickt wird, um von dort eine Perle zu holen, die von einem furchtbaren Drachen bewacht wird. Aus Furcht vor den Bewohnern verschweigt er in Ägypten seine Herkunft. Doch er wird durchschaut. In einem Wirtshaus gibt man ihm ein schweres Essen, so daß er in einen tiefen Schlaf sinkt (die Seele vergißt ihre Herkunft; der Königssohn front dem Pharao). Als man in der Heimat vom Mißgeschick des Königssohns gehört hat, schickt ihm der Vater einen Mahnbrief, der in Gestalt eines Adlers geflogen kommt und den schlummernden Prinzen weckt. Der vernimmt die Botschaft und erinnert sich seiner Herkunft und seines Auftrags. Er verzaubert den Drachen und kehrt mit der Perle nach Hause zurück. An der Grenze seines Vaterlandes bringt man ihm sein königliches Prachtgewand entgegen, das er vor der Reise hatte ablegen müssen. „Und wie er sein Gewand erblickte, konnte er sich darin spiegeln und er sah, daß es dieselbe Gestalt wie er selbst besaß ... Sein zweites Ich erzählt ihm, daß es im selben Maße wie seine eigenen guten Taten gewachsen sei. Mit seinem königlichen Gewand angetan, zieht der Prinz durch die Empfangshalle ... zum Hofe des Königs der Könige."[9]

3. Wann und wo genau die ersten gnostischen Gemeinden entstanden sind, läßt sich nicht mehr sagen. Vielleicht im syrisch-palästinensischen Raum, nicht lange vor Christi Geburt, jedenfalls unabhängig vom Christentum entsteht eine zunächst volkstümliche, zahlenmäßig nicht sehr große Bewegung, die sich in kleinen Konventikeln zu brüderlichem Zusammenhalt trifft. Die Pflege der Frömmigkeit ist vielgestaltig; sie kennt Taufriten, heilige Mähler, Ölsalbung, Zeichnung der Ohren, ein Sterbesakrament und kann von kultloser Gottesverehrung bis zu magischen Praktiken reichen. Die Grundüberzeugung von der Schlechtigkeit der Welt bzw. Mate-

---

[8] *O. Betz / T. Schramm,* Perlenlied und Thomasevangelium, Zürich 1985, 19–33.

[9] *G. Widengren,* Mani und der Manichäismus = Urban-Bücher 57, Stuttgart 1961, 19f.

rie erzeugt ein asketisches (seltener auch ein libertinistisches) Ethos. An die Ausgestaltung von Systemen dachte zunächst wohl niemand. Zur Zeit der werdenden Kirche dürfte es eine ganze Anzahl gnostischer Gemeinden gegeben haben, in denen sich tief religiöse Menschen zusammengefunden hatten, die ihrerseits die neue Bewegung, die da im Namen des Jesus von Nazaret entstanden war, durchaus zur Kenntnis nahmen. Den gnostischen Lehrern werden etliche Übereinstimmungen aufgefallen sein: Das Bewußtsein der Fremdlingsschaft in der Welt, die Sehnsucht nach Erlösung, die Möglichkeit, in Jesus den vom Himmel gekommenen und dorthin zurückgekehrten Offenbarer zu sehen. Personelle Vermischungen hinüber und herüber werden vorgekommen sein: Gnostiker, die sich der Gemeinde anschlossen, weil sie die Möglichkeit erkannten, die das christliche Kerygma für die Artikulation gnostischer Anliegen bot, die aber ebenso den christlichen Gemeinden zeigten, welche innere Geschlossenheit in der Schöpfungs- und Erlösungslehre die christliche Verkündigung bot, wenn man sie in einen philosophischen oder mythologischen Zusammenhang stellte[10].

Das erste Zusammentreffen zwischen Gnosis und Christentum ließ nicht lange auf sich warten. Gnostische Einflüsse können zumindest als atmosphärischer Hintergrund bereits in der korinthischen Gemeinde vermutet werden. Man denke weiterhin an die Schwierigkeiten der Korinther mit dem Glauben an die Auferstehung. Für gnostisches Empfinden mußte die Vorstellung einer Auferstehung des Fleisches unerträglich sein; gerade die sarkische Dunkelheit des Leibes sollten die Lichtfunken des Pneuma bei der Auferstehung ja verlassen. Hingewiesen sei auch auf das Verlangen der Korinther nach einer besonderen Sophia, das Bewußtsein, pneumatikos, nicht psychikos zu sein, die Warnungen des Apostels in 1 Kor 8,1: „Die Gnosis bläht auf, die Liebe erbaut." Hier braucht gar nicht entschieden zu werden, ob Paulus an einer Stelle wie 1 Kor 2,6–10 in Anlehnung an gnostische Terminologie das Christusmysterium deutet oder nur antignostisch argumentiert. Aber man versteht, wenn im 2. Jahrhundert die valentinianischen Gnostiker behaupten, „daß Paulus in seinen Briefen für jeden, der lesen kann, deutlich genug die Grundbegriffe ihres Systems zur Anwendung gebracht habe"[11].

---

[10] Ausführlich bei *K. Rudolph,* Die Gnosis², Göttingen 1978, 221–290.
[11] *Th. Zahn,* Geschichte des Neutestamentlichen Kanons I: Das Neue Testament vor Origenes, Erlangen 1888/89, 751.

Auch ein Theologe wie der Verfasser des Kolosserbriefes muß gewußt haben, daß kosmologisch-gnostische Vorstellungen helfen konnten, einzelne Daten des Christusereignisses in einen theologischen Zusammenhang zu bringen, was so lange ungefährlich war, als es gelang, den mythologischen Panzer dieser Vorstellungen aufzubrechen und heilsgeschichtlich zu interpretieren. Die Pleroma-Christologie des Briefes (Kol 2,8–10) greift gnostische Begriffe auf, um ihren christlichen Sinn aufzudecken und sie auf diese Weise ihrer Gefährlichkeit zu entkleiden. Es ist eine Auseinandersetzung auf theologischer Ebene, nicht nur ein Abweisen und Verurteilen ohne Argumente, wie es später etwa in den Pastoralbriefen geschieht. Die begnügen sich damit, zu warnen und das Gespräch als gefährlich und nutzlos abzubrechen (1 Tim 1,3 f). Timotheus wird angehalten, das leere und schädliche Gerede einer fälschlich so genannten Gnosis zu meiden (1 Tim 6,20).

Das Abwehrverfahren der Pastoralbriefe findet sich auch bei den Apostolischen Vätern und in anderen Schriften des 2. Jahrhunderts. Man kann sich nur verteidigen, indem man gnostische Spekulationen nicht theologisch aufarbeitet, sondern ausscheidet und die Gemeinden vor ihnen bewahrt. Es sieht nämlich so aus, als seien bis zu Irenäus (177/78 Bischof von Lyon) die eigentlichen Theologen gnostisch denkende Lehrer gewesen, mit denen die Gemeindeleiter nicht konkurrieren konnten. Der Ausscheidungsprozeß war außerordentlich schwierig, weil die gnostisierenden Theologen nicht nur mythologische Fabeln verbreitet haben dürften – wie es die antihäretischen Kirchenlehrer später glauben machen möchten –, sondern auf der Linie eines späten Paulus, eines Kolosserbriefes oder auch Johannes theologisch weiterarbeiteten. Erst allmählich geraten die intellektuellen gnostischen Kreise an den Rand der Gemeinden und werden schließlich ganz ausgeschieden. Möglicherweise entstehen erst jetzt außerhalb der Kirche die im eigentlichen Sinn gnostischen Lehrsysteme, mit denen dann, angefangen bei Irenäus und fortgeführt im 3. Jahrhundert, kirchlicherseits die theologische Auseinandersetzung aufgenommen werden kann[12].

Man hat behauptet – wohl zu Recht –, daß die Gnosis die große Gefahr der Kirche des 2. und 3. Jahrhunderts gewesen sei, daß zahllose Christen in ihren Einfluß geraten seien, daß sie die Kirche mehr

---

[12] Vgl. *E. Dassmann,* Der Stachel im Fleisch. Paulus in der frühchristlichen Literatur bis Irenäus, Münster 1979, 218–220.

Opfer gekostet habe als alle Verfolgungen zusammengenommen. Das ist aber nur möglich, wenn die frühchristliche Gnosis Kernpunkte der christlichen Verkündigung ins Bewußtsein gehoben hat und nicht eine so absonderliche, dem Evangelium, Paulus und Johannes fremde Lehre gewesen ist, wie sie die späteren Ketzerbekämpfer hinstellen. Nur eine Theologie, die sich den innersten Anliegen der Verkündigung weithin annäherte, bei der die Differenz zum Kirchenglauben mengenmäßig minimal war, die zugleich aber den entscheidenden Kern, den man materialiter gemeinsam hatte, total verfälschte, konnte der Kirche so gefährlich werden. Ähnlich, mit einem noch positiveren Akzent, urteilt H. Langerbeck: „Gerade wenn die ‚Gnosis' nicht als das zu einem bestimmten Zeitpunkt in einem riesigen Bereich einheitlich hervorbrechende negative Seinsverhältnis, das sich in einer unbestimmten ‚Entweltlichungstendenz' manifestiert, verstanden wird, sondern als die mächtige Erscheinung einer ersten christlich-paulinischen Theologie, die, getragen von großen Denkern, die gewaltigen Bilder der urchristlichen Eschatologie in ein philosophisch-mythisches Weltbild umsetzte und eben dadurch im Augenblick der Krise der ‚naiven' eschatologischen Erwartungen das eigentliche Anliegen dieser Eschatologie wachhielt und damit das Christentum davor bewahrte, zu einer bloß moralisch-sozialen Institution herabzusinken, gerade dann und nur dann könnten die bedeutenden Impulse, die von dieser Gnosis auf die Höhen und Tiefen des geistigen Lebens des 2. Jahrhunderts ausgehen mußten, sichtbar und verständlich werden"[13].

Diese Überlegungen Langerbecks sind insofern interessant, als sie an den Ausgangspunkt dieser Ausführungen zurücklenken, zum Problem der Parusieverzögerung. Die Frage, wie bleibt die Botschaft Jesu wirksam, von deren Beginn sich die Generationen unweigerlich entfernen, hat auch die Gnostiker bewegt. Man hatte den Gnostikern vorgeworfen, sie leugneten die Auferstehung des Fleisches und redeten allein von einer pneumatischen Auferstehung, die sich in der Erlösung für den einzelnen Gläubigen existentiell schon ereignet habe. Unterstellt man einmal, die gnostische Betonung liege nicht auf der Leugnung der leiblichen Auferstehung, sondern auf der theologischen Rechtfertigung des Glaubens, daß für den Christen eine geistliche Auferstehung durch die Erlösung vom Todesver-

[13] Aufsätze zur Gnosis. Hrsg. von H. Dörries = Abh. der Akademie der Wiss. in Göttingen, Philol.-histor. Klasse 69, Göttingen 1967, 81.

hängnis der Sünde schon geschehen sei, dann ist eine solche Auffassung von neutestamentlichen, insbesondere johanneischen Positionen nicht mehr zu unterscheiden. Wenn und sobald man die leibliche Auferstehung kategorisch ablehnte, wurde es natürlich gründlich falsch. Wenn man den zeitlichen Abstand zu Jesus dadurch unschädlich zu machen suchte, daß man die Heilsgeschichte eliminierte und Jesus zu einer mythologischen Chiffre für Erlösung durch Erkenntnis machte, war der Boden der christlichen Offenbarung verlassen.

Das aber geschah im Lauf der Zeit in zunehmendem Maß. Die christliche Gnosis verlor sich in haltlosen Spekulationen, teilweise auch in unkirchlichem Libertinismus. Sie auszuscheiden war für die Kirche lebensnotwendig. Zuvor oder begleitend aber hat die gnostische Herausforderung nicht nur lähmend, sondern ebenso stimulierend auf die kirchliche Entwicklung eingewirkt. Auch wenn die Kirche anfangs die Auseinandersetzung auf gleichem theologischem Niveau noch nicht aufnehmen konnte, sie wurde doch auf den zukunftsträchtigen Weg der Theologie gewiesen. Gewiß band die Kirche ihre Glieder an formulierte Glaubensbekenntnisse und festumrissene Gebote, aber sie erstarrte doch nicht in Glaubensformeln und im Nomismus. Sie verwarf die Erkenntnis (Gnosis) als alleiniges Erlösungsprinzip, aber sie verzichtete nicht auf sie bei der Behauptung der Vernünftigkeit ihres Glaubens. Sie bindet ihr Bekenntnis an den geschichtlichen Jesus, der nicht nur doketisch, dem Schein nach, Mensch geworden ist, sie verschließt sich aber ebensowenig dem Versuch, die existentiellen und kosmischen Aspekte dieses Vorgangs theologisch zu bedenken. Sie stellt damit ihren Glauben in den Zusammenhang mit anderen religiösen und philosophischen Erkenntnissen ihrer Zeit durch eine innerkirchlich vollzogene theologische Entfaltung des Offenbarungsgutes. Theologen wie Klemens von Alexandrien (gest. vor 215) und Origenes (gest. 253/54) übertreffen dabei bereits bei weitem die Bemühungen der frühchristlichen Apologeten, die ihrerseits – wenn auch in noch unzulänglicher Weise – schon versucht hatten, den christlichen Glauben einer hellenistischen Umwelt zu vermitteln.

Der kirchliche Abwehrkampf gegen die Gnosis verstärkte folgende Entwicklungen: a) Die Entfaltung und Stärkung des kirchlichen Amtes; b) die Herausbildung des Traditionsprinzips im Rahmen der apostolischen Sukzession; c) die Sammlung der neutestamentlichen Schriften und die Abgrenzung des Kanons; d) die Fixierung und Formulierung von Glaubenssymbolen und e), um die Forderungen einer christlichen Ethik oder, anders gesagt, die Verpflichtung der Christen zu evangelischer Nachfolge nicht illusorisch werden zu lassen, die Klärung der Bedingungen und Möglichkeiten der Sündenvergebung sowie die Schaffung eines Bußinstituts. Daß es sich bei diesen Maßnahmen um notwendige Reaktionen gehandelt hat bzw. um Folgen, die als Früchte des Abwehrkampfes betrachtet werden können, läßt sich nicht bestreiten. Sie sollten auch nicht geringgeschätzt werden. Ohne die damit verbundene Institutionalisierung hätte die Kirche ihre Identität mit dem Anfang bei fortschreitender Zeit nicht bewahren können. Eine gewisse Verfestigung war mit dieser Entwicklung gegeben. Doch nur eine Institution bietet Kontinuität und schafft den Rahmen, innerhalb dessen spirituelle Bewegungen sich entfalten und auch wieder verlöschen können, ohne den Bestand des geoffenbarten Glaubens zu gefährden.

## III.

1. Wenn man die Ontologisierung der Erlösung, Heilsdeterminismus verbunden mit der Entethisierung des Religiösen, ein dualistisch gespaltenes Gottesbild sowie die Entgeschichtlichung der Heiligen Schrift und insbesondere der Gestalt des Erlösers Christus – bei einer Unmenge von Unterschieden und Nuancierungen im einzelnen – als die Kernpunkte des Systems der frühchristlichen Gnosis bestimmt, trifft der Gnosisverdacht Eugen Drewermann dann zu Recht?

Auf diese Frage kann nicht eilfertig geantwortet werden, schon gar nicht mit der Anführung einiger Zitate. In dem umfangreichen literarischen Werk Drewermanns finden sich gewiß etliche Sätze, die gnostisch klingen oder sich gnostisch interpretieren lassen. Die synkretistische Gleichsetzung von „Adonis, Osiris und Christus, Diana, Maria oder Coatlicue, Indra, Marduk oder Herakles“ [14] hätten die Väter mit Sicherheit erbittert abgewiesen, und Tragik in der Schöpfung als „zutiefst eine Tragik des Schöpfers“ zu bezeichnen, hätte sie entsetzt. Sie haben sich in der Tat nicht gescheut, „in einer schlechten, weil heuchlerischen Theodizee die Fragen des Hiob zu

---

[14] Tiefenpsychologie und Exegese I, Olten 1984, 309; vgl. *H.-J. Lauter,* Tiefenpsychologie und Dogmatik bei Eugen Drewermann, in: Pastoralblatt für die Diözesen Aachen ... 38 (1986) 107.

verdrängen" – so lautet Drewermanns Vorwurf an das Christentum insgesamt[15] –, weil sie nicht vom Standpunkt des alttestamentlichen „Heiden" Hiob, sondern im Licht der alttestamentlichen Bundestheologie und der neutestamentlichen Auferstehungshoffnung dachten und sich nicht einmal vorstellen konnten, Gott müsse vom „Tragischen im Innersten der Schöpfung"[16] reingewaschen werden. Auch Drewermanns Auslegung des Meerwandelns Petrus'[17] hätten sie gewiß nicht zuletzt um dessentwillen, was hier vom Evangelium verschwiegen wird, als gnostische Willkür empfunden.

Es läßt sich ebenfalls nicht übersehen, daß die konsequente Anwendung der psychoanalytischen Methode bei der Schriftauslegung, verbunden mit einer ständigen Polemik gegen die historisch-kritische Exegese, die Geschichtlichkeit der Heiligen Schrift genauso zerstört wie eine zügellose Allegorese. Die Väter – zumindest die theologisch gebildeten – haben aber trotz aller Allegorese vehement in einer für heutiges Verständnis geradezu unvorstellbaren Weise von ihren Erkenntnisvoraussetzungen aus an der historischen Faktizität der biblischen Berichte festgehalten. Für Ambrosius von Mailand z. B. ist das Paradies nicht nur ein Zustand, sondern auch ein Ort, Abraham stellt für ihn nicht nur eine geistige Entwicklung, sondern gleichzeitig eine geschichtliche Persönlichkeit dar[18]; Origenes' Hexapla ist ein literarkritisches Unternehmen von staunenswertem Umfang, das allein dem Zweck dient, sich dem historisch treuen Text der Heiligen Schrift möglichst anzunähern; Augustinus fordert in seiner Schrift „De doctrina christiana" bereits so etwas wie ein Sachbuch zur Bibel, um nicht ohne geographische Kenntnis, ohne Wissen um Tiere und Pflanzen Palästinas an die Auslegung der Heiligen Schrift gehen zu müssen[19]. Aber das alles weiß Drewermann auch; er stellt selbst die Frage, ob eine tiefenpsychologische Exegese nicht am Ende jeden biblischen Text enthistorisiert und sich damit um ihre eigene Aussage bringt. Er weiß, „ein anderer Evangelist ... hat zu demselben Thema eine andere Auffassung vertreten, eine jede muß mit der anderen historisch vermittelt und alle zusammen müssen durch den langen Weg der Wirkungsgeschichte in Form der

---

[15] Psychoanalyse und Moraltheologie I, Mainz 1982, 77.
[16] Ebd.
[17] Tiefenpsychologie und Exegese II, Olten 1985, 29f.
[18] Vgl. *E. Dassmann,* Die Frömmigkeit des Kirchenvaters Ambrosius von Mailand = Münsterische Beitr. zur Theol. 29, Münster 1965, 16, Anm. 50.
[19] 2, 39, 59 (Bibliothek der Kirchenväter 49, 102).

kirchlichen Tradition mit der Gegenwart verbunden werden"[20]. Er bedauert zwar, daß kaum einer in Altar und Kreuz einer christlichen Kirche „die alten Archetypen von Weltenberg und Weltenachse" wiedererkennt[21]; aber das muß ja nicht bedeuten, daß sich die Wirklichkeit des Kreuzes in dieser archetypischen Bedeutung erschöpft. Wohl steht zu vermuten, daß sich Tiefenpsychologie und Psychoanalyse mit der Auslegung der biblischen Passionsgeschichte schwerer tun werden als mit der Deutung anderer Evangelienpartien – was ebenso für die frühchristlichen Gnostiker gilt, weshalb sie Leiden und Kreuz Christi gern umgangen haben[22].

Übrigens erkennt Drewermann selbst deutlich die Nähe seiner Behauptungen zu gnostischen Positionen. Jedenfalls kommt er häufiger auf den Gnosisverdacht, den man ihm entgegenhalten könnte, zu sprechen. Er bestreitet ihn nicht nur vehement, sondern formuliert – in seinem Frühwerk „Strukturen des Bösen" allerdings häufiger und klarer als später – auch unmißverständlich seine eigene Auffassung. Er formuliert dabei die typisch gnostische Gefahr, daß eine Ontologisierung bzw. metaphysische Interpretation der Erlösung die freiheitliche Kontingenz der Heilsgeschichte auflöst, in aller wünschenswerten Klarheit; er übersieht auch nicht die frappierende Ähnlichkeit zwischen gnostischen und Hegelschen Auffassungen. Es verwundert ihn nicht, „daß die Hegelsche Philosophie der gnostischen, im Grunde mythischen Vorstellung von dem durch sich selbst in Schuld geratenen und sich aus seinem eigenen Abfall und Tod erlösenden und wiederherstellenden Gott unendlich viel näher ist als dem Gott der Bibel. Angewandt auf die konkrete geschichtliche Gegenwart leistet diese Philosophie, was alle Mythologie versucht: sie stabilisiert und rechtfertigt das Bestehende als notwendig."[23] Auch in „Tiefenpsychologie und Exegese" meint Drewermann: „Es käme … einem Rückfall in den heidnischen Polytheismus bzw. einer Neuauflage der gnostischen Mythologie gleich, wollte man seelische Prozesse in der menschlichen Psyche als irreduzierbare, metaphysische Gegebenheit interpretieren"[24]. Ebenso

[20] Tiefenpsychologie und Exegese I, 348 f.
[21] Ebd. II, 28 f.
[22] Vgl. *C. Scholten,* Martyrium und Sophiamythos im Gnostizismus nach den Texten von Nag Hammadi = Jahrbuch für Antike u. Christentum, Erg.-Bd. 14, Münster 1987, 92–94.
[23] Strukturen des Bösen III = Paderborner Theol. Studien 6, München 1978, 191 f; vgl. 157–163; Strukturen des Bösen II = Paderborner Theol. Studien 5, München 1977, 32 f.
[24] Tiefenpsychologie II (s. Anm. 17) 341.

klar bekennt er die Originalität des Christentums. Insofern es „den Begriff der Person in seiner Unableitbarkeit theologisch zum Zentralthema seiner Selbstauslegung erhoben hat", ist es „an die historische Einmaligkeit der Gestalt seines Gründers gebunden, und insofern stellt es selbst eine historisch einmalige und unvergleichbare Religionsform dar"[25]. Er zeigt schließlich sogar Verständnis dafür, daß „die Angst vor der antiken Mythologie, die in sublimer Gestalt als Gnosis den Kern des frühen Christentums zu korrodieren drohte, bereits in den ersten Jahrhunderten zu immer neuen Versuchen nötigte, den Glauben an Christus so ‚rational' und objektiv wie irgend möglich zu formulieren, und das hieß vor allem: sich der Begriffe der griechischen Philosophie zur Lehre von Gott und Mensch und zudem der geschichtlichen Argumentation zur Begründung der Lehre von Christus zu bedienen"[26].

Es ist nicht leicht zu entscheiden, welches Gewicht solche Äußerungen haben; ob das ständige Polemisieren gegen die historische Methode in der Exegese, die philosophische Begrifflichkeit in der Theologie und die tiefverwurzelte Skepsis gegenüber dem Wort anstelle von Bildern, Symbolen und Träumen sie nicht zu bloßen Alibisätzen machen, die zumindest auf die Auswirkungen von Drewermanns Werk keinen Einfluß haben.

2. Wie bereits gesagt, läßt sich der Gnosisvorwurf durch die Gegenüberstellung von Zitaten wohl kaum klären, selbst wenn diese um zahlreiche weitere vermehrt würden. Es soll darum auch auf die Anführung weiterer Stellen aus Drewermanns Schriften verzichtet werden. Dafür sei zum Schluß auf einige Momente aufmerksam gemacht, die sich auch unabhängig von Drewermanns Versuch einer tiefenpsychologischen Erhellung der christlichen Theologie als Anregung oder Warnung aus frühkirchlichen Erfahrungen für das Glaubensverständnis und die Glaubenspraxis heute ergeben.

a) Was die Auslegung der Heiligen Schrift angeht, so kannte bereits die frühe Kirche eine Methodenvielfalt, die sich sogar in verschiedenen Exegetenschulen (Alexandrien, Antiochien) und Schriftsinnen niederschlug. Nachdem die Kirche den Kanon der Heiligen Schrift abgesteckt und das apokryphe Schrifttum von den Offenbarungsschriften geschieden hatte, blieb in der Auslegung der Schrift

[25] Ebd. 778.
[26] Ebd. 312 f.

ein großer Spielraum, der natürlich in allegorische Willkür ausarten konnte. Solange jedoch bei der Exegese das Glaubensverständnis der Kirche, die regula fidei, beachtet wurde, sah man keine Gefahr. Augustinus ergänzt diesen seit Irenäus geltenden Grundsatz, indem er der Schriftauslegung neben dem Rahmen der Glaubensregel noch ein Ziel gibt: eine vertiefte Gottes- und Nächstenliebe. Ist beides gesichert, stimmt das Schriftverständnis mit dem Glauben der Kirche überein und motiviert es zu größerer Liebe, dann ist Augustinus bereit, auch unterschiedliche Auslegungen ein und derselben Schriftstelle zu akzeptieren. Wer so die Schrift liest und versteht, ist „weder in verderblicher Täuschung noch überhaupt in Lüge befangen, auch wenn er etwas anderes sagt, als der Schriftsteller, den er liest, an dieser Stelle nachweisbar gedacht hat“[27]. Das heißt, jede Auslegungsmethode, die in Schrift oder Wort, in Predigt, Meditation oder auf andere Weise die Liebe zu stärken vermag, darf in der Kirche willkommen sein. Würde man Auslegung und Verständnis der Schrift auf bestimmte wissenschaftliche Methoden einengen, müßte am Ende auf jede spontane, methodenungeübte Verwendung der Schrift verzichtet werden. Wenn einer erst umfangreiche Kommentare studieren muß, ehe er sich einer Schriftstelle nähern darf, erstickt am Ende jede Schriftfrömmigkeit. Da die Heilige Schrift nach der Überzeugung der Väter unerschöpflich und weit wie das Meer ist, hat jede Methode, die die heilenden Kräfte der Bibel entbinden kann, ihre Berechtigung, auch die tiefenpsychologische, aber nicht nur sie. Letzter Maßstab für die Fruchtbarkeit einer Methode ist die Liebe, die sie zu wecken vermag, entscheidender Maßstab ihrer Legitimität die Übereinstimmung ihrer Ergebnisse mit der regula fidei.

b) Eine zweite frühchristliche Erfahrung warnt vor der von Drewermann geforderten „Suspension des Ethischen im Religiösen“[28]. Die Versuchung, Sünde und Schuld aus der eigenen Verantwortung zu entlassen und irgendeiner unpersönlichen, individuell nicht zu verantwortenden Macht anzulasten, ist zwar sehr verlockend. Augustinus ist ihr erlegen, als er in seiner Jugend sich der gnostisch-dualistischen Sekte der Manichäer anschloß. ‚Nicht du bist schuld für deine Verirrungen‘, wurde ihm dort suggeriert, ‚sondern deine dir ontologisch, seinsmäßig, unvermeidlich weil schöpfungsmäßig zukommende leib-seelische Konstitution‘. Es hat fast ein Jahrzehnt ge-

[27] De doctrina christiana 1, 36, 40 (Bibliothek der Kirchenväter 49,43f).
[28] *E. Drewermann,* Psychoanalyse I (s. Anm. 15) 16.

dauert, bis Augustinus den Trug dieser ihm angebotenen ethischen Entlastung, die heute im Wechsel von anderen Faktoren, Herkunft, Erziehung, Gesellschaft, offeriert wird, durchschaute und sich von den Manichäern löste.

Die frühkirchlichen Gemeinden haben als Gegenwehr gegen heidnische Freizügigkeit und einen gnostisch-intellektuellen Libertinismus, der sich über den Zwang kleinlicher Gebote erhaben dünkte, auf ein neues, von der Bergpredigt gespeistes Ethos gesetzt, welches das gesamte Alltagsleben, vor allem Ehe und Familie sowie das Verhältnis gegenüber dem Nächsten, neu gestaltete.

Dieses neue Ethos ist damals zu einem Missionsfaktor ersten Ranges geworden. Eheliche Treue, ein uneingeschränktes Ja zum Lebensrecht des Kindes, aus christlicher Liebe motivierte Hilfe für den Nächsten waren sittliche Innovationen, die die Menschen aufmerken ließen und die kleine, zunächst beargwöhnte und verfemte christliche Gruppe anziehend machten.

Der frühchristliche Apologet Aristides schreibt dem Kaiser: Die Christen haben die Wahrheit gefunden und stehen der Erkenntnis des Wahren näher als andere Völker. „Deshalb treiben sie nicht Ehebruch und Unzucht, legen kein falsches Zeugnis ab, unterschlagen kein hinterlegtes Gut, begehren nicht, was nicht ihr eigen, ehren Vater und Mutter, erweisen ihren Nächsten Gutes und richten, wenn Richter, nach Gerechtigkeit ... Ihre Frauen, o Kaiser, sind rein wie Jungfrauen und ihre Töchter sittsam. Ihre Männer enthalten sich jeden unerlaubten Verkehrs und aller Unlauterkeit in der Hoffnung auf die in der anderen Welt winkende Vergeltung.“[29] Die Ausführungen gehen noch weiter. Selbst wenn man nicht jedes Wort für bare Münze nehmen darf und zugestehen muß, daß es auch in den christlichen Familien und Gemeinden Versagen und Sünde gegeben hat, ein neues Ethos, das neben familienethischen Idealen die Sorge für den Mitmenschen, die Caritas, lehrte und lebte, wird doch hinreichend deutlich. Auswirkungen auf die heidnische Umgebung blieben nicht aus. Christliche Gemeindemitglieder und ganze Familien waren wie „Lichter in einer verdorbenen und verwirrten Generation“ (Phil 2,15).

Diese aus der Verkündigung Jesu von der Gottesherrschaft sich ergebende Moral zu suspendieren, die von den Vätern mit der Aussicht auf himmlischen Lohn verbunden wird, der dem gläubigen

[29] Apologie 15, 4–6 (Bibliothek der Kirchenväter 12,48–50).

Menschen in einer ganz neuen Weise gestattet, selbstlos zu sein und aufmerksam für den Mitmenschen, würde die christlichen Gemeinden für die Zukunft aller Anziehungskraft berauben. Daß neben die Forderung nach christlicher Vollkommenheit die Verheißung und Bereitschaft zu uneingeschränkter Sündenvergebung treten muß, sollte keines weiteren Wortes bedürfen. Daneben ist selbstverständlich zu berücksichtigen, sowohl was die Theologie über das Verhältnis von Gnade und Freiheit lehrt, als auch was die Humanwissenschaften über die Bedingungen und Grenzen menschlicher Entscheidungsfähigkeit und Willensvermögens erkannt haben.

c) Neben einen Katalog von verpflichtenden Geboten trat in frühchristlicher Zeit ein formuliertes Glaubensbekenntnis. Darin unterschied sich die Kirche nicht nur von den gnostischen Zirkeln, sondern auch von den Mysterienkulten, die ebenfalls als Konkurrenz für die missionierenden christlichen Gemeinden angesehen werden können. Die Mysterienkulte verbreiten keine Lehre. Sie vermitteln den Eingeweihten Eindrücke und Stimmungen, sie erwecken ein religiöses Gefühl und auf diesem Wege Hoffnung und Zuversicht. So geheimnisvoll dunkel wie die nächtlichen Feiern sind ihre Inhalte. Alles was man sieht, hört und fühlt, kann verschieden gedeutet werden entsprechend der Höhe religiöser Erkenntnis, die der einzelne erreicht hat bzw. befriedigt sehen möchte. Um von der Mysteriengottheit Heil, Entsühnung und ‚Bewußtseinserweiterung' zu erfahren, braucht man nicht zu denken, man muß nur empfinden können.

Diese Attraktivität der Mysterienkulte (und aller New-Age-Bewegungen) ist zugleich aber auch ihre Schwäche. Glauben ohne zu denken, gelingt nur für eine bestimmte Zeit; die Frage nach der Wahrheit der mit den Empfindungen und Gefühlen bewußtgemachten religiösen Inhalte läßt sich auf die Dauer nicht unterdrücken. Was die Mysterienkulte anziehend machte, kultische Feier und Erhebung des Gemüts, das boten die christlichen Gemeinden auch. Darüber hinaus aber noch mehr: eine Botschaft, die den Anspruch erhob, wahr und vernünftig zu sein, die sich der Mühe unterzog, mit Argumenten zu überzeugen, und bereit war, für die geglaubte Wahrheit das Leben einzusetzen. Dem hatte der Mysteriengläubige nichts entgegenzusetzen. Mochte er seinen Gott noch so hoch stellen, für ihn das Martyrium zu erleiden, bestand kein Anlaß, denn eine Wahrheit, die zu besitzen man nicht vorgibt, braucht man auch nicht zu bezeugen. Welchen Eindruck der Bekennermut christlicher Märtyrer auf die heidnischen Mitmenschen gemacht und wie ansteckend er gewirkt hat, ist vielfach bezeugt.

Daß die frühkirchlichen Auseinandersetzungen mit den Mysterienkulten und der Kampf gegen die Gnosis Spuren hinterlassen haben, die mit den Schlagworten von der „hellenistischen Verfremdung" und der „frühkatholischen Erstarrung" beschrieben (manchmal auch karikiert) werden, ist nicht zu bestreiten. Im Lauf der Zeit entstandene Defizite oder sogar Fehlentwicklungen aufzuzeigen und auszugleichen, muß nicht nur erlaubt sein, sondern ist eine unverzichtbare Aufgabe. In diesem Rahmen verdient auch das Werk Eugen Drewermanns Aufmerksamkeit. Die von ihm angemahnten Korrekturen können jedoch nur dann zum Erfolg in der Kirche führen, wenn sie sich konsequent nicht nur verbal, sondern auch in den Sachaussagen von gnosisverdächtigen Tendenzen frei halten. Daß die Kirche nach den Erfahrungen in den ersten Jahrhunderten ihnen entschieden entgegentreten wird, ist verständlich. Doch ist jeder Versuch, den Glauben heute auf neue Weise zu vermitteln, zu begrüßen. Angst braucht die Kirche davor nicht zu haben. 2000 Jahre theologischer Arbeit, Betens, Meditierens, auch Opferns und Leidens haben ihr einen solchen Schatz an Glaubenswissen, spiritueller Weisheit und Kraft des Vorbilds geschenkt, daß sie mit ruhiger Bestimmtheit zu erkennen vermag, welche Wege der Verkündigung gangbar sind und welche in die Irre führen[30].

---

[30] Zum Ganzen vgl. noch den jüngst erschienenen Beitrag von *N. Brox,* „Was befreit, ist die Gnosis", in: Diakonia 18 (1987) 235–241.

# IV

# Psychoanalyse und christliche Ethik

## Zur Auseinandersetzung mit Eugen Drewermann aus moraltheologischer Sicht

*Von Franz Furger*

Eine moraltheologische Auseinandersetzung mit E. Drewermann, die ihrem eigenen Anspruch, christliche Ethik zu sein, gerecht werden will, muß sich vor jeder Kritik an allfälligen Einseitigkeiten des positiven Anliegens versichern, um dessentwillen Drewermann mit „der kirchlichen Moraltheologie" kritisch verfährt und gelegentlich auch hart ins Gericht geht.

Auch z.T. provozierende Thesen, Aussagen und Angriffe müssen daher vom Grundanliegen des Autors her ernst genommen werden. Sie sind zuerst als Ergebnis seines Bemühens als Psychotherapeut und Theologe um die Förderung bzw. Wiederherstellung wahrer Menschlichkeit im Sinn des Evangeliums sowohl in der Existenz des einzelnen als auch im mitmenschlichen Zusammenleben zu verstehen. Gerade um dieses christlich-humanistischen Zieles willen darf es aber für die Moraltheologie doch nicht mit der Anerkennung der Absicht sein Bewenden haben. Es muß vielmehr im Interesse der Sache das klärende, wenn auch kritische Gespräch gesucht werden, in welchem – ohne die so leicht in Aggressionen kippende Furcht des Angegriffenen – allein das sachliche Argument zählt. Denn gerade christliche Ethik, welche das Menschsein als erlöste Schöpfung Gottes ernst nimmt, vermag nur im offenen, freilich kritischen Dialog mit den Humanwissenschaften zum wegweisenden sittlichen Urteil zu finden. Vor diesem Hintergrund und aus dieser Absicht sind daher die folgenden Ausführungen zu verstehen [1].

---

[1] Die folgenden Überlegungen berücksichtigen von den Schriften Eugen Drewermanns vor allem: Psychoanalyse und Moraltheologie (= Psychoanalyse, Bd. I–III: I. Angst und Schuld, Mainz 1982; II. Wege und Umwege der Liebe, Mainz 1983; III. An den Grenzen des Lebens, Mainz 1984. – Strukturen des Bösen. Die jahwistische Urgeschichte in exegetischer, psychoanalytischer und philosophischer Sicht, Teil I–III, Paderborn 1979/80 (= Strukturen). – Ferner: Der tödliche Fortschritt. Von der Zerstörung der Erde und des Menschen im Erbe des Christentums, Regensburg 1981 (= Fort-

## *I. Drewermanns Ansatz – anthropologische Voraussetzungen und ihre ethische Relevanz*

### 1. Anliegen und Methode

In bewußter Gegensteuerung zu der von Drewermann immer wieder angeklagten Verabsolutierung der Rationalität und der daraus resultierenden Überforderung des Menschen im Gefolge der Aufklärung ist es sein erklärtes Anliegen, „theologisch verbindlich ... hin⟨zu⟩weisen auf die Ausweglosigkeit einer Existenz ohne Gott“[2]. – Dieser Zielsetzung dient vor allem auch die vielschichtige Deutung biblischer Texte, insbesondere der Urgeschichte, in der es darum geht, die religiöse Erfahrung der menschlichen Schuld der Gottesferne aufzudecken und damit hinter ein „moralisches“ Verständnis von Schuld und Sünde zurückzugehen[3].

Zentrales Wegstück auf dieses Ziel hin ist für Drewermann die psychoanalytische Auslegung dieser biblischen Texte, wobei vorzugsweise mit dem Freudschen Ansatz gearbeitet wird. Denn dessen analytische Theorie sei vor allem geeignet, „das möglicherweise Krankhafte und Verzerrte, das Symptomatische an den jahwistischen Erzählungen“, in denen die Mythen als „Symptome der menschlichen Abkehr von Gott“ fungieren, aufzudecken[4]. In der

schritt); Der Krieg und das Christentum. Von der Ohnmacht und Notwendigkeit des Religiösen, Regensburg 1982.
Aus moraltheologischer Perspektive setzen sich bislang folgende Beiträge mit Drewermann auseinander: *Alfons Auer,* Nur im Menschen kommt die Natur zu sich selbst, in: Publik-Forum Sonderdruck (1985), II–IV; *Michael Eisenstein,* Selbstverwirklichung und Existenz. Ethische Perspektiven pastoralpsychologischer Beratung unter besonderer Berücksichtigung S. Kierkegaards, St. Ottilien 1986, 394–407; *Josef Endres,* Ist der Selbstmord in bestimmten Lebenslagen eine „letzte Gnade der Natur“?, in: Studia moralia 22 (1984) 259–281; *Bernhard Häring,* Ist die Grenze zwischen Selbstmord und liebender Selbsthingabe des Lebens fließend? Versuch einer Antwort auf E. Drewermann „Vom Problem des Selbstmords“: ebd. 283–303; *Bernhard Irrgang,* Das Ethische als bloße Funktion des Religiösen? Eine Auseinandersetzung mit Eugen Drewermanns Interpretation der jahwistischen Urgeschichte, in: Münchener theol. Zeitschr. 1987, Heft 4; *Werner Wolbert,* Die Psychoanalyse und das „Ethische“. Zu Eugen Drewermanns Psychoanalyse und Moraltheologie, in: Theologie und Glaube 76 (1986) 339–349.
Für die Aufbereitung dieser für die folgenden Überlegungen grundlegenden Literatur dankt der Verfasser besonders seiner Assistentin, Dr. Marianne Heimbach.

[2] Strukturen I, XIII.

[3] Strukturen I–III. – Auf der in dieser monumentalen Studie vorgelegten Auslegung der jahwistischen Urgeschichte „in exegetischer, psychoanalytischer und philosophischer Sicht“ beruhen auch direkt oder indirekt die meisten der in Psychoanalyse und Moraltheologie I–III gesammelten Beiträge.

[4] Zur Begründung vgl. Strukturen I, XLII–XLIV.

Erörterung konkreter Problemfelder stützt Drewermann sich dann aber auch auf die Archetypenlehre C. G. Jungs[5]. Ganz allgemein ist allerdings zu beachten, daß seiner Intention nach die Psychoanalyse nicht an die Stelle der Theologie gesetzt werden soll. Er versteht sie vielmehr als ein Vehikel, mit dem die Tiefendimension menschlicher Religiosität zu erschließen ist. Die psychoanalytische Deutung der Urgeschichte ist hier also ein freilich als notwendig erachtetes Durchgangsstadium der Auslegung[6].

Über diesen methodischen Zugriff wird insbesondere die Unheilssituation des Menschen – und alles Böse, das vom Menschen ausgeht –, als Folge der Angst, welcher der Mensch in der Trennung von Gott zwangsläufig verfällt, entschlüsselt[7]. Das Dasein des Menschen erscheint so als „pathologische⟨r⟩ Fall ..., der nur durch den Glauben an Gott Heilung finden" kann[8]. Entsprechend besteht dann die einzig mögliche Alternative zum Bösesein aus Angst in dem nur in Gott als dem absoluten Garanten des Lebens zu verwurzelnden Grundvertrauen, in welchem der Mensch sich als einer erfährt, der jenseits aller Leistung sein darf und deshalb aufgrund vorgängiger Gnadenerfahrung auch gut sein kann.

Mit diesem positiven therapeutischen Anliegen des Theologen und Psychotherapeuten Drewermann, die religiöse Tiefendimension menschlicher Schuld und ihrer Überwindung aufzudecken, verbindet sich jedoch zugleich auch ein kritischer Impetus im Hinblick auf herkömmliches theologisches Denken und Sprechen. Gemäß seinem Verständnis dieser Tradition diagnostiziert er drei „verkehrte Weichenstellungen" im abendländischen Christentum, die sich in der Theologie verhängnisvoll ausgewirkt hätten; nämlich erstens die Fremdheit der Theologie gegenüber dem Unbewußten der menschlichen Psyche, zweitens die – v. a. in der Neuzeit forcierte – Verstandeseinseitigkeit und drittens die Verselbständigung der Morallehre gegenüber der Glaubenslehre[9]. Im Interesse der Korrektur und Überwindung dieser Fehlentwicklungen fordert er Theologie und Psychologie (Tiefenpsychologie) zu gegenseitiger Lernbereitschaft auf, aus der sich dann konsequenterweise so etwas wie eine in Seelsorge und Psychotherapie zum Tragen kommende Koalition gegen die „Angst des menschlichen Daseins" ergeben müßte[10].

---

[5] Vgl. dazu vor allem die Beiträge in Psychoanalyse II.
[6] Vgl. Strukturen III, S. XX–XXXI.
[7] Vgl. vor allem Psychoanalyse I, 111–127.
[8] Ebd. 112. [9] Vgl. Psychoanalyse I, 9–17. [10] Vgl. ebd.

Im Hintergrund dieses Postulates steht zugleich sein Vorwurf, die Theologie huldige einem versteckten Pelagianismus, der durch die Morallehre um so mehr gefördert werde, als diese sich – vor allem im Zuge der „Kantischen Reduktion der Religion auf die Sittlichkeit" – von ihrem eigentlichen Fundament isoliert habe[11]. Diese Diagnose führt ihn dann im Gegenzug zum Postulat einer „Suspension des Ethischen im Religiösen"[12], worin er sich nicht unwesentlich der Philosophie Kierkegaards verpflichtet weiß[13], dessen theologische Reflexion sich ja wesentlich als Kritik an der Vernunft-Philosophie des deutschen Idealismus (Kant – Hegel) versteht.

## 2. Anmerkungen zu Drewermanns Kierkegaard-Rezeption

Allerdings beruft sich Drewermann in seinem Bezug auf Kierkegaard fast ausschließlich auf die beiden Schriften „Furcht und Zittern" (1843) und vor allem „Die Krankheit zum Tode" (1849), die dieser unter den Pseudonymen Johannes de Silentio bzw. Anti-Climacus erscheinen ließ. Mit diesem Stilmittel – der hinter den Pseudonymen stehende Autor war allgemein bekannt – versuchte der durch und durch dialektisch denkende Kierkegaard einzelne Momente menschlicher Existenz durch eine Steigerung ins Extrem so zu verdeutlichen, daß sie sozusagen aus sich heraus in die dialektische Kippe führen mußten, über welche volle Menschlichkeit im christlichen Sinn sich erst als möglich erweisen kann. Wie sehr dies zutrifft, bestätigt auch die Tatsache, daß Kierkegaard schon 1844, also zwischen den beiden genannten Arbeiten, die „Philosophischen Brocken" von „Johannes Climacus" zusammen mit einer Schrift über den „Begriff der Angst" von „Vigilius Haufniensis" erscheinen ließ. Der von Drewermann in diesem Zusammenhang zitierte Diogenes in seiner anpasserisch sinnlosen Geschäftigkeit[14] ist also durchaus als dialektisches Gegenbild zu Abraham in „Furcht und Zittern" zu verstehen.

Die Aussagen dieser Schriften müssen als wesentlich partiell und bewußt einseitig verstanden werden; als solche geben sie, wenn nicht eine irreale Übersteigerung, so doch zumindest den Zustand existentieller Krankheit wieder und dürfen deshalb von Kierke-

---

[11] Strukturen I, XIV; Psychoanalyse I, 56–59.
[12] Vgl. Psychoanalyse I, 79–104.
[13] Vgl. Strukturen III, LXIff; 436–562; Psychoanalyse I, 128–162.
[14] Psychoanalyse I, 130.

gaard her nicht als anthropologischer Normalzustand oder gar als Wesensaussage verstanden werden – eine Relativierung, die bei Drewermann wohl zu wenig berücksichtigt wird.

Dennoch ist es für eine christliche Ethik bedeutsam, – hier in Übereinstimmung mit Drewermann – menschliches Handeln über eine akthafte Verwirklichung hinaus in seinem existentiellen Grund und damit in seiner Gottbezogenheit zu erfassen. Nicht bloß eine allenfalls sogar auf Kasuistik eingeschränkte Beurteilung nach dem Kriterium der Normkonformität, sondern erst die Berücksichtigung der existentiellen Bezogenheit auf das Absolute (des „Verzweifelt-sich-selbst-sein-Wollens" anstelle des Vertrauens auf den anderen) konstituiert Sünde im eigentlichen Sinn, nämlich sittlich Böses. Die normbezogene Überlegung dagegen bezieht sich vorerst nur auf die sittliche Richtigkeit oder Falschheit konkreten Handelns und urteilt auf der Ebene der objektiven ethischen Wertzusammenhänge, also noch nicht über die Sittlichkeit als ganze und existentielle. Daß sich die Erneuerung der Moraltheologie seit dem II. Vatikanum intensiv mit dieser Problematik befaßt hat [15], hat in Drewermanns Kritik freilich noch kaum Spuren hinterlassen.

Verzweiflung als Zwang zur Perfektion, als Mißverhältnis zu sich selbst und damit zu Gott kann dann wohl als letzte Dimension der verschiedenen Formen von Neurosen und so der seelischen Erkrankung angesehen und theologisch als eine psychologische Seite von Sünde begriffen werden. Der ethische Aspekt von Sünde als der freien Verschließung des Ich in sich selbst in Egoismus und Überheblichkeit im konkreten, sozial gebundenen Lebensvollzug ist damit aber noch nicht angesprochen. Ebensowenig ist die Funktion der sittlichen Norm thematisiert, die für den „Normalfall" – aus allgemein menschlicher Erfahrung wie aus theoretischer Reflexion gewachsen – Ausdruck des der Menschlichkeit Angemessenen, also des sittlich Richtigen ist. Solche Normen sind Hilfe zur konkreten Entscheidungsfindung; sie schließen aber die Herausforderung zur personal unvertretbaren, im Kierkegaardschen Vollsinn „religiösen" Entscheidung des einzelnen – etwa in Ausnahmesituationen, angesichts einer völlig neuen Problemlage oder im Falle der existentiell

[15] Vgl. dazu *F. Furger,* Zur Begründung eines christlichen Ethos. Forschungstendenzen in der Kath. Moraltheologie, in: *F. Furger / J. Pfammatter* (Hrsg.), Theol. Berichte 4, Einsiedeln 1974, 11–87; *ders.,* Entwicklungen im Bereich der theologischen Ethik, in: Theologie der Gegenwart 22 (1979) 147–159; 203–214.

einmaligen persönlichen Berufung bis hin zum in der Kreuzesnachfolge möglichen Martyrium – in keiner Weise aus, sondern ermöglichen sie geradezu erst durch die psychische Entlastung, die sie für die alltäglichen „kommunen" Entscheidungssituationen beibringen[16].

Vor diesem Hintergrund ergeben sich nun seitens der christlichen Ethik einige Rückfragen und Anmerkungen zu Drewermanns Ausführungen im Themenbereich „Psychoanalyse und Moraltheologie".

## *II. Rückfragen und Kritik*

### 1. Zu Drewermanns Verhältnisbestimmung von „Religiösem" und „Ethischem", von „Glaubenslehre" und „Morallehre"

Die auf seine Kierkegaard-Interpretation gestützte Behauptung einer radikalen Dichotomie zwischen dem Religiösen und dem Ethischen steht für Drewermann zum einen im Kontext seiner Anklage gegen jene „Verstandeseinseitigkeit der abendländischen Religiosität" (bzw. gegen eine nur auf Verstand und Willen rekurrierende Anthropologie), für die er das Christentum als Hauptverantwortlichen heranziehen zu müssen glaubt[17]. Zum anderen ist seine radikale Kritik an der Ethik im Zusammenhang der von ihm immer wieder angeklagten „Kantischen Reduktion der Religion auf das Sittliche"[18] zu sehen, derzufolge die Ethik, losgelöst von dem Fundament des Glaubens, gerade auch in der kirchlichen Moralverkündigung einer permanenten Überforderung des Menschen Vorschub leisten müsse[19].

Angesichts der damit angesprochenen, weitgehenden Infragestellung des Ethischen als einer positiven Dimension christlich verstandener Menschlichkeit ist es unerläßlich, den bei Drewermann zugrundeliegenden Ethikbegriff genauer zu untersuchen. Das heißt, es ist zu fragen, ob hier nicht ein außerordentlich eng geführtes Verständnis im Hintergrund steht, von dem aus eine aufbauende Funktion von Ethik im Dienst gelingenden Menschseins (sowohl in bezug auf den einzelnen als auch hinsichtlich der Aufgabe fortschreitender

[16] Vgl. Psychoanalyse III, 154.
[17] Vgl. Psychoanalyse I, Einleitung; Fortschritt, insbes. 67 passim.
[18] Vgl. Anm. 11.
[19] Vgl. etwa Psychoanalyse I, 63–66.

Vermenschlichung der Gesellschaft) nicht oder doch kaum noch in den Blick kommen kann.

Tatsächlich ist der hier diskutierte Ethik- bzw. Moralbegriff in der Regel identisch mit demjenigen einer falsch verstandenen, weil aus dem Gesamtzusammenhang der Ethik isolierten, auf ihre normativen Dimensionen reduzierten, ja kasuistischen Moral[20]. Dieser Vorwurf, der zu Recht gegen solche, vorab in den traditionellen Schulmanualien festzustellenden, in den letzten Jahrzehnten jedoch kritisch erkannten Engführungen gerichtet werden muß, vermag aber die christlich-kirchliche Ethik als ganze (und in ihrer offenkundigen Vielfalt) aus folgenden, hier stichwortartig zu skizzierenden Gründen nicht zu treffen:

Normative Ethik bedeutet nämlich gerade in christlichem Verständnis stets mehr und anderes als bloße Kasuistik im Sinn einer eindimensionalen Anwendung von Regeln auf Einzelfälle. Vielmehr sind ethische Normen nach ihrer Universalität und Konkretheit gestuft zu verstehen und reichen von ausnahmslos geltenden, aber formal abstrakten Grundnormen wie etwa der Forderung nach Gerechtigkeit über die „im allgemeinen" (ut in pluribus) geltenden, von der Scholastik als „sekundär naturrechtlich" bezeichneten menschenrechtlichen oder dekalogischen Gebote, die damit auch in einem geschichtlichen Kontext die Verwirklichung von Menschlichkeit sichern sollen, bis zu den konkreten Regelungen des Alltags, wo man sich sogar unterschiedliche Regelungen von dennoch gleicher Nützlichkeit denken kann, wie etwa für eine vertraglich oder gesetzlich geordnete Sozialpartnerschaft[21]. In diesem Sinn hat deshalb die normative Ethik für einen sinnvollen, die konkreten Umstände berücksichtigenden Gesetzesgebrauch seit Aristoteles auf die „Epikeia", die Billigkeit, als eine den Gesetzesbuchstaben übersteigende Anwendungsregel verwiesen, die gerade in den letzten Jahren wieder zunehmend Beachtung gefunden hat[22].

---

[20] Daß es auch in der neueren Moraltheologie zu einseitig auf das Normative ausgerichtete Entwürfe gegeben hat, sei hier erwähnt, vgl. etwa *F. Böckle,* Fundamentalmoral, München 1977, der die „Psychologie des Gewissens" als eigenes Thema der Ethik ausdrücklich ausklammert (S. 12).

[21] Vgl. dazu als Übersicht *F. Furger,* Einführung in die Moraltheologie, Darmstadt 1988.

[22] Vgl. *F. Furger,* Gewissen und Klugheit in der katholischen Moraltheologie der letzten Jahrzehnte. Luzern–Stuttgart 1965; *G. Virth,* Epikie – verantwortlicher Umgang mit Normen. Eine historisch- systematische Untersuchung, Mainz 1983; *K. Demmer,* Deuten und Handeln. Grundlagen und Grundfragen der Fundamentalmoral, Freiburg i. Br. 1985, 64–77 118ff.

Zudem erschöpft sich die christliche Ethik bzw. die kirchliche Moraltheologie, gegen die Drewermann pauschal seine Vorwürfe richtet, keineswegs in einem Normensystem, so wenig sie von ihrem eigenen Selbstverständnis her freilich auf Normativität als Hilfe zu rascher, sachgerechter und kompetenter Entscheidungsfindung verzichten kann. Daher haben die Momente der Gewissensbildung als komplementäre Schwerpunkte bis hin zur Wiederaufnahme und Weiterentwicklung der traditionellen Tugendlehre im moraltheologischen Diskurs in letzter Zeit wieder deutlich an Gewicht gewonnen[23]. Eben deshalb rechnet die christlich-theologische Ethik des personalen Entscheides stets auch mit der in der Nachfolge Christi auftretenden göttlichen Berufung zu einmaligem Zeugnis. Dieses kann gegebenenfalls bis zur Hingabe des eigenen Lebens, zum Martyrium gehen. Es darf jedoch – was Drewermann oft zu wenig zu thematisieren scheint – nie auf Kosten der Mitmenschen, d.h. auf Kosten von Gerechtigkeit und Nächstenliebe, gehen[24]. Wenn er dagegen kritisiert, daß diese Dimension des Vollzugs christlicher Existenz aus göttlicher Berufung von der Moraltheologie abgetrennt und in die spirituelle Theologie verwiesen worden ist, trifft er ein berechtigtes Anliegen, das sich die moraltheologische Diskussion der letzten Jahre jedoch ebenfalls schon zu eigen gemacht hat.

Deutlich wurde in diesem sich nach der Aufforderung des II. Vatikanums „reicher aus der Schrift nährenden" (Optatam totius 16) Erneuerungsbemühen der Moraltheologie aber auch, wie in einer auf dem Fundament christlicher Glaubensüberzeugung vertretenen normativen Ethik die Artikulation des ethischen Anspruchs immer in der vorgängigen Heilszusage Gottes verwurzelt sein muß, wie es übrigens modellhaft schon im Dekalog repräsentiert ist[25].

Schließlich ist auch die von Drewermann geforderte lernbereite Offenheit der Theologie für die Psychoanalyse der gegenwärtigen Moraltheologie alles andere als fremd, rekurrieren doch z.B. Überlegungen zur Gewissenslehre und Gewissensbildung wesentlich auf die Erkenntnisse der Psychoanalyse über die psychische Entwicklung der Person[26].

---

[23] *D. Mieth,* Die neuen Tugenden. Ein ethischer Entwurf, Düsseldorf 1984; *H. Klomps,* Tugenden des modernen Menschen, Augsburg 1969.

[24] Vgl. *K. Rahner,* Das Dynamische in der Kirche, Freiburg i.Br. 1958.

[25] Vgl. dazu *B. Fraling,* Grundwerte und Dekalog, in: Lebendiges Zeugnis 33 (1978) 5–27.

[26] Vgl. *W. Heinen,* Das Gewissen – sein Werden und Wirken zur Freiheit, Würzburg

Ergänzend zu diesen Gesichtspunkten, die aus der Sicht des christlichen Ethikers gegenüber der Kritik Drewermanns geltend zu machen sind, muß jedoch auch auf dessen methodologisch ungenügende Argumentation hinsichtlich der Gültigkeit von und des Umgangs mit Normen hingewiesen werden: Indem er nämlich die Unterscheidung zwischen den sozialen Normen bloß faktischer Gültigkeit und der sittlichen Norm vernachlässigt und infolgedessen das ethische Bemühen um Normbegründung als Untergraben ihrer Geltung wertet[27], insinuiert er ein Verständnis, das sittliche Normen als Hilfen zu personaler Entscheidung generell unbrauchbar erscheinen lassen muß[28] bzw. sie auf unpersönliche Zwangsmittel autoritären oder sozialen Drucks zu faktischer Anpassung reduziert.

Aufgrund all dieser Überlegungen erweisen sich daher Pauschalurteile gegen die kirchliche Moraltheologie als unangemessen, ja der im aktuellen Diskurs engagierte Moraltheologe erhält oft den Eindruck, daß Drewermann die Bandbreite gegenwärtiger moraltheologischer Reflexion nicht oder nur sehr selektiv zur Kenntnis nimmt.

## 2. Zu Drewermanns Erklärung des Bösen aus der Angst

Daß der auf psychoanalytischer Kenntnis und therapeutischer Erfahrung beruhende Ansatz Drewermanns in der theologischen Ethik zur Kenntnis zu nehmen und in die moraltheologische Reflexion einzubeziehen ist, soll hier einleitend noch einmal ausdrücklich betont werden. Christliche Moraltheologie und ethisch verantwortliche Moralpädagogik werden vielleicht sogar da und dort noch stärker als bisher auf die Einsichten der Psychoanalyse zurückgreifen und sich immer wieder der Anfrage stellen müssen, inwieweit sie als christliche Ethik, die sich – auch als wesentlich vernunftbegründete – nicht von der Glaubenslehre isoliert, der Tatsache Rechnung trägt, daß die Verantwortungsfähigkeit des Menschen nur auf der Basis vorgängigen, von Gott her gnadenhaft ermöglichten Vertrauens gedeihen kann. Solche durchaus auch selbstkritisch verstandene, immer neu geforderte Rückfrage bleibt nötig und geschieht

---

[2]1971; *R. Bärenz,* Das Gewissen. Sozialpsychologische Aspekte zu einem moraltheologischen Problem, Würzburg 1978; *A. J. Nowak,* Gewissen und Gewissensbildung heute, Freiburg i. Br. 1978; *St. E. Müller,* Personal-soziale Entfaltung des Gewissens im Jugendalter. Eine moralanthropologische Studie, Mainz 1984.

[27] Vgl. Psychoanalyse I, 85.

[28] Vgl. *W. Wolbert,* Die Psychoanalyse und das „Ethische" (s. Anm. 1) 340f.

derzeit u.a. und vor allem in der Diskussion um das spezifisch Christliche einer christlichen Ethik[29].

In diesem Kontext ist es also ernst zu nehmen, wenn Drewermann vor dem Hintergrund seiner therapeutischen Erfahrung besonderen Nachdruck darauf legt, daß der Mensch nur gut sein kann, wenn er vor jedem ethisch dann als „Leistung" zu qualifizierenden Tun sicher sein kann, daß er als je schon von Gott angenommener, d.h. als sein erlöstes geschöpfliches Ebenbild, er selbst sein darf. Gleichwohl ist demgegenüber – und zwar ergänzend, nicht widersprechend – aus der Sicht der christlichen Ethik in Rechnung zu stellen, daß sich dieses Seindürfen des einen nicht gegen das Seindürfen des anderen richten darf. Menschliches Sein steht als Mitsein immer zugleich in Beziehung und Verantwortung und ist doch zugleich stets in der Gefahr, in sündiger Selbstüberheblichkeit diese Beziehung zu leugnen und zu zerstören. Drewermann, der diesen Gedanken in bezug auf die „Stellung des Menschen im Kosmos" so engagiert vertritt (im Widerspruch gegen jede Form von Anthropozentrik)[30], scheint gleichwohl aus therapeutischem Interesse gelegentlich bereit zu sein, innerhalb der menschlichen Gemeinschaft diese Verantwortungsdimension hintanzustellen.

Hier wäre etwa auf seine Stellungnahme zum Problem der Homosexualität zu verweisen[31]: Denn wenn Drewermann im Hinblick auf die konstitutionelle Homosexualität fordert, „das moraltheologische Bestreben" müsse darauf gerichtet sein, „den Schutz der homosexuellen Minderheiten zu urgieren" und nicht „die soziale Ablehnung einer biologischen Veranlagung zu unterstützen"[32], so ist dies zwar ethisch unbestritten richtig. Dennoch kann sich, wie Drewermann in dem nämlichen Zusammenhang behauptet, moraltheologisches Bemühen darin nicht erschöpfen: Es muß nämlich zugleich auch darum gehen, jeder möglichen Instrumentalisierung eines Mitmenschen zu wehren bzw. entgegenzuwirken: Auch um des Wohles des – aus welchen Gründen immer – Kranken willen darf kein Mitmensch je verzweckt werden, schon gar nicht in den persönlichen Belangen der Sexualität. – Trotz des Einspruchs, den Drewermann gegen dieses Argument erhoben hat[33], ist deshalb daran festzuhal-

---

[29] Vgl. *F. Furger,* Kenosis und das Christliche einer christlichen Ethik, in: *K. Demmer / B. Schüller,* Christlich glauben und handeln, Düsseldorf 1977, 96–111.

[30] Vgl. Fortschritt, 62 passim.

[31] Vgl. Psychoanalyse II, 171–178.

[32] Ebd. 172. [33] Ebd. 291 ff.

ten, daß auch für homosexuell veranlagte Menschen wie für alle anderen der Wunsch und das Recht auf Selbstverwirklichung seine Grenze am Recht und an der Würde des Mitmenschen zu finden hat. Christliche Moraltheologie hat im Zeichen des Liebesgebotes daher gerade eine ihrer vornehmen Aufgaben darin, vor jeder solchen, letztlich stets egoistischen (das eigene Ich absolut setzenden) Verzweckung des Mitmenschen zu warnen.

### 3. Zur Tragweite des Ansatzes von Eugen Drewermann

Schließlich ergibt sich aus den bisherigen Überlegungen die Frage, wie weit dieser tiefenpsychologisch motivierte, „tiefentheologische" Ansatz[34] ein universales Erklärungsmuster für die Vielzahl der von Drewermann bearbeiteten Problemfelder menschlicher Existenz abgeben kann. Ohne die Dringlichkeit wechselseitiger Befruchtung von Theologie und analytischer Psychologie herunterspielen oder gar bestreiten zu wollen, melden sich doch Zweifel, ob die hier postulierte Koalition beider Wissenschaften schon eine genügende Basis zur ethischen Bewältigung der die Menschen als einzelne und in ihren personal zwischenmenschlichen Beziehungen sowie die Menschheit global bedrängenden Probleme darstellt – oder auch nur die jeweils implizierten Wertsetzungen und Interessenlagen hinreichend durchschauen läßt.

Eine absolut gesetzte bzw. mit einer gewissen Ausschließlichkeit postulierte Orientierung der Theologie/Ethik (wobei letztere sich im Sinne Drewermanns jedoch selbst aufzulösen hätte) an den Erkenntnissen der Psychoanalyse ist daher insofern ungenügend, als sie den Menschen nur als einzelnen in den Blick nimmt. Dazu kommt oft noch der Eindruck, daß der Mensch in dieser Betrachtungsweise zu sehr unter Rücksicht auf allfällige neurotische Deformationen gesehen zu werden scheint, was u. U. besonders unter Berücksichtigung der genannten pointierten Kierkegaard-Rezeption verzerrende Auswirkungen auf das Menschenbild zeitigen und gelegentlich zu gerade ethisch fragwürdigen Blickverengungen führen kann.

Jedenfalls wird ohne die Berücksichtigung der anderen Humanwissenschaften, insbesondere der Gesellschaftswissenschaften,

---

[34] Vgl. zu dem Stichwort „Tiefentheologie" den Beitrag von *G. Fuchs*, Hören mit dem dritten Ohr. Zur Theologie des Wortes Gottes – im Gespräch mit Eugen Drewermann, in: rhs – Religionsunterricht an Höheren Schulen 4/87, 201 – 210.

christliche Ethik in der heutigen Weltsituation keinen verantwortlichen Beitrag zur Bewältigung der alten wie der neuen Menschheitsprobleme leisten können. Dies nicht zu sehen würde einen Rückfall in eine reine Individualethik bedeuten, welche die gesellschaftlichen Belange und Strukturen als ethisch relevante Faktoren und Reflexionsgegenstände nur unzureichend in den Blick zu nehmen vermag. Die Tendenz zur Individualisierung auch struktureller Probleme ist in diesem Ansatz häufig so unübersehbar, daß auch diesbezüglich eine Verengung festgestellt werden muß.

Dies ist selbstverständlich wiederum nicht gegen das Plädoyer für die Wahrnehmung der Psychoanalyse in der theologischen Reflexion gesagt, sondern als notwendige Ergänzung, die allerdings insofern auch Kritik ist, als sie auf die begrenzte Anwendbarkeit eines individualpsychologischen Ansatzes hinweist. Dieser vermag allenfalls noch den personal-zwischenmenschlichen Bereich in den Blick zu bekommen. Obwohl soziale Probleme von Drewermann gelegentlich in ihrem Inhalt (z. B. Frieden, Umwelt) zwar angesprochen sind, werden sie in ihren spezifisch gesellschaftlich-strukturalen Dimensionen doch nicht eingeholt und auch als solche nicht eigens thematisiert.

So muß etwa gefragt werden, ob es angeht, ein derart komplexes Problem wie die gegenwärtige Umweltkrise in einem letztlich monokausalen Erklärungsansatz ausschließlich auf jene Angst des Menschen vor sich selbst zurückzuführen, die aus seinem gestörten Verhältnis zur eigenen Psyche bzw. aus seiner durch die christlich-abendländische Kulturentwicklung erzwungenen Verstandeseinseitigkeit resultiere. Mit dieser Einseitigkeit sei zugleich aber auch eine gerade für die kreatürliche Umwelt zerstörerische Form von Anthropozentrismus verbunden, die es daher pauschal und radikal abzulehnen gelte[35]. An dieser Kritik ist zwar ohne Zweifel zu beachten, daß eine „ökologische Ethik" darauf angewiesen ist, bei der Analyse des Welt- und Menschenbildes anzusetzen, wenn sie tatsächlich die Grundlagen der Umweltkrise und nicht nur deren allseits beobachtbare Symptome zum Gegenstand ihrer Reflexion machen will. Aber auch dieser Ansatz bedarf der Ergänzung durch andere Sichtweisen, wie etwa derjenigen der Ökonomie oder der Biologie, ja letztlich aller mit den Menschen und der Natur als seiner Lebenswelt in irgendeiner Weise befaßten Wissenschaften. Eben diese Not-

[35] Vgl. Anm. 30.

wendigkeit eines „multilateralen Dialogs" scheint Drewermann jedoch zugunsten des von ihm geforderten und praktizierten – und offenbar für zureichend gehaltenen – Zwiegesprächs zwischen Psychoanalyse und Theologie nicht anzuerkennen.

Bei einem solchen Ansatz, in dem alles Böse, das der Mensch hervorbringt und das ihn – in welchen Dimensionen seiner Existenz auch immer – bedrängt, psychoanalytisch, d.h. konkret: aus der Wurzel der Angst, erklärt werden soll, drängt sich schließlich der Verdacht auf, der Mensch werde generell als Neurotiker bzw. von den Befunden neurotischer Krankheitsbilder her definiert. Drewermann wird zwar – seiner Grundintention nach mit Recht – einen solchen Eindruck mit dem Verweis auf seine theologische Interpretation des psychoanalytischen Befundes (in der Deutung der jahwistischen Urgeschichte) widersprechen. Was aber seine Schlußfolgerungen in bezug auf die Ethik angeht, so ist der genannte Verdacht damit doch noch nicht entkräftet. Denn Drewermann wehrt ja gerade unter Verweis auf die menschliche Daseinsangst die „Moral" als Faktor der Angstverstärkung ab. So bestreitet er generell die Möglichkeit, aus dieser Quelle Lebenshilfe im Sinne von Orientierung und Entscheidungshilfe schöpfen zu können, was aber mit der konkreten erfahrbaren Wirklichkeit des gewöhnlichen, gesunden Lebensvollzuges der Menschen im Umgang mit Ethik und ihren in der Volksweisheit und ihren Weisungen wie in den gesetzten Normen vermittelten Orientierungen offensichtlich nicht übereinstimmt.

Wenn es auch gewiß zutrifft, daß eine bestimmte Moral, insbesondere eine solche, die als Bündel absolut gesetzter (also vom Menschen und seiner Situation isolierter, deontologischer) Forderungen präsentiert wird, nicht nur auf den Neurotiker schädlich, auf diesen aber geradezu fatal wirken muß, so darf dies doch nicht zu der Folgerung verleiten, „die Moral" als solche sei ein Werkzeug der Angst und halte „den Menschen" folglich zwangsläufig im Bösen gefangen. Diese ethisch ungerechtfertigte Sichtweise ruft noch einmal das bereits als problematisch aufgewiesene Verständnis Drewermanns von Sinn und Tragweite ethischer Normen in Erinnerung[36], die jedoch nur in kasuistisch deontologischer Verkürzung der Entfaltung der religiös existentiellen Dimension entgegenstehen.

---

[36] Vgl. demgegenüber zu Stellenwert und Begründung von Normen *F. Furger,* Was Ethik begründet. Deontologie oder Teleologie. Hintergrund und Tragweite einer moraltheologischen Auseinandersetzung, Einsiedeln 1984.

## *III. Schlußbemerkung*

So ist es das Verdienst Drewermanns, das Thema Daseinsangst versus Grundvertrauen des Menschen psychoanalytisch begründet als zentrales Thema für Theologie und theologische Ethik namhaft gemacht und gezeigt zu haben, daß eine Theologie, die das damit bezeichnete Kernproblem menschlichen Seinkönnens nicht ernst nähme, notwendigerweise den Menschen als „homo religiosus" – sei es in seiner gelingenden Gottesbeziehung, sei es in seinem (sündhaften) Scheitern an der Ausrichtung auf ein Absolutes – verfehlen müßte[37]. Insofern sind diese Anregungen seitens der Moraltheologie gesprächsbereit aufzunehmen und in den theologisch-ethischen Diskurs einzubeziehen. Dies bedeutet aber nicht nur die Annahme der Herausforderung zu selbstkritischer Überprüfung eigener Positionen, sondern auch die kritische Auseinandersetzung mit dem Gesprächspartner, der seinen psychoanalytischen Ansatz zur Neuformulierung der Theologie ohne das Eingeständnis der solcher Methodik gesetzten Grenzen zum universalen Instrument der Argumentation und der Kritik zu machen versucht scheint. Die aus solchem Vorgehen resultierenden Einseitigkeiten zu nennen, bedeutet jedoch bei aller notwendigen Kritik an der Kritik in keiner Weise globale Ablehnung, sondern eine freilich kritisch differenzierende Annahme dieser Herausforderung.

---

[37] Vgl. dazu *B. Irrgang,* Das Ethische als bloße Funktion des Religiösen? (s. Anm. 1).

# V

# Wahrheit und Geschichte, Mythos und Person

## Religionsphilosophische Anmerkungen

*Von Jörg Splett*

### *1. Flucht aus der Zeit*

Fragt man uns, was die Zeit sei, wissen wir es nicht. Aber wir wissen: sie vergeht. Darum stellt eine Grundbestimmung von Geschichte die Vergeblichkeit dar. Denn auch die größten Wirkungen geschichtlichen Handelns sind raum-zeitlich begrenzt; der Handelnde aber hat sein unersetzlich einmaliges Leben dafür eingesetzt. Was Wunder, daß der Mensch sich diesem Los entziehen will: in die doppelte Zeitlosigkeit von abstrakter Vernunft und untermenschlicher Natur.

In der Vernunft hat die Aufklärung ihr Asyl zu finden geglaubt. Die Vernunft-Wahrheit meinte sie, auch wenn sie von Natur sprach: von der Natur des Menschen, von Naturrecht oder natürlicher Religion. Gleichwohl blieb auch damals die Erfahrung von Zeit und Geschichte keinem erspart. Dagegen bot sich einmal die Flucht in Magie und altägyptische Weisheit (man denke an die Triumphe Graf Cagliostros, gegen den Goethe sein Lustspiel *Der Groß-Cophta* und noch den *Zauberlehrling* schrieb). Sodann versuchte man dieser Bedrohung dadurch Herr zu werden, daß man die Geschichte als lineare Entwicklung, als Fortschritt im Erkennen der ewigen Wahrheit interpretierte (so insbesondere G. E. Lessing).

Damit waren nun einerseits Qualitätsunterschiede gesetzt; doch ließ sich andererseits durchaus darüber streiten, ob man dem späteren, klareren und differenzierteren Bewußtsein vor dem einfacheren, weniger gebildeten den Vorrang geben sollte oder ob nicht doch umgekehrt das ursprüngliche, unverbildete Wissen des Anfangs heilsamer sei. Und das führte dazu, in allen Stadien schließlich auf je ihre Weise mehr oder minder gleich gültige Erscheinungsgestalten der einen Wahrheit zu sehen. Das Problem der Geschichte und ihres Verstehens löste sich damit in ahistorische Typologie auf.

War es nicht schlichte Konsequenz, daß daraus die *Gleich*gültigkeit der Geschichtsgestalten wurde: im zeitlos technischen Zugriff auf die Natur und dann auch auf den Menschen selbst – in der alles durchstimmenden Mentalität der science? An die Stelle zu bezeugender Wahrheit ist damit die Richtigkeit von Phänomen-Erklärungen getreten – im Dienst der Voraussagbarkeit von Geschehensabläufen. In einem solchen Verständnis können Geschick und Schicksal nur mehr als *Zufall* begegnen.

Daß so jedoch auch der Mensch selbst mit dem Glück und dem Schmerz seines Lebens sich verloren gegangen war, ist inzwischen weithin zum Bewußtsein gekommen. Darum im Gegenschlag das Programm existenzieller Selbstübernahme. Es warf den Einzelnen auf sich selber zurück: in die Stunde, den Augenblick der Entscheidung, in die Schärfe der reißenden Zeit und ins Gegenüber zum eigenen Tod. – Das war eine Überforderung, die nicht andauern konnte. Schon zur Zeit ihrer Geltung wurde sie im „Existenzialismus" zur modischen Gegenkultur *gemeinsamen* Einsamseins entschärft, dann in gemeinsamen politischen Aktionismus überführt. Und heute lautet das Asylwort statt Vernunft: *Natur.*

Allgemein geht die Rede von der Rückkehr zum Mythos. Und für ihn wird immer wieder der Satz des Neuplatonikers Sal(l)ustios zitiert: „Dies geschah niemals, ist aber immer." Drewermann weist gegenüber derart extremer Enthistorisierung auf mythische Kalender, Annalen, Chroniken hin. In der Tat ist der Mythos eine Erzählung, also der Bericht von einem Geschehen, im Rückblick auf einen Anfang bis zum Ausblick auf dessen Ende, letztlich umfassend: als Ende der (konkreten) Welt, in der er gilt. Aber um hier Mircea Eliade anzuführen, mit dessen Wort Paul Hübner einen Abschnitt über mythische Zeit schließt: „Als allgemeine Formel können wir sagen, daß man, die Mythen ‚lebend', aus der profanen, chronologischen Zeit heraus- und in eine Zeit anderer Beschaffenheit eintritt, nämlich in eine ‚heilige' Zeit, die zugleich ursprünglich und dennoch unbestimmt oft wiederholbar ist."[1]

Damit kann sich also wieder der Einzelne aus der Vergänglichkeit retten. Bedenkenswert Hans Urs v. Balthasar: „Alle Religionen außer dem Christentum wollen dem Menschen eine Stütze, einen fe-

---

[1] *K. Hübner,* Die Wahrheit des Mythos, München 1985, 156 (*M. Eliade,* Myth and Reality, New York 1963, 18).

sten Standpunkt im ewigen Wechsel, eine Zuflucht in der allgemeinen Vergänglichkeit bieten. Dazu wurden sie erfunden."[2]

## *2. Geschichtliche Gründung*

Am Wort ,erfunden' werden Anwälte des Mythos Kritik üben, und nicht bloß sie. Mythen und Religionen erfindet man nicht. Sie gründen nach Drewermann in Bildern der Hoffnung und Symbolen von Wahrheit, deren Keime in jedem Menschen liegen und sich in den archetypischen Sagen und Legenden allezeit und allerorts auf vergleichbare Weise aussprechen.

Aber sind die Symbole demnach nur Blüten eines naturalen *Es* im Menschen? Also bei all ihrer Vielfalt und auch qualitativen Unterschiedlichkeit letztlich gleich gültige Versichtbarungen einer „zeitlosen" Situiertheit?[3] Sie sind auch dies. Doch schon historische Religionen gehen aus einmaligen Ereignissen, gründenden Widerfahrnissen hervor. Und für ein biblisch-christliches Schöpfungs-Denken ist sogar die Naturbasis in Welt und Mensch fundamental geschichtlich. Denn nicht eine anfang- und endlos webende Natur ist der letzte Grund/Abgrund der Welt, sondern das freie Wort eines personalen, freien und frei-gebigen Gottes.

Diese Grundgeschichtlichkeit der Welt gibt dem Faktum – überhaupt und in jeweils konkretem Betracht – ein bisher ungekanntes Gewicht[4]. Und eine neue Dimension dazu gewinnt solche Tatsächlichkeit im Schöpfungsanruf an die einzelne Person.

Romano Guardini: „Das Unpersönliche, Lebloses wie Lebendiges, schafft Gott einfachhin, als unmittelbares Objekt seines Wollens. Die Person kann und will er nicht so schaffen, weil es sinnlos wäre. Er schafft sie durch einen Akt, der ihre Würde vorwegnimmt und eben damit begründet, nämlich durch Anruf. Die Dinge entstehen aus Gottes Befehl; die Person aus seinem Anruf. Dieser aber be-

---

[2] Das Weizenkorn, Einsiedeln [3]1953, 41.

[3] So erscheint es offenbar *Alfred Lorenzer,* der bei aller berechtigten Kritik an Rationalisierung und Verkopfung der Liturgiereform kein Verständnis für die dogmatische Dimension der Glaubensverkündigung zeigt. Darum kann er im Verdeutlichen der Botschaft nur die Gängelung des emanzipativ träumenden Individuums durch das „Konzil der Buchhalter" (Frankfurt a.M. 1982) sehen.

[4] *P. Henrici,* Aufbrüche christlichen Denkens, Einsiedeln 1978, bes. 27ff: Die metaphysische Dimension des Faktums.

deutet, daß Gott sie zu seinem Du beruft – richtiger, daß er sich selbst dem Menschen zum Du bestimmt." [5]

Von daher haben die Symbole zwar auch eine über- oder untergeschichtliche Dimension, aber nicht darin liegt für uns ihre eigentliche Wahrheit, sondern gerade in dem, worin sie unvergleichbar und je einzig sind. Also nicht die Struktur, das Was, ist entscheidend, sondern ihr – hier und heute bzw. damals und dort – geschehenes *Daß*. Sie sind die bildhafte – nicht Ausmalung, sondern Gestalt einer realen, darum auch datierbaren Zukehr. – So wird beispielsweise oft „ich liebe dich" gesagt; doch wo es in Wahrheit gesprochen und vernommen wird, ist es gerade nicht „an sich" und „eigentlich" (und beiden unbewußt) ein Fall, sei es von Gen-Aktivität (biologisch), sei es von sich sprechender Sprache (z. B. strukturalistisch), sei es der Interaktion von Mond und Sonne, Himmel und Erde (mythisch, archetypisch), sei es von sich fortzeugendem Kindheitsgeschick, weil überhaupt kein Fall, sondern – in aller vielfältigen Bedingtheit – unableitbar einziges Freiheits-Geschehen.

‚Unableitbar' heißt dabei nicht: isoliert, zusammenhanglos, also unverständlich. Aber die Verständnismöglichkeiten werden nicht allein vom Mythos einerseits, der Wissenschaft andererseits verwaltet. Am schärfsten zeigt sich das wohl im *Gewissen*, insbesondere bei der Erkenntnis und dem Eingeständnis persönlicher Schuld. Man darf wohl fragen, ob nicht eben von hier der drängendste Anstoß zur Abwehr des Personalen ausgeht.

### *3. Schuld und Vergebung*

Ratio und Wissenschaft kennen weder Gewissen noch Schuld. Sie kennen einzig Versuch und Irrtum, Glücken und Mißglücken (wobei – wie schon anklang – zum erklärlichen Irrtum noch der unerklärliche Zufall hinzukommen mag). Ebensowenig gibt es Schuld und Gewissen in der Natur. Auch hier treffen wir auf Versuch und Irrtum; dazu tritt jetzt die psycho-physische Disposition, also die Verfassung von Gesundheit und Krankheit.

Der Mythos seinerseits ist übervoll von Geschichten geschlechter-

[5] *R. Guardini,* Welt und Person, Würzburg ²1940, 114. Dazu: *J. Splett,* Der Mensch ist Person. Zur christlichen Rechtfertigung des Menschseins, Frankfurt a. M. ²1986.

vernichtender Schuld und heroischer Sühnung. Doch in welchem Sinn? Er ist nicht eindeutig. Die Spannung reicht, um beim griechischen Drama zu bleiben, vom Spiel mythischer Mächte bei Orest über Verblendung zur Hybris bei Xerxes, das Gebot der eigenen Ehre bei Eteokles, die „objektive Schuld" eines Ödipus bis zur freien Entscheidung für die einen gegen die anderen göttlichen Mächte bei Iphigenie. Entscheidend ist die Herkunft der Schuld aus der göttlichen Sphäre[6]. – In ihr herrscht die Ambivalenz, so daß der moralisch bemühte Mensch bei aller Machtlosigkeit den Göttern überlegen ist. Darin ist aber der Keim zur unumgänglichen Überwindung des Mythos gegeben – dazu bedarf es weder der Wissenschaft noch der Entmythologisierung. Der entscheidende Anstoß kommt aus dem sittlichen und religiösen Bewußtsein selbst. (Auf die Dauer muß es unerträglich werden, die eigene Zweideutigkeit derart ins Licht des Heiligen hineinprojiziert zu sehen. Dies nämlich, und nicht etwa eine „naive Personifizierung" Gottes, ist der eigentlich zerstörerische Anthropomorphismus, der jegliche Religion als ständige Schattendrohung begleitet.)

Gott ist der schlechthin Heilige – wie anders wäre sonst die Sieghaftigkeit des schweigenden Urteils in der Selbst-Konfrontation der Gewissenserfahrung zu verstehen? Und was würde aus dem Protest eines Ijob, wenn seine Appellations-Instanz wider Gott nicht die Heiligkeit Gottes wäre? – Ist er aber dies, dann kann es nicht von vorneherein ohne Sinn sein, daß der Mensch bekennt, „vor Ihm" gesündigt zu haben und von Ihm Vergebung zu erhoffen.

Das hat nicht im mindesten, wie Eugen Drewermann befürchtet, mit einem Ausspielen des Verstandes gegen das Gemüt zu tun. Es geht vielmehr darum, gegen die Fluchtversuche eines Unschuldswahns – auf Verstandeswegen oder in die dunklen Schlupfwinkel des Emotionalen – die Ganzheit des Menschen zu verteidigen: die Ganzheit seiner in seiner Schuld (denn *er* war es, wo wirklich Schuld vorliegt, weder bloß sein Kopf noch irgendwelche Triebe, Mächte, „die" Sünde, tragisches Verhängnis oder was immer). Und dies um seiner Ganzheit in der von ihm und für ihn erhofften Rettung willen.

Einmalig geschichtlich schon ist seine Schuld, so sehr es dabei um „immer wieder die alte Geschichte" zu tun sein mag. Einmalig wie er selbst. Aber wiederum besagt diese Einmaligkeit nicht atomisierte

---

[6] Siehe *Hübner* (Anm. 1) 199–211.

Vereinzelung; denn jeder steht mit seinem Leben in umgreifenden Zusammenhängen. Keiner von uns hat mit der Schuld begonnen, sie erstmals gesetzt, so sehr er selbst sie fortgesetzt hat. Und die Wirkung unseres Tuns, nicht bloß dessen äußere Folgen, sondern seine prägende Kraft, geht über uns hinaus fort. Darum kann es auch mit einem Heil für Einzelne allein nicht sein Bewenden und seine Genüge haben. Die Frage nach dem Heil des Menschen ist eine so grundsätzlich wie umfassend geschichtliche Frage.

Macht man sich nun klar, daß wirkliche Schuld durch keinerlei Bessermachen bei einem anderen Mal, überhaupt durch kein Handeln und auch nicht durch irgendwelche therapeutischen Behandlungen gutgemacht werden kann, sondern allein durch Vergebung: dann zeigt sich, daß Hinweise auf die heilenden Kräfte der Natur grundsätzlich unzureichend bleiben. Man mag die Natur als solche ansprechen: die waschende, lösende Macht des Wassers, die zehrende Unerbittlichkeit von Sonne und Wüste, die Wachstumskräfte und Verwandlungsmöglichkeiten von Pflanzen, Kräutern und Früchten, Heide und Wald, oder die Natur in großen ihr innig verbundenen Individualitäten wie den Schamanen. Es gibt vielmehr im Ernst keine Hoffnung, wenn nicht auf die autoritative Zusage von Vergebung zu hoffen möglich und erlaubt ist.

Und solche Zusage darf nicht bloß vorläufig, widerrufbar, noch beliebig, für den Einzelfall, ergehen. Der Schuldige erhofft sie als ernsthaft, umfassend und end-gültig: für den Einzelnen wie für die Menschen-Geschichte im Ganzen.

Angesichts dieser Frage verblaßt die Gefährdung, die Drewermann den biblischen Religionen aus ihrem antimythischen Naturverhältnis nachsagt. Abgesehen davon, daß die Natur als solche mitnichten jene heile Welt voll Sanftheit und Zärtlichkeit ist, als die sie uns mitunter vorgeführt wird. (Hängt Humanität nicht entscheidend daran, sich eben nicht von seinen „*natürlichen* Bedürfnissen und Regungen“ – von Gier, Angst, Neid, Aggressivität und Selbstbehauptung – bestimmen zu lassen?) Der ihr gebührende Rang bleibt vielmehr gerade in einem rechten Schöpfungsverhältnis gewahrt: weil die Natur dann weder als göttliche Selbstmacht mißdeutet noch nur zur Umwelt des Menschen (oder zum Projektionsschirm seiner inneren Verfassung) herabgesetzt noch gar zum bloßen Material – sei's seiner Pflicht, sei's seiner technisch-wissenschaftlichen Selbstbehauptung – entwertet wird. Nur wer sie als Gabe Gottes erkennt, nimmt sie als Symbol und Weise seiner Gegenwart wahr; und erst die Liebe von Mensch zu Mensch gestaltet sie zum Garten religiöser Humanität[7].

### *4. Menschenwürde und Offenbarung der Liebe*

Das führt uns erneut auf den Kernpunkt zurück: die modisch werdene Entgegensetzung von Ratio und Mythos – als wäre dies eine vollständige Alternative. Hübner in seinem vielbeachteten Buch über die Wahrheit des Mythos korrigiert Bultmann dankenswert deutlich. Mythisches Denken sei nicht *der,* sondern *ein* Gegenbegriff zum wissenschaftlichen Denken (Anm. 1, 328).

Mit der gleichen dankwerten Deutlichkeit spricht er bei der Diskussion des Grundgesetzes aus – im Blick auf die Würde des Menschen als sittlich freier Person –, daß „die für eine solche Würde erforderliche innere Freiheit der Person ... mythisch undenkbar" ist (355)[8].

Weder wissenschaftlich noch mythisch ist die Welt Offenbarung dessen, was für die biblischen Religionen das eine Zentrale (und dann auch Not-wendende) ist: der freien Freigebigkeit eines angst- und rückhaltlos liebenden Gottes. – Diese Offenbarung hat nicht allein für die Zukunft Bedeutung: für die bedachte mögliche Erwartung von Vergebung (aus dieser Liebe heraus) und für die ebenso erhoffte Erlösung vom Tod – als die end-gültige Bekräftigung jenes Schöpferworts, aus dessen Wirksamkeit die Dinge geschaffen wurden, „daß sie seien" (Weish 1,14)[9]. Das bliebe noch anthropozentrisch. (Und es unterscheidet den frei-bewußten Menschen vom Tier, daß er nicht alles „umweltlich" auf sich bezieht, um sich zentriert.)

---

[7] Dazu zwei Worte: „Der Geber ist nicht die Gabe, und diese nicht jener, und doch gibt der Geber in der Gabe sich selber, insofern er liebt, und der Empfänger empfängt den Geber in der Gabe, insofern er ihn liebt." *Franz von Baader,* Satz 13 „aus einer religiösen Erotik" WW (1851 ff, Neudruck Aalen 1963) IV, 189. – „Jeder geliebte Gegenstand ⟨besser: jedes geliebte Du⟩ ist der Mittelpunkt eines Paradieses." *Novalis,* Schriften, Stuttgart 1960ff, II 433 (Blütenstaub).

[8] Entsprechend ist – ebenda – Schuld für den Mythos „ein objektives Ereignis, wie es eine Krankheit ist". Mythisch betrachtet, könnte Jesus Christus dann in der Tat nur als Schamane erscheinen. (Als hätte er dem Gelähmten – Mk 2,5 – nicht allererst seine Sünden vergeben!)

[9] Aus der fortwaltenden Schöpfertreue dieses Willens ergibt sich: „Das eigentliche Werk der dikaiosýne theoû ⟨Gerechtigkeit Gottes⟩ ist die Auferweckung der Toten." *Peter Stuhlmacher,* Gerechtigkeit Gottes bei Paulus, Göttingen [2]1966, 239f.

Zuerst und grundlegend gibt es hier Konsequenzen für die Sicht und das Verständnis Gottes selbst und seines Schöpfertums. Gegen alle möglichen Modelle traumhaft naturalen Hervorgangs der Welt aus der Einsamkeit des Absoluten heraus. Nehme man dies männlich-praktisch wie Goethe, dem heute gar (inwiefern christlich?) C. F. v. Weizsäcker beipflichtet[10]; nehme man es spielerisch-weiblich, quellend, wie beispielsweise Dorothee Sölle (von Entwürfen wie bei Heide Göttner-Abendroth zu schweigen)[11].

In beiden Formen wird übersehen, daß die Notwendigkeits-Perspektive keinen Zugang zur Dimension freien Person-seins erlaubt. Gott ist dann nicht mehr Gott, da er der Geschöpfe bedürftig ist, und diese – weil nicht freier Freigebigkeit verdankt – können ihrerseits nicht frei sein. Wieder entspinnt sich das alte Spiel wechselseitiger Abhängigkeiten, das neuzeitlich im berühmten Herrschaft-Knechtschaft-Kapitel der Hegelschen Phänomenologie auf den Begriff gebracht worden ist, das aber selbstverständlich nicht erst hier beginnt. Sein Bewußtsein begleitet, nein: prägt und trägt ein pervertiertes Opfer-Denken durch die ganze uns bekannte Geschichte der Religionen. (Und es steht hinter der Verkennung und Abwehr des Opfer-Gedankens bis heute.)

Darum prägt dieses Denken auch Träume und Mythen. Und es prägt auch die Vorstellungen einer Befreiung aus dieser Situation. Diese Befreiung kann nämlich einzig als *Aufhebung* jeglichen Gegenübers erträumt werden, wenn das Gegenüber nur als ein Verhältnis wechselseitiger Versklavung im Blick steht. Darum die Einheits-Sehnsucht in Symbol und Mythos. Bis hin zu dem wirkungsmächtigen Mythos des Aristophanes in Platons *Gastmahl.*

## *5. Lebensgemeinschaft in bleibendem Gegenüber*

Vor ihm sollte man endlich die (H. Chr. Andersen!) naive Kinderfrage zulassen, was uns denn hier in Wahrheit angeboten werde. – Zwei Hälften schmelzen zu einem Ganzen zusammen. Die Hälften

---

[10] Goethe: Wiederfinden; *C. F. v. Weizsäcker,* Der Garten des Menschlichen, München 1977 u.ö., 346ff (Ein Liebesgedicht), worin die neuplatonische Emanationslehre die „philosophisch konsequenteste“ genannt wird (350).

[11] *D. Sölle,* lieben und arbeiten, Stuttgart 1985, bes. 27ff u. 33f; *H. Göttner-Abendroth,* Die tanzende Göttin, München $^{2}$1984.

gibt es nicht mehr, nicht ihre Sehnsucht nacheinander, nicht ihr Bewußtsein von sich und vom anderen, so auch nicht die Freude an- und miteinander. Das Ganze nun weiß und genügt sich. Heil-sein also – schlagend eindrücklich im heute neu beschworenen Bild des/der Androgyn(e) – eigentlich als Selbst-Befriedigung? Oder zuletzt gar – „mystisch" – als Befriedigung ohne Selbst? Weil sich das Ganze gar nicht mehr weiß (darin erst „glücklich": „unbewußt – höchste Lust", da Bewußtsein nur Not und Unglück bedeutet)?

Das lenkt den Blick auf das Leben vor der Verschmelzung zurück. Das Dürsten einer Hälfte nach der anderen soll Liebe heißen und den ganzen Blütenflor poetischer Preisung hervorrufen, die man seit je der Liebe dargebracht hat? Was ist am Durst und seiner Kraft (seiner Unerbittlichkeit und Findigkeit) zu preisen? Daß er ein Kind der Armut sei, sagt auch der Mythos; doch inwiefern des Reichtums, außer im Sinn gewiefter Durchsetzungskraft?

Zu preisen an der Liebe wäre, nein: *ist* doch gerade und einzig ihre freie Freigebigkeit, also ihr selbstvergessenes Entzücken, ihre selbstlose *Antwort* auf die Schönheit, die Liebens- und Preiswürdigkeit des andern[12]. – Freilich spricht sie in uns bedürftigen Wesen nicht ohne Durst und Verlangen. Und deren Beimischung macht uns keineswegs schon zu Egoisten, wie man des öfteren liest; erst der Entscheid, die Bedürfniserfüllung zur *Leitschnur* unseres Handelns zu machen, spräche uns dieses Urteil. Wie aber stünde es um unser Menschsein, wenn wir gar keinen Zugang zu jener Selbstlosigkeit des reinen Wohlwollens hätten? Und woher sollten wir diesen Zugang besitzen, wenn es dergleichen nicht im Abgrund-Grund unserer Wirklichkeit gäbe?

In der Tat sind – Drewermann hat recht – nicht Moral und Pflicht die Erstprinzipien unseres Lebens und Handelns; eher schon Verantwortung, wenn man das Wort nur wörtlich nimmt: nämlich als Antwort-Situation angesichts eines schaffenden Anrufs. Und gewiß kann es niemals darum zu tun sein, das eigene Dasein durch rechtes Handeln zu rechtfertigen[13]. Wo sich kirchliche Verkündigung und Morallehre so anhören, wären sie zu korrigieren.Aber gar nicht rechtfertigt das pure Daß bereits mein Dasein (= Daß), und auch

[12] So stellt es auch Sokrates selbst dar, im *Gastmahl* wie in seiner zweiten Rede für Phaidros.

[13] *H. Blumenberg,* Arbeit am Mythos, Frankfurt a.M. 1979, 659: „Für den Menschen wäre es besser, nicht geboren zu sein; dadurch, daß er Kultur zu schaffen vermag, rechtfertigt er, daß er faktisch dennoch geboren ist."

nicht die Liebe eines anderen Menschen oder die Liebe „als solche". Das vermag einzig (Anm. 5) Gottes Anruf.

Darum aber genügen *Bilder* mitnichten. Sie bleiben in all ihrer Tiefenbedeutung auf der bloßen Tatsachen-Ebene. Ihnen fehlt die Vollmacht des Zuspruchs (wenngleich der sich ihrer zu bedienen vermag). Daher der uneinholbare Vorrang des Wortes. Aus diesem Grund hat die biblische Religion auf dem Wort zu bestehen: gegen westlich wissenschaftliche Begrifflichkeit (samt der ihr zugehörigen „faustischen Tat"), gegen das östliche Angebot a-personalen, alleinigen Schweigens, gegen die (zudem nicht bloß symphonische) Vielfalt der mythischen Bilder.

Wort nun sagt ein bleibendes Gegenüber. Das Ziel ist gerade nicht ein gleichsam vorgeburtliches In-Eins-Verschmolzensein (das es im übrigen nicht einmal vorgeburtlich gibt). Lebt aber Liebe und ihre Einheit wesentlich im Gegenüber, dann zeigt eben dies noch einmal ihr inneres Zeit- und Geschichtlich-sein: insofern die Worte gehört und aufgenommen sein wollen, einander Gehör geschenkt werden soll.

Das gilt für den Anfang; denn was sollte ein Anruf, den niemand (außer dem Rufer) vernähme? Es ist aber auch und erst recht für das Ende („ohne Ende") zu denken: Himmel meint christlich nicht eine Verschmelzung mit dem Göttlichen, sondern er bringt die reine Anbetung Gottes, also den endgültig und selig einbekannten Unterschied zu Ihm (betet doch nicht Gott Gott an, sondern wir ihn – so wie Liebe nicht Narzißmus ist, sondern Liebe zum Du, und das Sich-dankbar-lieben-Lassen von ihm).

Dann aber ist auch die jetzige leidensvolle „condition humaine" anders zu sehen als in einer märchenhaft-mythischen Perspektive, für die offenbar der Unterschied als solcher tragisch leidvoll und ein Zeichen von Lieblosigkeit ist. (Mit Spuren bis in die Alltagssprache hinein: Wer hat schon gern „Differenzen"!) Zur Liebe gehört durchaus die Bewahrung des *Gegensatzes* von Himmel und Erde, Traum und Wirklichkeit, Dichtung und Wahrheit. Zunächst schon, weil – zwar nicht als Wesensgesetz, jedoch als tatsächliche Wirklichkeit – gilt: „Liebende leben von der Vergebung." [14] Und das Sakrament der Vergebung (im weiteren menschlichen Sinne genommen – sacra-

---

[14] Romantitel (1953) von *Manfred Hausmann*; hier als Anfrage an den Schluß der Auslegung zum Grimmschen Märchen Nr. 193: *E. Drewermann,* Der Trommler, Olten 1987, 70f.

mentum = Mysterium, Geheimnis – wie streng theologisch-dogmatisch) ist das strikte Gegenteil „sakramentaler Magie". Sodann aber auch jenseits dessen, weil gerade das „mysterium coniunctionis", das Eins-Sein der Liebe, aus dem Geheimnis des *In-einander-Blicks* lebt. (Zuinnerst im dreipersönlichen Gott ist in der wechselseitigen „Einwohnung" der Personen alles eins – außer dem Gegenüberstand im tripolaren Bezug: „relationis oppositio".)

### 6. *Archetypische Bergung – selbstvergessene Antwort*

Ging es nun bisher darum, das Recht des Personalen über Wissenschaftsbegrifflichkeit und Mythos zur Geltung zu bringen, drängt sich schließlich die Frage nach einer möglichen Synthese dieser Dimensionen auf. Im Blick auf das spezifisch Christliche schreibt Eugen Drewermann, diese Einzigartigkeit liege „nicht in seinen Glaubenssymbolen an sich, die vor allem im Alten Ägypten jahrtausendealte Parallelen zu den christlichen Vorstellungen aufweisen und im kollektiven Unbewußten der menschlichen Psyche verankert sind. Spezifisch christlich hingegen ist die Betonung der Personalität und Individualität in ihrer Sythese mit dem archetypischen Material der Psyche." [15]

In den „Symbolen an sich" liegt die Einzigkeit tatsächlich nicht; denn auf der Ebene der Zeichen, Worte und Symbole als solcher kann es gar keine Einzigkeit geben. Darum besagt auch der mit einem Ausrufezeichen markierte Hinweis (Anm. 15, 778) wenig, selbst der Personbegriff sei übernommen. Was das *Wort* angeht: sollte man denn eine bislang noch nicht benutzte Lautkombination verwenden? a) Wer verstünde sie? b) Wer sagt, daß sie nicht doch schon irgendwann gebraucht worden sei? Bezüglich des *Begriffs* aber ist zu sagen, daß a) er seine besondere Präzisierung erst im theologischen Disput erhalten hat (sie wurde nicht übernommen); daß b) dafür freilich an einem Vorverständnis anzuknüpfen war: „gratia praesupponit naturam".

Doch so sehr der Personbegriff in die christliche Glaubens- und Denkgeschichte gehört, so wenig steht er – und schon gar nicht anthropozentrisch – für sich selbst. Entwickelt wurde er – wie Drewer-

---

[15] Tiefenpsychologie und Exegese II: Die Wahrheit der Werke und der Worte, Olten 1985, 777.

mann auch anmerkt – zum Verständnis der einzigartigen Wirklichkeit Jesu Christi und zum Verständnis des Geheimnisses des dreieinigen Gottes. Das weist indes auf Grundsätzliches hin. Es geht dem Menschen nämlich in der Religion nicht – wie die Schule C. G. Jungs erklärt – um ein Verhältnis zum eigenen Seelengrund, um Selbst-Bezug, sondern um ein Verhältnis und Gegenüber zu Gott.

So viel ist schon religionsphilosophisch zu sagen, auch wenn die weitere Diskussion über das ent- und unterscheidend Christliche in die Kompetenz des Dogmatikers fällt. – Angemerkt sei freilich auch hier noch, daß nicht die Angst des Personseins das Bestimmende an Person ist (beiseite gelassen,ob sie ein „Proprium" [= charakteristisches Merkmal] sei). Keinesfalls ist dies die Angst vor dem Tod, sondern – wenn schon, dann – die Angst vor Selbstverfehlung. Denn der Angst vor dem Tod mit der Kardinaltugend der Tapferkeit zu begegnen macht den Rang von Geist und Freiheit im Personsein aus. Todesangst und Lebenswille sind demgegenüber die Grundbestimmungen des Bios.

Darum ist auch die christliche Froh-Botschaft nicht zuerst die der Erlösung von der Todesangst, sondern der von Sünde und Schuld. In diese freilich ist der Mensch aus der *Versuchungssituation* der ihn beschleichenden Todesangst geraten, und zwar weil er – statt sich ins Vertrauen zu werfen – dem Mißtrauen (biblisch: dem „Kleinglauben – oligopistia" – Mt 17,20) Raum gab. Darin stimme ich – gegen die breite Tradition der Herleitung des Falls aus dem Stolz – mit Kierkegaard, Drewermann, auch Peter Knauer[16] überein (vgl. Hebr 2,15). Doch darf Versuchung – bei aller mit ihr gegebenen Beirrung und Bannung – nicht als Nötigung aufgefaßt werden. Bei *Unvermeidlichkeit* der Schuld könnte weder von Schuld noch von Sünde mehr die Rede sein, nur von Verhängnis[17].

---

[16] Der Glaube kommt vom Hören, Bamberg [4]1984 (Index: Angst).

[17] Nicht einmal analog, wie es – im Unterschied zur Ursünde – bei der Erbsünde der Fall ist. Diese könnte man tatsächlich als Verhängnis interpretieren, solange man dann nur die je eigene *Ratifizierung* ihrer nicht in verhängte Tragik hinein „ent-schuldigt". Was Menschen sein oder tun *müssen,* mag objektiv böse sein, doch *anzurechnen* ist es ihnen selbstverständlich nicht, auch und gerade nicht „auf dem Hintergrund einer vollständigen Begnadigung" (*E. Drewermann,* Psychoanalyse und Moraltheologie I: Angst und Schuld, Mainz [2]1983, 127). Darum hat sich auch „die Kirche" nicht etwa „ein Dogma zurechtgelegt" (ebd. 65), wenn sie erklärt, Gott lasse keine Versuchung zu, die jemandes Vermögen übersteigt. Denn abgesehen davon, daß jede Versuchung uns schwach zeigt (sonst wäre sie keine), gilt schlicht analytisch, daß die Aufhebung des (Anders-)Könnens zugleich die persönliche Schuld und Sünde aufhebt, so bedauerlich und schlimm die Folgen auch wären. (Das „ultra posse nemo tentatur" variiert nur den

Offenbar ist es nötig, dies wiederholend von der Unterstellung abzuheben, derart würden Moral und Verstand zum Haupt- und Erstpunkt erhoben. Selbstverständlich ist das „Du sollst!" der Moral ein zweites, bereits Reaktion in einer Lage, in der die Menschen nicht tun, was einzig selbst-verständlich und gut ist: zu lieben. Aber daß Leben und Liebe (göttlich geschenkte) Möglichkeiten sind statt „u-topischer" Unmöglichkeit, das sagt schon eine unverkürzte (und nicht reformiert verbildete) Schöpfungslehre. Deren Reflex ist dann auch der Schuldspruch über die Lieblosigkeit. – Der schuldig Gewordene freilich ist nun tatsächlich unfrei geworden. Er kann nicht bloß, wie bedacht, von sich her seine Schuld nicht „wiedergutmachen"; ebensowenig vermag er einfach aus eigenem Entschluß und Können selber „wieder gut zu sein". Dazu bedarf er der Erlösung.

Doch um von hier aus noch einmal die Ausgangsfrage dieses 6. Abschnitts aufzugreifen: Wie wäre denn die *Synthese* von Person und Archetyp grundsätzlich zu denken? Ihrerseits archetypisch, nach dem Muster der Märchen (in deren tiefenpsychologischer Deutung), oder personal? – In Wahrheit lautet die erste Frage des Menschen (Anm. 15, 780) nicht: „Was muß ich tun?" Nicht einmal, wie es richtiger hieße: „Was soll ich tun?" (Meint ‚Müssen' doch ein Nicht-anders-*Können*. Das erübrigt Fragen. Ein ‚Sollen' spricht, wo jemand anders kann, jedoch nicht darf.) Sie lautet aber auch nicht, wie Drewermann annimmt: „Wer bin ich?" im Sinne von: „Wie finde ich mich bzw. zu mir?" – als wäre der Mensch nach *sich* auf der Suche! Die Frage aus religiöser Erfahrung – und erst recht aus christlicher – lautet vielmehr: „Wer bin ich, daß ⟨Er⟩ zu mir kommt?" (Lk 1,43). Näherhin: „Wer bin ich, daß Du ..." (vgl. Mt 3,14; Lk 5,8; 7,6). Wenn nicht gar allererst überwältigt, gläubig-ungläubig gefragt wird (Mk 4,41; Apg 9,5): „Wer ist dieser?" „Wer bist Du?" Und darauf folgt sogleich die Frage (Apg 22,10): „Herr, was willst du, daß ich tun soll?" Mitnichten zur Selbstrechtfertigung eigenen Daseins, sondern in der schlichten und nächstliegenden Bedeutung persönlicher *Antwort*.

---

alten Grundsatz „ultra posse nemo tenetur".) – „Historische Schuld" (ebd. 74) ist so wenig wie „mythische" (Anm. 8) eine personal-religiöse Kategorie. Wenn die Fixierung darauf (verurteilend oder – so hier – entschuldigend) die Frage nach der wirklichen (= stets der eigenen) Schuld *verdrängte*: wo bliebe dann der Mensch und sein Geheimnis selbst (Marie Antoinette bloß Rokoko-Produkt bzw. Marionette ihres Gatten?), und was für eine Hoffnung bliebe ihm?

Wer tot war, mußte – ohne das geringste Zutun seinerseits – zum Leben auferweckt werden. Dann aber hat *er* zu leben. ‚Hat' will sagen: er darf, soll und will es; ‚er' meint ihn selbst, auch wenn, nein: eben weil es Christus ist, der in ihm lebt. (Spricht dies bekannte Wort – Gal 2,20 – doch nicht der Herr über Paulus, sondern Paulus über sich und ihn.) – Dann aber geht es nicht mehr um Träume, sondern darum, „vom Schlafe aufzustehen" und „im Licht zu wandeln" (Röm 13,11ff; Eph 5,8; 1 Thess 5,5ff).

Wie vorhin auf den Dogmatiker ist hier an den psychotherapeutischen Fachmann zu verweisen, was den rechten Umgang mit schwer Depressiven oder anders seelisch Erkrankten angeht. Die teilweise robusten Methoden etwa eines Viktor Frankl dürften tatsächlich nicht immer das Mittel der Wahl sein; inwieweit aber wäre es statt dessen eine einfühlende Bestätigung und gar Bekräftigung der Meinung, zu jedem, auch dem kleinsten Tun nicht in der Lage zu sein? Selbst wenn derlei es – phasenweise – wäre, böte es kaum das Modell für menschliches und christliches Selbstverständnis überhaupt. Es wäre nicht bloß nicht hilfreich, sondern verletzte die Wahrheitspflicht und die Pflicht zur Dankbarkeit gegenüber Gott als Schöpfer und Erlöser, wollte man gewisse Krankheitserfahrungen derart verallgemeinern, daß sich ergibt: ‚Zum Wesen des Menschen gehört, das Opfer seiner Freiheit zu sein' – so unumgänglich die historisch-faktische Rede von der „unfreien Freiheit" ist.

Hier könnte die Erinnerung an die differenziertere Analyse des katholischen Philosophen Maurice Blondel hilfreich sein. Anschaulich spricht er die eigentümliche Unfreiheit der Freiheit selbst aus: „Ich rühre den Finger, und es gelingt mir nicht, einen Wunsch zu ändern; ich lenke meine Glieder wie ein lebendiges und aktives Tier, dessen gezügelte Kräfte ich beherrsche; doch sobald ich ein Gefühl überwinden, eine Gelegenheit meiden, ein Opfer mir auferlegen muß, bleibe ich vergeßlich, nachlässig und wehrlos ... Der Geist befiehlt dem Leib, und er gehorcht; der Geist befiehlt sich selber, und er widersteht." [18]

Doch zieht Blondel daraus nicht die Konsequenz, wir könnten

---

[18] L'Action. Essai d'une critique de la vie et d'une science de la pratique, Paris 1893, ²1950, 166 / Die Aktion (1893). Versuch einer Kritik des Lebens und einer Wissenschaft der Praktik (übers. v. R. Scherer), Freiburg i. Br. 1965, 192.

nur über unsere Unfähigkeit zu verantwortlichem Handeln trauern – etwa angesichts der Mahnung, daß ein jeder von uns wenigstens ein wenig liebenswerter und besser sein könnte, als er ist, wenn er nur wirklich wollte[19]. Er weist vielmehr darauf hin, daß immerhin die Taten ein Stück weit in unserer Macht seien. „Handeln kann man immer, und sei es in noch so geringem Maße und fühle man sich noch so geschlagen. Dieser kleine Anfang von Initiative, der, wenn man es will, unüberwindlich ist, wird gleichsam zum Hebel unserer Befreiung ... So gelingt es einem, durch Handeln das zu wollen, was man anscheinend zunächst nicht wollen konnte ..." (Anm. 18, 189/215).

Einer Alles-oder-nichts-Position, auch in Mythen und Märchen: zwischen Zauberkraft und Ohnmacht, ist also – um der Ehre des Menschen wie der seines Schöpfers willen – nüchtern der Hinweis auf Zumutbares und Zuzumutendes entgegenzusetzen. – So „entmythologisiert" der Schöpfungsbericht nicht bloß die Sterngötter und Chaosmächte, sondern auch das Böse. Es wäre ungut, diese Depontenzierung rückgängig machen zu wollen und beispielsweise die Schlange „re-mythisierend" zu kosmischen Dimensionen aufzublähen. Es gibt eine Harmlosigkeit und banausische Banalität des Moralischen – vor der die Tiefe psychoanalytischer Symbolismen in einschüchternder Farbenpracht schillert. Und solche Harmlosigkeit wird weniger harmlos, wenn sie zur ahnungslosen Aburteilung Scheiternder führt. Doch andererseits hängt der Ernst von Christ- und Menschsein nicht unwesentlich auch daran, daß man sich den Blick für das schlicht im Hier und Jetzt zu Tuende bewahrt. Biblisch gesprochen: weder auf dem Weg nach Jericho (Lk 10,29 ff) noch für die Fußwaschung im Abendmahlssaal sind kosmo-psychische Bildwelten nötig. – Sehr vieles können wir nicht und leiden daran. Doch inwieweit übertönt solcher Schmerz über das große Schuldigbleiben im Leben unsere konkrete, klein(lich)e, gemeine Schuld?

Liebe verlangt also äußerste Wachheit. Nicht zuletzt darum, weil

[19] Vgl. Ignatius von Loyola an Franz Borja (1545): „Es gibt wenige in diesem Leben, und ich vermute sogar, niemanden, der in allem bestimmen oder beurteilen kann, wieviel er von seiner Seite hindert und wieviel er dem entgegenarbeitet, was unser Herr in seiner Seele wirken will." Geistliche Briefe (eingef. v. H. Rahner), Einsiedeln 1956, 126; auch in: Geistliche Übungen und erläuternde Texte (übers. u. erkl. v. P. Knauer), Graz 1978, 258.

sie, statt Realitätsflucht in die „Kristallkugel" geschlossener Zwei-Einheit, ein Drei-Spiel besagt: tätige *Mit*liebe mit Bruder und Schwester auf Gott hin und mit Gott zusammen zum Nächsten[20].

Humanes Leben bedeutet, mit E. Levinas gesprochen: Aufgewecktsein durch den Hilferuf des Todgeweihten (also durch die Todesangst des *anderen*). – Das ist die Wahrheit unserer Geschichte, und nur, indem wir sie *tun,* werden wir ihrer gewahr und darin frei.

Das weist zugleich den einzigen Weg zur Kräftigung und Vertiefung des gottgeschenkten Vertrauens wider die Lebensangst unserer Seele und die Schuldangst der Person: nicht Traumbilder, sondern (um von Kierkegaard nicht bloß die Angst-Analyse zu übernehmen) „der Liebe Tun"[21].

Das Schlußwort dieser philosophisch-fundamentaltheologischen Anmerkungen soll einer der großen bild- wie gedankenmächtigen christlichen Dichter erhalten: Einer Dame in Lebens- und Glaubensnot erwidert der Staretz Sossima, in personaler Annahme ihrer, nicht mit der Erzählung von letztlich hilflosen Wunschträumen unserer sehnenden Seele (aus denen man nur um so trauriger und trostloser erwacht[22]), sondern – aus dem Blick auf Jesus Christus – mit der Zusage: „Beweisen läßt sich hierbei nichts, wohl aber kann man sich überzeugen." – „Wie? Wodurch?" – „Durch die Erfahrung der werktätigen Liebe. Bemühen Sie sich, Ihre Nächsten tätig und unermüdlich zu lieben. In dem Maße, wie Sie in der Liebe fortschreiten, werden Sie sich auch vom Dasein Gottes und von der Unsterblichkeit Ihrer Seele überzeugen."

Die Dame spricht daraufhin von ihren eigenen Träumen: „... Sehen Sie: ich liebe die Menschheit dermaßen, daß ich – werden Sie es mir glauben? – zuweilen daran denke, alles zu verlassen ... Ich schließe die Augen, denke und träume, und in diesen Augenblicken fühle ich eine unüberwindliche Kraft in mir ..." Mit liebevoller Iro-

---

[20] Vgl. *J. Splett,* Freiheits-Erfahrung. Vergegenwärtigungen christlicher Anthropo-Theologie. Frankfurt a.M. 1986, bes. Teil IV; sowie *ders.,* Art. Liebe, in: *H. Waldenfels* (Hrsg.), Lexikon der Religionen, Freiburg i.Br. 1987, bes. 377f.

[21] Der Liebe Tun. Etliche christliche Erwägungen in Form von Reden (1847), Düsseldorf 1966.

[22] Vgl. autobiographisch *Ignatius von Loyola* über die Wirkung ritterlicher Märchenträume – im Vergleich zu den Berichten über Christenleben: Der Bericht des Pilgers (Nr. 6–8), Freiburg i.Br. $^{3}$1977, 44ff.

nie erwidert ihr der Staretz: „Schon gut, daß Ihre Gedanken davon träumen und nicht von anderem. Dann werden Sie bestimmt doch noch einmal, vielleicht ganz unversehens, eine gute Tat tun."[23]

---

[23] Nicht in schwärmerischer Liebe, sondern in jener werktätigen, in der „etwas Grausames und Abschreckendes" ist. „Arbeit und Ausdauer, für einige sogar ⟨und nun fällt tatsächlich das Reizwort:⟩ eine ganze Wissenschaft." *F. Dostojewski,* Die Brüder Karamasoff (Rahsin), Erster Teil, 1. Buch (IV: Die kleingläubige Dame), Darmstadt 1979, 91–94.

Solche Liebe aber muß dann nicht mehr einen Gegensatz zur Märchenhoffnung bilden. „Das Evangelium hat die Legenden nicht abgeschafft", schreibt *J. R. R. Tolkien.* „Noch immer muß der Christ sich mühen, mit Leib und Seele; er muß leiden, hoffen und sterben." Doch in Mythen und in den Märchen begegnet ihm *angeldlich* schon jene *„Freude,* die nach einer primären Wahrheit schmeckt". (Über Märchen, in: Gute Drachen sind rar. Drei Aufsätze, Stuttgart 1984, 51–140, 130f.) Tolkien schließt seinen Beitrag (für Charles Williams geschrieben, einen Meister mystisch-christlicher Phantastik) mit dem Ausblick (131): „Alle Geschichten sollen wahr werden, und doch werden sie am Ende, nach ihrer Einlösung, den Formen, die sie von uns erhalten hatten, so ähnlich oder unähnlich sein wie der endlich erlöste Mensch dem gefallenen, den wir kennen."

# VI

# Exegese und Tiefenpsychologie aus der Sicht geistlicher Exegese

*Von Josef Sudbrack*

## *I. Das Dilemma: Historisch-kritische Exegese und Erfahrung*

Es war einmal eine Zeit, da lasen die Christen ihre Bibel ganzheitlich, mit Herz und mit Verstand – so würde ich gerne im Stile Drewermanns ein „Märchen" erzählen*: Damals, zur Zeit der Kirchenväter bis über das Mittelalter hinaus, habe es noch keine zwei Fronten gegeben; hier eine (verfehlte – wie die andere Partei zeigt) Exegese, die zuerst „Glaubenslehre von der religiösen Erfahrung trenne", dann eine „objektive Historie jenseits der Symbole" rekonstruiere und von ihr her, im „linearen Kausalverhältnis", also ohne persönliche Betroffenheit, zur Botschaft Jesu vorzudringen versuche[1]; und dort eine (ebenso verfehlte – wie die ersteren zeigen) Tiefenpsychologie, die „die Geschichte und die historisch-kritische Methode" „verachte" und der es „nicht um das Christliche, sondern um das Religiöse, nicht um das Gesellschaftliche, sondern um das Private; nicht um das Volk Gottes, sondern nur um den Einzelnen" gehe[2]. Damals habe also der „Ehebruch zwischen Theologie und Mystik"[3], zwischen Rationalität und Erfahrung noch nicht stattgefunden; damals noch schrieb (und predigte!) Augustinus den Johannes- und den Psalmenkommentar in existentieller Einheit von Exegese, Dogmatik, Pastoral und Betroffenheit.

Nun, das ist ein Märchen; schon damals gab es ähnliche Streitigkeiten wie heute zwischen den eher am biblischen Wort und an den

---

* Um der leichteren Lesbarkeit willen werden Verkürzungen in Zitaten nicht eigens gekennzeichnet.

[1] *E. Drewermann,* Das Markusevangelium. Erster Teil: Mk 1,1–9,13, Olten 1987, 91. 96; vgl. die Polemik: Noch einmal Mk 1,21–28: Anders als die Schriftgelehrten oder: Die Vertreibung des bekennenden Dämons, 180–202.

[2] *G. Lohfink/R. Pesch,* Tiefenpsychologie und keine Exegese. Eine Auseinandersetzung mit Eugen Drewermann, Stuttgart 1987, 106.

[3] *Fr. Vandenbroucke,* Le divorce entre théologie et mystique. Ses origines, in: Nouvelle Revue Theol. 72 (1950) 372–389.

geschichtlichen Fakten orientierten Theologen und anderen, die lieber den geistlich-mystischen Sinn in der Schrift suchten, also den der persönlichen Betroffenheit, wie er heute mit Erkenntnissen der Tiefenpsychologie aufgedeckt werden kann. Man denke an die Streitigkeiten zwischen alexandrinischer und antiochenischer Exegese, an die Beschimpfungen des Hieronymus gegen die origenistische Tradition des Bibelverständnisses, die auch Augustinus trafen (nachdem Hieronymus selbst so viel von Origenes gelernt hatte). Der Zwiespalt setzt sich fort im Mittelalter, als z. B. Nikolaus von Lyra dem Bibelverständnis eine historisch-kritische Fundierung zu geben versuchte[4]. Martin Luther, in dessen Sensibilität für das Wort sich seine Genialität spiegelt, wandte sich zwar wortgewaltig gegen das mittelalterliche „mystische" Bibelverständnis, war aber selbst – wenn man seine Exegese von der Polemik befreit sieht – ein Mann des „geistlichen", auf Betroffenheit gründenden Schriftverständnisses[5]. Die Kontroverse geht weiter über den bösen Streit im „grand siècle" französischer Spiritualität zwischen Bossuet und Fénelon[6] bis zu den Modernistenkämpfen; denn auch damals ging es nicht zuletzt um den Konflikt zwischen „Buchstaben und Erfahrung"[7]; als Exempel mag der tragische Weg von George Tyrell dienen: Anglikaner, Katholik, Jesuit, exkommuniziert im Kampf für Erfahrung gegen Intellektualismus und Lehrautorität.

Aber anscheinend hat man weithin noch wenig gelernt – obgleich es sich um die christliche Kernfrage des Umgangs mit der Bibel handelt. Es gibt heute eine Flut von tiefenpsychologischen Ausdeutungen der Schrift, die sich keinen Deut um die Wahrheit des biblischen Wortes kümmern. Und umgekehrt hat der französische Theologe und Ideengeschichtlicher *M. de Certeau*[8] auch nicht Unrecht, wenn er unter der Überschrift „Festung Exegese" tadelt, daß „die Exegese im Bereich der Religionswissenschaft den Wachtturm der Wissenschaftlichkeit" innehat. Die historische Aufarbeitung der angerisse-

---

[4] Dazu immer noch unersetzlich: *B. Smalley,* The Study of the Bibel in de Middle Ages, Oxford ²1952, paperback 1964.

[5] Dazu *G. Ebeling,* Die Klage über das Erfahrungsdefizit in der Theologie als Frage nach ihrer Sache, in: Wort und Glaube III, Tübingen 1975, 3–28.

[6] Dazu *J. Sudbrack,* Das goldene Zeitalter der französichen Mystik. Glanz und Elend einer Epoche, in: Christus in uns. Mystische Strömungen von Angelus Silesius bis Tersteegen, Herrenalber Texte 46, 1983, 31–52.

[7] Die wohl vornehmste und – wie ich glaube – wichtigste Arbeit dieser Zeit geht über christliche Mystik: *Baron Friedrich von Hügel,* The Mystical Element of Religion as Studied in Saint Catherine of Genova and His Friends, Göttingen 1908.

[8] La faiblesse de croire, Paris 1987, 238.

nen Thematik hat zwar die französische Theologie befruchtet: Das Lebenswerk der beiden Jesuiten-Kardinäle Jean Daniélou und Henri de Lubac kreist um die geschichtliche und aktuelle Dimension dieser Frage. Die deutschsprachige Rezeption ihrer Forschungsarbeit aber ist weithin ausgeblieben: Das monumentale Werk Hans Urs von Balthasars steht als ein einsamer Fels da. Als ich die Literatur zur Thematik sammelte, wollte ich den – nach meinem Wissen – einzigen Titel einer fundierten deutschsprachigen Auseinandersetzung mit diesen hermeneutischen Ansätzen namhaft machen: *Josef Pietron* veröffentlichte 1979 seine „Überlegungen zu einer Neubestimmung geistiger Exegese im Blick auf heutige Verkündigung"[9]. In den theologischen Bibliographien fand ich ihn weder unter Exegese noch unter Hermeneutik. Die Fachbücher, P. Stuhlmacher, Kl. Berger, W. Egger, H. Zimmermann usw. schweigen sich darüber aus. Und dabei findet sich, auch im evanglischen Raum, mancher wichtige Ansatz zu dieser Art Exegese[10], die aus dem Dilemma zwischen Erfahrung und historisch-kritischer Exegese heraushelfen könnte.

Die Vorwürfe, die Eugen Drewermann[11] so massiv (und – im Gegensatz zu fast aller ähnlichen Literatur – auch so kenntnisreich) gegen die moderne Exegese und Dogmatik richtet, wollen genau diese Leer-Stelle fehlender „Erfahrung" treffen: „Religiös ist eine Auslegung religiöser Texte nur legitim, wenn sie innerlich ist; alles Historische ist äußerlich." Und die „äußerliche" Exegese und Dogmatik, „zieht sich unvermeidlich von seiten der Psychoanalyse den Vorwurf zu, nichts weiter zu sein als ein verfeierlichter und religiös übermalter Abkömmling des Ödipuskomplexes". Der „Positivismus der theologischen Begründung" verursacht die „Ambivalenz des Gottesbildes": Gott als „eifersüchtiger Patriarch", dessen erzürnte „Vaterautorität" man nur mit „kastrativer Unterwerfung" „zu besänftigen vermag". Institutionalisiertes und verwissenschaftlichtes Bibelverständnis presse Gott in Satz- und Gesetzesformeln, depraviere seine Barmherzigkeit zur funktionierenden Mechanik. Und so werde das

---

[9] Geistige Schriftauslegung und biblische Predigt. Überlegungen zu einer Neubestimmung geistiger Exegese im Blick auf heutige Verkündigung, Düsseldorf 1979.

[10] Vgl. *L. Goppelt,* Typos. Die typologische Deutung des Alten Testaments im Neuen, Darmstadt ²1969; und bes. *G. Ebeling,* Kirchengeschichte als Auslegung der Heiligen Schrift, Tübingen 1947.

[11] Das erste Zitat aus: Tiefenpsychologie und Exegese, nach *Lohfink/Pesch* (s. Anm. 2) 11; die weiteren aus: Das Markusevangelium (s. Anm. 1) 67–69, 198f.

Christentum zu einem Herd von Angst – das ist die These Drewermanns: „Seit Jahrzehnten belegt die psychotherapeutische Erfahrung den Tatbestand, daß die real existierende Form des Christentums“ (man höre auf den politischen Unterton!) „offenbar nicht so sehr die Freiheit des Menschen im Sinn hat, als daß sie vielmehr die Gläubigen in Unmündigkeit und Abhängigkeit zu halten sucht, und zwar strukturell, als System einer veräußerlichten Religiosität. Es handelt sich offenbar um die furchtbare Gegenfinalität eines ‚Glaubens‘, der als fertige Lehre wesentlich von außen her vermittelt wird, so daß er immer in Gefahr steht, nur als ‚Überich‘ voller Angst und Zwang auf Kosten des eigenen Ichs aufgenommen zu werden. Ja, als bloßes Überich genommen, muß der Gott des Christentums noch weit grausamer als alle Heidengötter wirken.“

Ist es erfreulich oder peinlich, daß die Antwort der beiden Neutestamentler Lohfink und Pesch[12] ebenso aggressiv und absolut die Gegenthese setzt: „Tiefenpsychologie und keine Exegese“? „Aufs Ganze gesehen ist die Theologie verabschiedet; sie hat zugunsten einer vagen Religiosität abgedankt, die sich mit der Tiefenpsychologie zu einer modernen Gnosis verbündet.“

Vielleicht helfen die Mißklänge die Aufmerksamkeit auf eine (vielleicht sogar die) Lebensfrage des Christentums von heute zu lenken: „Wie wird das Christentum für den Menschen von heute zur Erfahrung?“ – für den Menschen also, der sowohl historisch-kritisch wach ist wie um die Tiefen der Psyche weiß. Es ist die Frage nach dem Erfahrungs-, dem „mystischen Sinn der Schrift“, der, wie *Louis Bouyer*[13] zeigte, die „christliche Mystik“ hervorgebracht hat, der aber weder in der wissenschaftlichen Exegese Lohfinks und Peschs noch im tiefenpsychologischen Ansatz Drewermanns aufscheint. Als ich in einer Besprechung von „Tiefenpsychologie und Exegese“, Bd. I, darauf aufmerksam machte[14], erschienen deren lobende Passagen auf dem Schutzumschlag des nächsten Bandes, während die Sache selbst kurz abgetan wurde[15].

Wie wichtig nun Drewermanns Anliegen der „Erfahrung“ (und damit der „Mystik“ als „Idealmodell“ christlicher Erfahrung) für die Theologie von heute ist, zeigt Hans Urs von Balthasar[16]: „So

---

[12] Siehe Anm. 2, 101. [13] Mysterion. Du mystère à la mystique, Paris 1986.

[14] In: Geist und Leben 58 (1985) 159f.

[15] Tiefenpsychologie und Exegese II, Olten ²1986, 788f.

[16] Zitiert nach *J. Sudbrack,* Der Geist der Einheit und der Vielheit, in: Geist und Leben 60 (1987) 411–430.

vielfach vorbelastet der Erfahrungsbegriff in der Theologiegeschichte und Häresiologie auch sein mag, in der innerkatholischen, innerprotestantischen und in der Kontroverstheologie, er bleibt dort unentbehrlich, wo Glaube die Begegnung des gesamten Menschen mit Gott ist." Um den „gesamten Menschen in der Begegnung mit Gott" geht es doch allen.

## *II. Exegese als Mystagogie zur Glaubenserfahrung*

### 1. Inspiration

In seinen subtilen historischen Untersuchungen zur Frage trifft Henri de Lubac[17] eine erste, grundlegende Unterscheidung: zwischen einem „religiösen" und einem „geistlichen" Schriftverständnis. „Religiös" meint: Man nähert sich der Bibel wie jedem anderen großen religiösen Dokument, dem Koran, dem Tao-te-ching, der Bhagavad-Gita oder auch den gnostischen oder manichäischen „Evangelien"; „geistlich" aber meint, man nähert sich ihr als Offenbarungsdokument, im Glauben an die „Inspiration", was die „religiöse" Dimension einschließt. „Das Ende der Inspirations-Theologie", das Oswald Loretz 1974 verkündete, ist keineswegs gekommen. Karl Rahner (1958) und Norbert Lohfink (1964) haben gezeigt, wie heute „Inspiration" zu verstehen sei; ein exegetisches Fachbuch wie Herbert Haags Bibellexikon (²1968) nimmt davon keine Notiz.

In der „geistlichen" oder auch „mystischen" Exegese der Tradition bedeutete „Inspiration": Die Schrift kündet, von Gottes Geist getragen und daher irrtumslos, von Jesus. In der Reflexion heutiger Theologie ausgedrückt: Im Corpus der kanonischen Schriften fand die Kirche den legitimen und sicheren Zugang zur göttlichen Wahrheit Jesu Christi und fand – wie Karl Rahner zeigte – damit ihr bleibend gültiges christliches Selbstbewußtsein. Kirche als geistgetragene Gemeinschaft und Heilige Schrift als inspiriertes, „geistgetragenes" Buch sind untrennbar verknüpft.

---

[17] Exégèse médiévale, Les quatre sens de l'écriture I–IV, Paris 1959–1964; dazu sein Origenesbuch: Geist aus der Geschichte. Das Schriftverständnis des Origenes, Einsiedeln 1968; grundlegend in: Glauben aus der Liebe, (Catholicisme), Einsiedeln 1970.

## 2. Die Gestalt Jesu Christi

Dieser Bezug auf Jesus Christus in seiner „Glaubens-Gestalt" (nicht nur in seinem historischen Dasein) war das entscheidende Kriterium für das christliche Selbstbewußtsein. „In der Schrift Christus finden" ist auch für Luther Sinn der Exegese und Angelpunkt christlichen Daseins. In seinem Origenesbuch zeigt de Lubac, daß damit das Fundament gelegt ist, nun mit Allegorese und Typologie, also mit symbolischer und tiefenpsychologischer Hermeneutik, die geistliche Gestalt Jesu anzudeuten.

Um die Gestalt Jesu geht es der historisch-kritischen Methode mit der Frage: Was geschah damals? Methoden und deren Ergebnisse können sich ändern, aber die Zielsetzung bleibt: Wie war es damals mit Jesus? Wie haben die biblischen Zeugen ihn verstanden? Wie bildete sich das „gültige christliche Selbstbewußtsein" im Festlegen der heiligen Schriften heraus?

Drewermann[18] bleibt auf einem vergangenen – inzwischen weitgehend überholten – Reflexionsstand der exegetischen Bemühungen stehen und schreibt den Erzählungen von Jesus kaum historische und nur noch psychologische, allgemeine-religiöse Authentizität zu: „Die Wundererzählung von der Heilung des Gelähmten verrät so viel hellenistische Typologie, daß es, historisch betrachtet, im Sinne von I. Maisch fast sinnlos ist, sich zu fragen, ob das hier Berichtete je wirklich einmal stattgefunden hat." Als „Laie" fragt man zuerst etwas überrascht: Beweisen typologische Entsprechungen im Ablauf von Wundererzählungen historische Unechtheit, oder dokumentieren sie nicht einfach: Wenn es „Wunderheilungen" durch eine Persönlichkeit gibt, dann hat ein solches Ereignis psychologisch notwendig einen bestimmten Ablauf; allein aus dem Ablauf (hellenistische Typologie) auf „historische Unechtheit" zu schließen ist doch ein typischer Zirkelschluß, den man allerdings in der historisch-kritischen Exegese gerne begeht. Aber die Fachexegese erkennt schon seit längerer Zeit, daß sie sich mit der radikalen Entgeschichtlichung der Wunder Jesu geirrt hat. Rudolf Pesch[19], dessen historisch-kritische Kompetenz Drewermann anerkennt, schreibt zur gleichen Stelle mit Bezug auf die gleiche Ingrid Maisch: „Daß die Heilungswundererzählung ‚aus der Gemeindeunterwei-

---

[18] Das Markusevangelium (s. Anm. 1) 228.
[19] Das Markusevangelium I, Freiburg 1976, 157.

sung' stamme, ‚Beispiel- und Lehrerzählung' vom ‚wahren Glauben' sei, wird man nur behaupten können, wenn man die Schema und Topik der Wundergeschichten sprengenden Züge übersieht, die auf historische Grundlagen, einen Haftpunkt im Leben Jesu verweisen."

Drewermann aber bringt in der Fortsetzung des oben Zitierten sein Anliegen ins Spiel: „Erst wenn man die Gefühle: die Ängste, Verzweiflungen, Hoffnungen, Erwartungen mitvollzieht, die in derartigen Geschichten so intensiv anklingen, wird es auch im historischen Sinn wieder wahrscheinlich, daß Jesus so war, wie er in den Wundererzählungen geschildert wird." Lohfink/Pesch vermuten nicht zu Unrecht, daß er die Erzählungen von ihrer Geschichtlichkeit befreie, um Platz zu haben für die psychologische Hermeneutik.

Aber allen geht es um Jesus. Strittig ist nur das „Wie" des Weges zu ihm. Wie begegnet man lebendig und betroffen Jesus? Oder mit der thomistischen Mystikdefinition gesagt: Es geht um das „Erfahrungswissen" von Jesus.

Und hier überkommt einen das Erstaunen über beide streitenden Parteien: a) Kann man mit Drewermann[20] die historische (Glaubens-)Gestalt Jesu in die Mitte des Bemühens stellen und zugleich das historisch-kritische Bemühen um diese Gestalt „als Zirkel eines Glaubens ohne Grundlagen" denunzieren und postulieren: „weg von der Historie zu der anthropologisch vorgegebenen Wahrheit der Bilder, deren Inhalt psychologisch zu erforschen ist"? Ich sehe keine andere Möglichkeit, verantwortungsvoll dem biblischen Zeugnis zu begegnen und den Zirkelschluß zu vermeiden, als über die „Historie". Und Drewermann nimmt ja die exegetischen Methoden selbst kundig und eifrig in Anspruch.

Aber man muß auch umgekehrt fragen: b) Lohfink/Pesch[21] referieren Drewermann: „für die menschliche, nicht für die ‚historische' Seite der Wundererzählung muß man sein Herz aufschließen, um zu verstehen, wie sehr der Leser auch heute noch in den Erfahrungen und verdichtenden Bildern einer solchen Erzählung selbst vorkommt und was er darin von Gott her heilend und helfend zu finden vermag" – und kritisieren dies: Es „kann nicht die eigentliche Ebene der Aussage sein, weil es nicht ausgesagt ist. Es kann die Ebene unseres Fühlens sein, unseres Einfühlungsvermögens. Aber damit wird die Exegese unter Umständen schnell zur Eisegese." Die Gefahren

---

[20] Das Markusevangelium (s. Anm. 1) 107.
[21] Siehe Anm. 2, 58.

einer Eisegese sind deutlich; gerade die Geschichte der „historisch-kritischen“ Exegese liefert genügend Beispiele. Aber gelangt eine (vermeintlich) rein sachliche Untersuchung jemals in die Mitte der biblischen, kerygmatischen Botschaft? Gibt es überhaupt diese „rein sachliche“ Exegese? Ist das nicht ein überholtes „Ideal“, das selbst die Naturwissenschaftler von heute nicht mehr halten?

Ich habe die Gegenpositionen in extremer Zuspitzung dargestellt, um den Fragepunkt herauszustellen: Muß man die „reine“ Objektivität nicht aufbrechen durch das Bekenntnis zur Subjektivität (Drewermann zitiert deshalb breit Sören Kierkegaard)? Und muß man die „vage“ Subjektivität des Psychologischen nicht stets messen an objektiven Tatbeständen, an der Historie, wie es die historisch-kritische Exegese fordert?

### 3. Die psychologische Betroffenheit

Die alte Exegese schritt von der Glaubens-Gestalt Jesu daher zur zweiten Stufe der Schrifterschließung: zur subjektiven Betroffenheit. Um sie im Wissensstand der heutigen Zeit zu vermitteln, sind Psychologie und Tiefenpsychologie unabdingbar. Aber dabei ist es wichtig, möglichst nahe beim biblischen Text zu bleiben. Der Text selber ist ja schon ein Zeugnis der Rezeption, der „Betroffenheit“ der Menschen um Jesus und der Gemeinden, in denen die Texte der Heiligen Schrift entstanden. Die historisch-kritische Methode untersucht in Redaktions- und Formgeschichte, aber auch in strukturalen Analysen genau dieses Ur-„Betroffenwerden“ von Jesus und seinen Taten. Die heutige „Inspirationstheologie“ sieht in diesem „Gespräch“ der urchristlichen Zeugnisse mit Jesus von Nazaret das „Geist“'-getragene Zeugnis der Schrift. Hier hat also die „Entzifferung“ der biblischen Symbole und Erfahrungen vor allem anzusetzen.

Und wiederum sei eine zwar nicht „fach“-, aber doch „bibel“-gerechte Kritik gewagt. Einer der Größten, die es unternommen haben, das im hellenistischen Umkreis zum theologischen Selbstbewußtsein gekommene Christentum mit Hilfe der Symbole eben dieses Umkreises zu verstehen, ist der Theologe Hugo Rahner. Sein Auftreten auf den von C. G. Jung beeinflußten Eranos-Tagungen zeigt das psychologische Gewicht seiner Forschungen. Außer einer nichtssagenden Referenz fand ich den Namen bei Drewermann[22]

[22] Tiefenpsychologie und Exegese I, Olten 1984, 32, Anm. 10.

nur einmal mit der Abqualifizierung: H. R. „der freilich dabei bleibt, daß das christliche Dogma mit den archetypischen Bildern der Mythen weder historisch noch wesenhaft etwas gemein habe." Es scheint, daß Drewermann den Indianerträumen Castanedas[22a] oder den mythologischen Phantastereien v. Ranke-Graves' mehr Bedeutung zumißt als H. Rahner, den er trotz der Kritik kaum gelesen haben kann. Dieser schreibt nämlich: „Die Bedeutungskraft der Symbole aber ist in ihren Urformen in jeder Religion vorhanden und gehört zu den Archetypen alles menschlichen Gottsuchens. Die Forschung C. G. Jungs ⟨ist⟩ nicht etwa eine Repristination alter liberaler ‚Religionsgeschichte', sondern ⟨stößt⟩ in eine viel tiefer liegende Schicht der Gemeinsamkeit alles Religiösen hinab, in die geheimnisvolle Welt der urmenschlichen Archetypen – die katholische Theologie würde sagen, in die allen Menschen gemeinsame, auf Gott hin angelegte Natur, die in eben dieser ‚Religiosität' auch ansprechbar ist für eine mögliche Offenbarung des sprechenden Gottes, der dann nur in ‚menschlichem' Wort sprechen kann, wenn er vom Menschen verstanden werden soll." Es geht H. Rahner[23] um „die Möglichkeit eines Kontaktpunkts von der Mitte her" zwischen Christentum und gesamt-menschlicher Religiosität: „es geht ein Gott gewirkter Sinn durch die religionsgeschichtliche Entwicklung der Menschheit, und sie ist nicht nur Krisis, sondern auch Pädagogie auf Christus hin." Besser hätte Drewermann sein theologisches Anliegen nicht ausdrücken können. Dem Theologen aber muß aufgehen, wie nahe H. Rahners Anliegen der „Theologie nouvelle" Kardinal de Lubacs steht.

Daß die Fachexegese, auch dort, wo sie Theologie sein will[24], von solchen Ansätzen keine Notiz nimmt, ist ebenso bedauerlich. Ich möchte nur darauf hinweisen, wie leuchtend die paulinischen Stellen vom „Geist Gottes, der in uns wohnt und in dem wir rufen Abba, Vater!" (Röm 8,11.15.23.26; Gal 3,26–29) werden, wenn man sie in ihre Wirkungsgeschichte der „Lehre der Kirchenväter von der Geburt Christi aus dem Herzen der Kirche und der Gläubigen" hinein-

---

[22a] Der Ethnologe *H. P. Duerr*, der hier dem Anliegen *Drewermanns* nahesteht, hat die nachfragende Kritik seines „Kultbuches": Traumzeit, in der von ihm herausgegebenen Aufsatzsammlung: Authentizität und Betrug in der Ethnologie; (1987) so sehr verschärft und belegt, daß *Castaneda* in der seriösen Literatur nur noch als abschreckendes Beispiel auftauchen sollte.

[23] Griechische Mythen in christlicher Deutung, Basel [5]1985, 28f.

[24] Vgl. *R. Schnackenburg*, Neutestamentliche Theologie. Der Stand der Forschung, München 1961.

stellt, die H. Rahner[25] meisterhaft beschrieben hat. Man wird ihrer ontologischen (und nicht nur philologischen oder gar nur-moralischen) Bedeutung ansichtig.

Ein anderer Name, der trotz der umfangreichen Literaturverzeichnisse in den entsprechenden Schriften unauffindbar ist, ist Romano Guardini (einmal als Dostojewski-Deuter von Drewermann zitiert). Aber anscheinend ist z. B. sein Buch über „Das Christusbild der paulinischen und johanneischen Schriften“ zu wenig „fach-gelehrt“ (exegetisch und tiefenpsychologisch), um ernst genommen zu werden. Aber mir scheint, sein Aufgreifen und Unterscheiden des Psychologisch-Mythischen im Umgang mit der Bibel ist immer noch vorbildlich.

## 4. Gnosis und Glaube

Mit dem „Unterscheiden“ berühren wir die dritte Stufe der urchristlichen Exegese: den „eschatologischen, tropologischen“ Sinn der Schrift. Gemeint ist, daß in der Aufschlüsselung der biblischen Botschaft – auch und gerade ihrer Symbole – ein unabgegoltener Rest bleibt, der auf eine Zukunftserfüllung wartet. Oberflächlich gesehen bedeutet dies z. B.: Der gleiche Archetyp – vom Baum oder auch vom Selbst – verweist über die Gegenwart auf eine Erwartung hin, die nur Gott schenkend erfüllen kann.

Von unserem Fragepunkt aus gesehen aber wird genau hier das Unterscheidend-Christliche sichtbar. Guardini beschreibt in der oben erwähnten Schrift[26] die gnostische Umfunktionierung der biblischen Botschaft: „Aus der biblischen Offenbarung wird ein Durchdringen des göttlichen Lichts im freigewordenen höheren Bewußtsein. Aus dem Glauben, dessen Kern im Hinüberschritt der Person zum rufenden Gott und ihrer Selbstbindung in Gehorsam und Treue besteht, wird eine Stufenfolge geistiger und mystischer Erkenntnis.“ Unschwer erkennt man in dieser Charakterisierung die heutigen Tendenzen von „New Age“ oder „Neuer Religiosität“[27]: durch Tiefenerkenntnis, Bewußtseinserweiterung, mystisch-magische Praktiken, Intensiv-Meditation, Symbol-Therapie den Ganzheitszustand zu erreichen, der nach christlichem Glauben immer nur

---

[25] In: Symbole der Kirche. Die Ekklesiologie der Väter, Salzburg 1964, 13–87.
[26] Mainz 1987; Erstauflage 1940, 141.
[27] Vgl. *J. Sudbrack,* Neue Religiosität, Herausforderung für Christen, Mainz $^{2}$1987.

Geschenk, nur Gnade, nur Gabe Gottes sein kann, den Endzustand, den auch die Kirchenväter sich nicht scheuten, Vergottung, Gottsein zu nennen – allerdings: nicht aus Natur, nicht aus Leistung, sondern nur aus Gnade.

Hier entscheidet sich auch die theologische Berechtigung des wissenschaftlichen Umgangs mit der Heiligen Schrift. Das Wissen um den „eschatologischen", also den in die Zukunft hinein offenen Sinn der biblischen Bilder gibt dem heutigen tiefenpsychologischen Bemühen, aber auch dem zwischenreligiösen Dialog Freiraum, sich ganz auf Archetypen, mythologische Entsprechungen und fremde religiöse Ansätze einzulassen. Denn damit ist gesagt: Das Bemühen, diese Bilder und Symbole menschlich zu integrieren, steht dem christlichen Vertrauen auf Gottes Gnade keineswegs entgegen – wenn nur die „eschatologische" Offenheit auf Gottes Endgültigkeit maßgebend bleibt.

Am konkreten Beispiel gezeigt: Das Bemühen um Ganzheit und psychologische Identität steht der biblischen Verheißung, daß „jede gute Gabe und jedes vollkommene Geschenk von oben, vom Vater der Gestirne, kommt" (Jak 1,17) (über Dionysius Areopagita wurde der Satz zur Leitschnur christlicher Spiritualität) keineswegs entgegen – solange die Offenheit auf diesen „Vater der Gestirne" maßgebend für das menschliche Tun bleibt. Dieser „eschatologische Vorbehalt" gilt für das Bemühen um persönliche und allgemeinmenschliche Zukunft, gilt aber ebenso für jedes menschliche Tun. Karl Rahner sprach von „relativer Utopie", die in unser Bemühen gelegt ist, die aber der „absoluten Utopie" Gottes nicht entgegenstehen darf, sondern aus ihr die Kraft zieht.

Im christlichen Umgang mit der heiligen Schrift bedeutet dies: In ihr geht es um die „Offen"-barung Gottes in Jesus. Auf ihn hin also muß sich sowohl die tiefenpsychologische wie die historisch-kritische Exegese „offen"-halten, um zu hören und nicht selbst zu bestimmen, um zu empfangen und nicht selbst zu leisten.

## 5. Tiefenpsychologie und Exegese

Es mag harmonisierend klingen, ist aber nur eine nüchterne Erhebung des Tatbestands: Wenn es um christliche Exegese geht, müssen der historisch-kritische und (tiefen-)psychologische Ansatz in Korrelation zueinander kommen. Das war in der „geistlichen" Exegese der Tradition selbstverständlich: Die Sache Jesu wird nur ganz begriffen in der persönlichen (die Tiefe der Psyche aufreißenden) Betroffenheit; und alle persönliche Betroffenheit muß sich an der (historisch-kritisch aufzuzeigenden) Sache Jesu messen.

Mit anderen Worten gesagt: Der Umgang mit der Heiligen Schrift muß ein „dialogisches Geschehen“ werden. Jeder Dialog hat dieses Diptychon als Grundregel: einerseits sachlich (historisch-kritisch) die Ansichten gegenüberstellen, andererseits aber sich persönlich (psychologisch) treffen lassen vom Anliegen des Partners.

## *III. Die Angst und die Sünde*

Nach dem Aufgreifen der eher formalen, methodischen Problematik sei die Fruchtbarkeit einer Rückbesinnung auf den traditionellen Umgang mit der Schrift auch für inhaltliche Fragen wenigstens angedeutet. Lohfink/Pesch[28] richten gegen Drewermann den Vorwurf: nach ihm sei „das einzig wesentliche Thema der Religion die Überwindung der menschlichen Angst“; „Erlösende Macht hat ein Gotteswort, wenn es im Umraum des Vertrauens des Menschen Angst bewußt macht und im Überfluß der Gnade überflüssig macht; anders als ohne diese erlösende Macht ist kein Wort Gottes Wort.“ Dagegen halten sie: „Die biblische Alternative lautet nicht Angst – Vertrauen, sondern: Unglaube – Glaube.“

Man erkennt den Kontroverspunkt von „Erfahrung“ und darin das Anliegen der „Mystik“. Extrempositionen hierbei, die allerdings von den Kontrahenten nicht vertreten werden, sind: Glaube ohne Betroffenheit, was eine Karikatur der neuscholastischen Glaubensdefinition: „intellektuelles Für-wahr-Halten“ darstellt. Auf der anderen Seite stände ein Vertrauen, das instinktiv in einen gesichtslosen, warmen Lebensstrom (den „Mutterschoß“) untertauchte.

### 1. Sünde, Schuld und Gott

Drewermann versucht in seinem Riesenopus „Strukturen des Bösen“[29] einen Erfahrungszugang zu dem Komplex, der in der Tradi-

---

[28] Siehe Anm 2, 36–38.

[29] Die jahwistische Urgeschichte in exegetischer, psychoanalytischer und philosophischer Sicht, I–III, Paderborn, 1977f, versch. Auflagen; hier zitiert nach dem Wiederabdruck eines Kapitels in: Psychoanalyse und Moraltheologie I: Angst und Schuld, Mainz 1982, 118 121f.

tion mit Sünde, Erbsünde, Versuchung, Schuldbewußtsein usw. umschrieben wird, und entwickelt ihn an der Geschichte des Sündenfalls. „Der Mensch, der nach seiner Gottähnlichkeit greift, fällt in Wahrheit aus seinem Maß, aus der Mitte der Welt und der Mitte seiner selbst heraus in eine Welt der Fremde, in ein Dasein der Scham und des Elends – und das einzige, was er fortan mit Gott gemeinsam haben wird, ist das unselige ‚Wissen um Gut und Böse': die Erkenntnis, daß alle Dinge und er selber nur gut sind in der Einheit mit Gott, alles ihm aber zum Fluch gerät, wenn er als Geschöpf ohne Schöpfer leben muß." Die entscheidende Bedeutung der sog. ‚Erbsündenlehre' liegt mithin offenbar darin, daß sie den Menschen unter Einbeziehung psychoanalytischer Erkenntnisse als ein Wesen verstehen lehrt, „das an der Angst seines Bewußtseins krank werden muß, wenn es diese Angst, die es wesentlich kennzeichnet, nicht durch einen Akt des Vertrauens überwinden lernt." Und dieser Akt des Vertrauens kann nur dem Absoluten, der transzendenten Barmherzigkeit gelten, das ist Gott. Man kann zeigen, „daß der Mensch sich selber ohne Gott ins Unglück stürzen *muß*." „Ohne Gott, rein immanent, ist das Bewußtsein in der Angst des Daseins notgedrungen pathogen, und es ist nur die Frage, ob man den Menschen dazu oder davon erlösen will, ein Gott zu sein." Das meint: ob man ihm ein Gottesbewußtsein, einen Gotteskomplex (Hans Eberhard Richter) einredet oder ihn zur Demut seines Geschöpfseins führt.

Der Vorwurf von Pesch/Lohfink[30]: „Die Religion des Jenseitsglaubens zur Überwindung der Angst!" zeigt auf das Entscheidende, ohne es – wie uns scheint – in seiner ganzen Tragweite zu umgreifen. Die Bedeutung der Frage aber ist evident: Die Krise des christlichen Glaubens und darinnen die Krise des Humanen überhaupt wird nirgendwo greifbarer als in diesem Bereich von Schuld-Sünde-Angst-Vergebung; so geht doch die kritische Haltung gegenüber der Kirche Hand in Hand mit der Krise des Beichtinstituts[31].

## 2. Über das Böse

Bernhard Welte[32] hat schon 1959 in einem schmalen, wichtigen, 1986 mit einem Vorwort von Bernhard Casper neu herausgegebenen

---

[30] Siehe Anm. 2, 37.

[31] Vgl. *J. Werbick*, Schulderfahrung und Bußsakrament, Mainz 1985.

[32] Über das Böse. Eine thomistische Untersuchung, Freiburg 1959, Neuausgabe 1986, 17 19 22 11 26.

Traktat anhand einer Thomas-Interpretation die innere Verknüpfung dieser Fragen gezeigt und damit implizit den damaligen Umgang mit Sünde und Vergebung innerhalb von Beichtlehre und Beichtpraxis kritisiert. Nach Thomas sei der Mensch „insofern er Mensch ist, unveränderlich unendlich – das heißt im Grund: göttlich – bestimmt“; aber zugleich könne er dieses „sein indefektibles Wesen niemals ungemindert oder indefektibel verwirklichen“. In dieser Differenz, „in dem Verhältnis des geistigen und unendlichen Grundes und Wesens des Willens zu seiner eigenen endlichen Wirklichkeit“ liege die Möglichkeit des Bösen: Erst wenn der Wille den Grund seiner selbst bejahend umgreift, erfüllt er sein Wesen. Dieser Grund aber sei „nicht ein endlicher, vielmehr ein transzendenter, das heißt, er überschreitet jeden möglichen Horizont der begrenzten genera (endlicher, sich abgrenzender Ziele), er ist so weit wie der Horizont des Seins und hat also nichts, nicht etwas Mögliches noch etwas Wirkliches, außer sich.“ Es geht um Gott, und zwar wie er dem Wesen des menschlichen Wollens (frei auf das Gute hingerichtet) entspricht. Es geht um Gottes Du, dem der Mensch ein restloses Vertrauen schenken muß, wenn er Mensch sein will.

Bernhard Welte nimmt in einem konzentrierten Abschnitt den Lieblingsautor Drewermanns, Sören Kierkegaard, auf und zeigt, daß „auch hier, durchaus ähnlich wie bei Thomas, der Geist des Menschen gesehen (wird) als wesentlich und in sich selbst bestimmt durch jenes, was doch nicht der Mensch selbst ist, durch Gott.“ „Angst“ wurzelt im Verhältnis der „gebundenen Freiheit“ – gebunden, weil vom transzendenten unendlichen Gott her wesenhaft bestimmt; frei weil in sich selbst, im eigenen Wesen unendlich ausgerichtet, also in einer „sympathetischen Antipathie und einer antipathetischen Sympathie“ mit Gott verbunden. Wie nahe diese Analysen der französischen „théologie nouvelle“ mit ihrem „desiderium naturale in supernaturam“ stehen, die ihren Nestor im heutigen Kardinal Henri de Lubac hat, fällt jedem Theologen auf. Ansätze wie die des evangelischen Theologen Wolfhart Pannenberg[33] oder die des katholischen Patristikers Jean-Claude Guy[34] übertragen das allgemeinere Anliegen der Einwurzelung des Glaubens in der Erfahrung auf die Sündenerfahrung und -theologie.

---

[33] Christliche Spiritualität, Theologische Aspekte, Göttingen 1986.

[34] Spiritualité, in: La vie religieuse, mémoire évangélique de l'Eglise, Paris 1987, 161–192.

Jedermann sichtbar aber liegt darin eine Kritik an der herkömmlichen Sündenkatalogisierung: Die Einzelsünde wurzelt nach Welte (Thomas, Kierkegaard) in einer tieferen existentiellen Schicht des Menschen, die in der klassischen Theologie mit dem ungeschickten (so H. U. v. Balthasar) Begriff „Erbsünde" gefaßt wurde. Darum aber geht es in der Kontroverse. Die bekannte Polemik mancher Exegeten[35] gegen die klassische Lehre der Erbsünde geht an diesem existentiellen Tatbestand vorüber.

Mit der Verwurzelung von Sünde und Schuld in einer existentiellen Befindlichkeit werden Sünde und Schuld keineswegs in psychologische Krankheit aufgelöst – was Lohfink/Pesch bei Drewermann fürchten; vielmehr wird ein Weg gezeigt, wie Glaubenslehre zur Erfahrung und Erfahrung in Glaubenslehre integriert wird. Drewermann[36] meint: „Für mich ist Psychoanalyse nie etwas anderes als ein Hilfsorgan gewesen, tiefer fromm zu sein." Seine so ungerechten pauschalen Vorwürfe gegen kirchliche Amtsträger und Theologen im gleichen Interview – „eine bestimmte Gruppe von Menschen hält den Schlüssel zum Himmelreich in Händen, bürdet aber dauernd den Leuten Lasten auf, an die sie selber niemals rühren" – könnte man allerdings mit gleicher Berechtigung der Zunft der Psychoanalytiker vorwerfen (was Drewermann anderswo auch tut).

## 3. Die geistliche Tradition des Christentums

Im Grunde greifen die gegenseitigen Vorwürfe eine allgemeine Not unserer Zeit auf. Und hierzu seien wiederum Antworten der klassischen geistlichen Theologie aufgerufen, die Pfeiler für den Brückenschlag zwischen Exegese und Tiefenpsychologie, aber mehr noch zwischen Glaubenslehre und Erfahrung, zwischen biblischer Botschaft und heutigem Suchen bilden können.

a) Zuerst diagnostisch: Neben die Analyse von Angst sollte – tiefenpsychologisch und religionsgeschichtlich, vor allem aber christlich-theologisch – stehen, was die Mönchstheologie „Akedia" nannte. Evagrios Pontikos[37] definiert: „Eine Erschlaffung (‚atonia')

---

[35] Vgl. *H. Haag,* Biblische Schöpfungslehre und kirchliche Erbsündenlehre, Stuttgart 1966.

[36] Zwänge einer „fertigen Lehre", Interview mit B. Marz, in: Deutsches Allgemeines Sonntagsblatt 47, 22.11.1987, 18.

[37] *G. Bunge,* Akedia. Die geistliche Lehre des Evagrios Pontikos vom Überdruß, Köln 1983, 39–41.

der Seele, die nicht im Besitz dessen ist, was naturgemäß ist, und die nicht mutig den Versuchungen widersteht.“ Gabriel Bunge fährt fort: „Aus diesem Zustand allgemeiner Erschlaffung ergeben sich all die oben genannten Aspekte des Überdrusses, das Gefühl der Leere und Langeweile, die Unfähigkeit, den Geist auf etwas Bestimmtes zu fixieren, Ekel und Widerwillen vor allem und jedem, dumpfes Brüten usw. Wer wollte behaupten, daß dieser Zustand allein den Anachoreten eigen wäre? Schrieb Pascal nicht so treffend in seinen Pensées, ‚Und selbst wenn man sich von allen Seiten hinlänglich gesichert sähe, so würde unfehlbar die Langeweile aus der Tiefe des Herzens aufsteigen, wo sie natürliche Wurzeln hat, und den Geist mit ihrem Gift erfüllen.‘“

Die reichen Belege des Wüsten-Lexikons Abt Pierre Miquels von Ligugé[38] zeigen, welch grundlegende Analyse menschlicher Befindlichkeit mit diesem Begriff abgedeckt wurde. Drewermann[39] hat sich in seinem grundlegenden Werk, später aber kaum noch, damit auseinandergesetzt.

b) Aus therapeutischem Blickwinkel möchte ich einen Predigttraktat von Johannes Tauler[40] vorstellen, in der dieser – über den geistlichen Schriftsinn – eine Brücke schlägt zwischen dem psychologischen Phänomen Angst–Ekel und dem theologischen Tatbestand der Sünde.

Seine Predigt zum Dreifaltigkeitssonntag hat Joh 3 (Jesus und Nikodemus) zum Vorwurf. Tauler führt in organischer Weise von der „Ungleichheit des Irdischen“ (Schmerz, Sünde) hin zur „Ungleichheit vor Gott“ (Geschöpflichkeit, Gnadengeschenk); mit Worten der Psychologie: von der Erfahrung der Nicht-Identität über die Erfahrung der Sünde bis hin zur Übergabe an Gott. Beim Sprechen über Sünde kommt Drewermanns Anliegen ins Spiel: daß der Mensch in einer existentiellen „Schuld“ (Angst, Ekel, oder wie man es nennen mag) lebt und daß nur das totale Vertrauen auf Gott seinen Schmerz und seine Angst zur Befreiung–Erlösung weiterführt. Mit dem neuplatonischen Begriff „Ungleichheit“ (dissimilitudo) umfaßt Tauler den gesamten Phänomenbereich von Angst und Sünde, von Geschöpflichkeit und Angenommensein von Gott: „Welches ist die Ursache, daß ein so großer Unterschied ist zwischen zwei Menschen,

[38] Lexique du désert: Étude de quelques mots-clés du vocabulaire monastique grec ancien, Abbaye de Bellefontaine 1986.
[39] Strukturen des Bösen (s. Anm. 29), bes. in Bd. III.
[40] Zit. nach *J. Sudbrack,* Wege zur Gottesmystik, Einsiedeln 1980, 158–163.

die beide durch die Sünde verunstaltet sind? Die Art und Weise ist in beiden ungleich. Der Gute (d.i. der ‚vollkommene' Mensch in seiner Sündhaftigkeit) fügt sich hinein wegen Gott – Gott ist ganz und gar sein Grund, das Ziel seines Strebens –, und er nimmt von Ihm Gleich-Sein und Ungleich-Sein an und überläßt sich darin Gott. Aber der Böse (der in gleicher ‚Schuld' existiert) hat nicht Gott im Sinn; er fällt selbst ohne Versuchung in die Sünde. Was auch Gott mit ihm tut, er sollte stets anders sein."

Gewiß, Tauler kannte die Tiefenpsychologie Sigmund Freuds und C. G. Jungs ebensowenig wie Evagrios Pontikos. Aber in dem geistlich-mystischen Ansatz ihrer Theologie und Exegese kommt notwendigerweise der konkrete humane Fragebereich zum Ausdruck, um den es Drewermann geht. Wer die Schriften der mystischen Tradition des Christentums recht liest, wird von Erstaunen zu Erstaunen gehen, wie reich, wie modern, wie aktuell diese Analysen sind.

### *IV. Inspiration und Kirche*

Mit welcher „hermeneutischen" Berechtigung aber kommt die Tauler-Predigt mit der traditionellen (methodisch überholten!) „geistlichen Exegese" zu solchen theologisch weittragenden Einsichten? Die Antwort ist eindeutig: aus dem Glauben an die Inspiration
- daß nämlich das „Gespräch" des Bibel-Textes über Jesus Christus vom Geist Gottes getragen sei;
- daß dieser Geist Gottes in der Kirche weiterlebe bis heute;
- daß also derjenige, der sich in diesem Geiste mit den Worten und Bildern des biblischen Textes beschäftige, auf Jesus schaue.

Natürlich müssen die reflektierten Wege vom Bibeltext oder von der tiefenpsychologischen Innenschau hin zu Jesus heute anders verlaufen als damals. Aber die Grundlage des verantworteten christlichen Umgangs mit Schrift ist sich gleich geblieben.

Tauler beginnt daher seine Predigt mit Worten, die Tiefenpsychologie und Exegese in gleicher Weise gelten: „Ich kann mir ganz und gar nicht ausdenken, mit was für Worten man hiervon sprechen könnte; denn es geht über alle Worte und Weisen und übertrifft unsagbar alle Verstehenskraft von Engeln und Menschen." Er läßt sich aber führen von den Worten Jesu Christi.

Schlußfrage: Ob wir nicht so manches lernen könnten von dieser traditionellen „geistlichen" Exegese?

# VII

# Das Christentum – eine mißverstandene Religion?

*Von Horst Bürkle*

Mit seiner Kritik am Christentum, genauer: an seinen zeitbedingten Erscheinungsformen, bewegt sich Eugen Drewermann nicht allein in einem breiten Strom neuzeitlichen Denkens. In einem bestimmten Sinne ist die Geschichte der Theologie immer auch Rückorientierung an den Quellen. Sie ist Selbstbesinnung vom Ursprung her, will Übersehenes neu zu Bewußtsein bringen, Einseitigkeiten korrigieren und damit einen für die Kirche unaufgebbaren Dienst am Gesamtzusammenhang christlicher Lehre leisten.

Es soll nicht in Zweifel gezogen werden, daß E. Drewermann seine Kritik des Christentums, konkret also der Kirche, so verstanden wissen möchte. Erlaubt es ihm aber der Ansatz seiner Kritik, dieser Absicht auch gerecht zu werden?

Wir werden bei der Betrachtung einzelner, wie ich meine, grundlegender Einwände Eugen Drewermanns gegenüber bestimmten Seiten heutiger Erscheinungsformen des Christentums seine Kritik am Christentum als solchem nicht aus den Augen verlieren dürfen.

Darum ist hinsichtlich der Maßstäbe, die angelegt werden, zu prüfen, inwieweit sie dem Charakter und dem Selbstverständnis des Christentums gerecht werden. Darüber hinaus soll bedacht werden, ob nicht der tiefenpsychologische, neue Begründungszusammenhang dem Christentum wie der Religion überhaupt ihre Grundlage entzieht.

Schwerpunkt unserer Anfragen an das Werk Eugen Drewermanns bildet darum das Verständnis von Religion im allgemeinen und des Christentums im besonderen. Damit hängt die Bestimmung des Verhältnisses des christlichen Offenbarungsverständnisses zu anderen Religionen zusammen: Der Vergleich zwischen dem Christentum und den anderen Religionen steht im Werk Drewermanns im Zusammenhang seiner psychoanalytischen Bestimmung der Religion. Dieser Zusammenhang wird hier schwerpunktmäßig an Hand des Buches „Der Krieg und das Christentum" untersucht. In ihm finden sich wichtige Hinweise auf Drewermanns Beurteilung dieses Verhältnisses. Desgleichen wird hier die Frage laut nach der Ergänzungsbedürftigkeit des Christentums durch andere Religionen sowie die Kritik am missionarischen Auftragsverständnis. Dabei soll nicht übersehen werden, daß es sich hier nur um eine Auswahl einzelner Themen handelt, die mir aber für das Gesamtwerk doch bezeichnend zu sein scheinen. Worum es dem Autor hinsichtlich der von ihm erhobenen kritischen Einwände geht, soll mitbedacht und im Blick auf die Gültigkeit der von ihm gegebenen Antworten überprüft werden.

### *1. Religion als „Wahrheit des eigenen Herzens"*

Die Aussagen Eugen Drewermanns, die Auskunft über sein Verständnis des Christentums geben, gründen in einer tiefenpsychologischen Deutung der Religion. In den archetypischen Tiefenschichten der menschlichen Seele liegen für ihn die letztgültigen Maßstäbe für die Frage nach der Wahrheit einer Religion. In dieser Hinsicht folgt er dem bei C. G. Jung Vorgedachten. In einer entscheidenden Hinsicht geht er aber über den analytischen Anspruch der Psychologie hinaus. Was in der psychoanalytischen Betrachtungsweise der Religion therapeutischen Zwecken dient, gewinnt hier den Rang letzter Wahrheit[1]. Drewermann geht es um ein Christentum, das sich nicht in der Oberfläche menschlicher Verhaltensweisen erschöpft. Der Praxis ethischen Sich-Verhaltens soll eine Wandlung des Menschen in der Tiefe seines Selbst vorausgehen. Eine Religion, die diese Tiefe nicht erreicht, wird zu einer „Utopie des Religiösen". Aus ihr entspringt „vollkommen konsequent das Dilemma des Ethischen"[2]. Von einem „Dilemma" kann darum gesprochen werden, weil in den menschlichen Handlungsanweisungen die Lösungen der Konflikte ambivalent bleiben.

---

[1] *E. Drewermann* spricht von einem „unmittelbaren Zuammenhang zwischen Selbstfindung und Gottfindung, zwischen Psychologie der Heilung und der Theologie des Heils" (Die Frage nach Maria im religionswissenschaftlichen Horizont, in: Zeitschr. für Missionswiss. u. Religionswiss. 66 [1982] 109). „Die Psychoanalyse hätte ihre Mission erfüllt, wenn (wieder) ein Menschentyp entstehen würde, dem seine Träume auch ohne Erklärung zur Offenbarung würden und der in seinen Träumen, oder, noch jenseits der Bilder, in seiner Meditation, zur Einheit mit sich und darin mit aller Welt gelangen könnte" (*E. Drewermann,* Der tödliche Fortschritt. Von der Zerstörung der Erde und des Menschen im Erbe des Christentums, Regensburg 1981, 153).

[2] *E. Drewermann,* Der Krieg und das Christentum. Von der Ohnmacht und Notwendigkeit des Religiösen, Regensburg 1982, 134f. Im folgenden mit „Der Krieg" und Seitenzahl in Klammern belegt.

Drewermanns Überlegungen zur Überwindung einer falschen Religiosität sind eingebettet in jeweils konkrete Erörterungen dieses „ehtischen Dilemmas“. So zeigt er auf, wie die Bemühungen um den bloß machbaren Frieden unter den Menschen, die dieser Tiefe entbehren, zu in sich widersprechenden Friedensstrategien führen, die aus sich heraus wieder neue Spannungsherde und Konfliktfelder verursachen. „Statt die Problematik der menschlichen Triebausstattung, die Neurotizismen der Angst und der Psychodynamik des Unbewußten, durchzuarbeiten, wird besonders in der aktuellen Friedensdiskussion mit der Oberflächlichkeit eines ethischen und politischen Verdrängungsoptimismus der Eindruck erweckt, als sei der Friede ein Werk des guten Willens und vernünftiger politischer Verträge.“ Am Phänomen der menschlichen Angst wird aufgezeigt, daß ohne „Einbeziehung der Tiefenpsychologie“ das Christentum nur „oberflächlich vom Frieden und seiner ‚Machbarkeit‘ zu reden“ vermag (Der Krieg 215).

Hier setzt bei Drewermann die Kritik nicht nur an einem einseitig ethisch ausgelegten Verständnis der Bergpredigt ein. Das Christentum selber erscheint in seiner Geschichte vielmehr als eine „neurotische Verkehrung“ des eigentlichen Zieles der Bergpredigt (Der Krieg 201). Dieses „eigentliche Ziel“ aber ist eine Psychotherapie der menschlichen Seele. „Denn die Besonderheit des Christentums besteht nicht in dem Besitz solcher Lehren wie die Bergpredigt selbst, sondern in der einseitig moralisierenden Art, in der es diese ausgelegt hat, und in den daraus folgenden gefährlichen Verdrängungen der menschlichen Aggressionen“ (Der Krieg 202).

An diesen Beispielen wird deutlich, welcher neuen „Zielsetzung“ wir hier begegnen. Aus dem berechtigten Interesse, das Neue des Christseins nicht den Zweideutigkeiten menschlicher Handlungen zu unterwerfen, wird auf die von der Psychoanalyse vorentworfenen therapeutischen Ziele verwiesen. Zur Kritik an den Indienststellungen der christlichen Botschaft im Interesse vorgefaßter gesellschaftlicher und politischer Zielsetzungen und ihrer Verzweckung auch für Friedensstrategien hätte es aber genügt, auf den neutestamentlichen Zusammenhang von Gnade und Werk zu verweisen. Denn dem Mißverständnis, als ob es sich bei der Bergpredigt etwa bloß um einen neuen ethischen Verhaltenskodex handele, wird im Neuen Testament selber gewehrt. Sie ist in jeder ihrer Aussagen Verweis auf die Notwendigkeit der Neuwerdung des Menschen im Christusereignis. Der an ihren Forderungen scheiternde Mensch erscheint hier als der in Christus neue, auf seine Gnade angewiesene, mit ihm „begrabene" und „auferstandene" Mensch (Kol 2,12).

Eben dieses ist die Dimension, die die Möglichkeiten der Selbsttherapie des „inneren Menschen", auch nach seiner tiefenpsychologischen Seite hin, überschreitet. Nicht der Weg in die tieferen Schichten des menschlichen Ego führt in die befreiende Erfahrung eines neuen Vertrauens und der Angstüberwindung. Die Botschaft des Neuen Testaments ist nicht nur eine Ausdrucksform einer letztlich tiefenpsychologisch zu begründenden allgemeinen Gesundung des Menschen, für die es dann auch noch andere religiöse Ausdrucksformen gibt. Das entscheidende Kriterium liegt in der dem Menschen widerfahrenden Zuwendung und Hilfe Gottes im menschgewordenen Sohn. Darum verhält es sich für die neutestamentlichen Zeugen umgekehrt: Nicht darin ist die Bergpredigt „groß und hoch zu schätzen, daß sie völlig autochthon und originär Erfahrungen der Geborgenheit und einer daraus erwachsenden Friedfertigkeit beschreibt, die im Grunde *allgemein* menschlich sind und von den großen religiösen Gestalten der Menschheitsgeschichte immer wieder unabhängig voneinander entdeckt und beschrieben wurden" (Der Krieg 202).

Was innerer Friede und letzte Geborgenheit des Menschen ist, entnimmt christlicher Glaube nicht einem aus der Psychologie näher zu bestimmenden allgemeinen Wissen um die Möglichkeit einer neuen seelischen Verfassung, sondern einer das eigene Sein von Grund auf verändernden Teilhabe am neuen Sein des Christus[3]. Aus diesem ergeben sich die Maßstäbe für die Erfassung dessen, was „Ziele" wie Friede, Geborgenheit, Konfliktfreiheit, Aggressionslosigkeit und andere Formeln für Allgemeinerfahrungen sein mögen.

Die Korrektur einer ethischen Mißdeutung des Christentums darf nicht zum Anlaß werden, das Christsein als Sonderfall einer allgemeinen Zielbestimmung und einer übergeordneten Erfahrung unterzuordnen. Dem aber ist dann nicht mehr zu wehren, wenn die Bestimmung dessen, was das Christentum beinhaltet, nicht nur ei-

---

[3] Für diese am Menschen geschehene Neuwerdung verwendet das Neue Testament das Symbol der neuen Schöpfung: „Darum ist einer in Christus eine neue Kreatur. Das Alte ist vergangen, siehe, es ist alles neu geworden". Um darüber kein Mißverständnis aufkommen zu lassen, daß es hier um ein Handeln am Menschen und nicht aus dem Menschen geht, fügt der Apostel hinzu: „Dies alles aber geschieht durch Gott, der uns mit sich selbst durch Christus versöhnt hat ..." (2 Kor 5,17f).

nem Allgemeinverständnis von Religion zugeordnet, sondern dieses wiederum aus den tiefenpsychologisch bedingten therapeutischen Zielvorstellungen bestimmbar ist.

### *2. Das Christentum – eine unterlegene Religion?*

Das Christentum wird, sofern es nicht „den Einzelnen kraft des Gefühls einer absoluten Berechtigung und Akzeptation in Gott zu einer tieferen Einheit mit sich selbst zu führen" in der Lage ist, zu einer „bloßen Religion des Überichs" (Der Krieg 369).

An diesem Maßstab gemessen, wird es möglich, die Leistung des Christentums an der anderer Religionen zu messen. Auch sie unterliegen für Drewermann denselben Anforderungen an die tiefenpsychologische Effektivität. Dabei bleibt dem Christentum, nicht erst in seiner Wirkungsgeschichte, sondern bereits in seiner biblischen Grundlegung, die Negativfolie des religiös Abartigen nicht erspart. Wesentliche neutestamentliche Inhalte fallen damit psychologischer Kritik anheim: „Die psychologische Basis einer solchen Religion liegt in den Schuldgefühlen, die seitens eines drakonischen Überichs erweckt werden können; eine Vielzahl von Denktabus und Denkhemmungen, von Einschüchterungen und Strafen ...", „Unterdrükkung", „Icheinschränkungen", „Demütigungen" ... „besonders im Umgang mit der Welt der Triebregungen, vornehmlich des Sexualtriebes". Dabei gehe es schließlich darum, „den Einzelnen so streng wie möglich zu dirigieren und zu kontrollieren" (Der Krieg 370).

Kommt hier nicht ein Verständnis von Religion zum Vorschein, das den Gesetzen innerpsychologischer Funktionen unterworfen ist und es nicht mehr erlaubt, bestimmten Inhalten christlicher Existenz gerecht zu werden? Das „individuelle Lebensglück, die Entfaltung der eigenen Persönlichkeit, die Integration der unbewußten Schichten der Psyche" werden nunmehr zu neuen Zielsetzungen. An den „Möglichkeiten der Selbstentfaltung" scheiden sich die brauchbaren von den unbrauchbaren Inhalten des Christentums. Kann es überraschen, daß dort, wo die Kriterien für die Wahrheit des christlichen Glaubens und seine Gültigkeit außerhalb seines Stiftungsgrundes im Unbewußten des menschlichen Selbst gesucht werden, sich die Kritik gegen diesen Grund selber richtet? Der Friede, „der höher ist als alle Vernunft" (Phil 4,7), verflacht zur innerpsychischen Auflösung von Spannung und von Ängsten[4]: „Der Friede ergibt sich entweder aus der Versöhntheit mit der eigenen Person, oder er ist es nicht" (Der Krieg 372)[5].

In seiner Bemühung um Vertiefung der religiösen Erfahrung – und solcher Absicht ist uneingeschränkt zuzustimmen – unterläuft Eugen Drewermann die Auslieferung solcher Vertiefung an die Therapiemöglichkeiten. Gemessen aber an diesen Möglichkeiten erscheinen die spezifischen Inhalte christlicher Heilserfahrung korrigierbar und ergänzungsbedürftig. Andere Religionen bieten nach Drewermann bessere Chancen für die Erfüllung der dem Ego eigenen Möglichkeiten als das Christentum.

### *3. Anleihen bei anderen Religionen?*

Wird die Wahrheitsfrage in der Religion am Maßstab von Therapiemöglichkeiten psychologisch bestimmt, scheinen andere Religionen als das Christentum diesen Voraussetzungen besser zu genügen. Drewermann verweist zum einen auf den chinesischen Taoismus, der in seinem Grundprinzip sich ergänzender Gegensätze das Bedürfnis nach Harmonie am deutlichsten beinhaltet. Zum anderen sieht er im Buddhismus diejenige religiöse Praxis, die mit ihrem methodisch zu beschreitenden Weg in das eigene Innere seinen therapeutischen Zielvorstellungen am weitesten entgegenkommt.

Beiden Religionen wird von Eugen Drewermann eine Art Lehr- und Vorbildfunktion zuerkannt, die dem Christentum zur Entdekkung seiner eigenen besseren Möglichkeiten verhelfen soll. Der Grund, warum solche ‚Entwicklungshilfe' durch die asiatische Religiosität dem Christentum geleistet zu werden vermag, liegt für Drewermann darin, daß in ihnen in expliziter, deutlicher Weise zum

---

[4] „Um zu verstehen, wie es zu den Erscheinungen des Bösen in der menschlichen Psyche kommt, muß man beachten, daß die Desintegration stets durch den Faktor der *Angst* bewirkt wird. ...Der Kampf gegen das Böse ist mithin zentral ein Kampf gegen die Angst, und der Sieg über das Böse ist zentral ein Sieg des Vertrauens" (*E. Drewermann,* Der Teufel im Märchen, in: Archiv für Religionspsychologie, Bd. 15, 1982, 125).

[5] Wie ist diese Ausdrucksweise mit den Aussagen des Neuen Testaments, speziell des Apostels Paulus, zu vereinbaren, daß es um die Versöhnung mit Gott geht, die er selber und nicht der Mensch wirkt (2 Kor 5,18f; Rom 5,11)? Paulus wird nicht müde, die Glaubensexistenz in der Entgegensetzung von Schwachheit des Menschen und Stärke Gottes bzw. Christi zu beschreiben (2 Kor 12,9; 13,4; vgl. 1 Kor 2,5; 2 Kor 4,7). Der Geschenkcharakter und das „extra nos" der neuen Existenz in Christus kommt in der Dialektik von Gal 2,20 unübersehbar zum Ausdruck: „Ich lebe, aber nicht mehr ich, sondern Christus lebt in mir."

Ausdruck kommt, was angesichts seines psychologischen Forderungskataloges im Christentum nur unvollkommen zu finden ist. „Die Größe der Bergpredigt liegt nicht darin, daß hier etwas in sich Einzigartiges und Unvergleichliches gelehrt würde; im Gegenteil, man muß bei einem Vergleich vor allem mit den Lehren der alten Inder und Chinesen zugeben, daß dort viel breiter und ausführlicher gerade diejenigen Gedanken entfaltet worden sind, die in der Bergpredigt wie geschliffene Perlen in einzelnen Rätselworten aufleuchten" (Der Krieg 202).

Ist das noch dasselbe Modell zu der Bestimmung des Verhältnisses von Christentum und nichtchristlichen Religionen, wie sie das Zweite Vatikanische Konzil vorgenommem hat? Dort werden in der Erklärung über das Verhältnis der Kirche zu den nichtchristlichen Religionen gerade auch die asiatischen Religionen wie der Hinduismus und der Buddhismus hinsichtlich einzelner Werte, die sie verkörpern, als Reflexe des Lichtes und der Wahrheit gedeutet, die die Kirche in Christus uneingeschränkt erkennt[6]. Die Würdigung dessen, was andere Religionen kennen und praktizieren, wird von der Zugehörigkeit zu dem und von der Erleuchtung durch den abhängig gemacht, den der Glaube als den Weg und als die Wahrheit[7] bekennt. Mit dieser Bestimmung des Verhältnisses zu den anderen Religionen nimmt das Konzil nicht etwa einen neuen Gedanken auf. Es wendet vielmehr das im Neuen Testament Grundgelegte und in der Tradition der Kirche Entfaltete auf die genauere Kenntnis dieser Religionen und auf die Bestimmung des Verhältnisses zu ihnen an. Die johanneische Aussage „glaubt an das Licht, auf daß ihr Söhne des Lichtes werdet" (Joh 12,36), bleibt damit bestimmend für das Verständnis auch des Dialogs mit anderen Religionen.

---

[6] Das II. Vatikanum spricht in diesem Zusammenhang von „gewissen Wahrnehmungen jener verborgenen Macht, die dem Lauf der Welt und den Ereignissen des menschlichen Lebens gegenwärtig ist" (Nostra Aetate 2). Damit wird deutlich die Vorläufigkeit dieser Wahrnehmungen bezeichnet. Ihnen entspricht die Verborgenheit der Macht Gottes im Unterschied zu dem in Christus offenbar gewordenen Wesen Gottes. Es ist jene vorläufige Erkenntnis seiner „unvergänglichen Kraft und Gottheit", die nach dem Apostel Paulus auch der Nichtchrist an dem Wirken Gottes in seiner Schöpfung wahrzunehmen in der Lage ist.

[7] „Mit aufrichtigem Ernst betrachtet sie (= die katholische Kirche) jene Handlungs- und Lebensweisen, jene Vorschriften und Lehren, die zwar in manchem von dem abweichen, was sie selber für wahr hält und lehrt, doch nicht selten einen Strahl jener Wahrheit erkennen lassen, die alle Menschen erleuchtet. Unablässig aber verkündet sie und muß sie verkündigen Christus, der ist ‚der Weg, die Wahrheit und das Leben' (Joh 14,6), in dem die Menschen die Fülle des religiösen Lebens finden, in dem Gott alles mit sich versöhnt hat" (Nostra Aetate 2).

Die Beispiele, die das Konzil für solche dialogische Öffnung gibt, zeigen zugleich das Bemühen, sie aus den zentralen Vorstellungen dieser Religionen selbst zu verstehen. In bezug auf den Hinduismus und auf den Buddhismus sind es die spirituellen Disziplinen, die sie zur Erreichung der in ihnen angestrebten Ziele kennen und praktizieren[8]. Darin liegt zugleich eine Erinnerung und eine Mahnung in bezug auf die von Christus selber geübte und seiner Kirche übermittelte Spiritualität. Der Dialog ist in diesem Sinne immer auch ein Dienst an der Vertiefung in dem, was der Kirche eigen ist und was der christliche Glaube bekennt. Darum aber setzt der Dialog stets die eigene Orientierung an Christus als dem Kriterium für solche Offenheit gegenüber den geschichtlichen Erscheinungsformen der Religionen voraus.

Insofern es Drewermann um einen solchen Ertrag im Sinne der Vertiefung christlicher Heilserfahrung in der Begegnung mit der Praxis anderer Religionen geht, ist seiner Intention zuzustimmen. Aber dies kann nicht erreicht werden um den Preis der Preisgabe des dem christlichen Glauben eigenen Kriteriums. Die gemeinsame Unterstellung der christlichen Glaubenswahrheit und des Selbstverständnisses anderer religiöser Botschaften unter die Erfordernisse der Psychotherapie als letzthinniges, sozusagen drittes Kriterium dagegen kommt dem echten Dialog nicht zugute, sondern entfremdet ihn seiner Möglichkeit. Er wird einem Fremdinteresse dienstbar gemacht, das weder dem entspricht, was der Glaube von Christus bekennt, noch dem, was in geeigneter Weise das Selbstverständnis des Hinduismus oder des Buddhismus trifft.

Auch für die seelischen Vorgänge, die sich z.B. bei einem im Shiva-Kult lebenden bhakti-frommen Hindu abspielen, lassen sich entsprechende analytische Beschreibungen vornehmen. Aber der Bezugspunkt auch seiner Frömmigkeit ist gerade nicht der rationale Rekurs auf die Vorgänge in den Tiefenschichten seines Unbewußten. In seiner verehrenden Hingabe liegt vielmehr eine Grunderfahrung, für die er sich wehren müßte, psychologische Echtheitskriterien zum Zwecke ihrer Verifikation gelten zu lassen.

---

[8] Im Blick auf den Hinduismus erwähnt das Konzil den „unerschöpflichen Reichtum von Mythen“, „tiefdringende philosophische Versuche“, „aszetische Lebensformen“, „tiefe Meditation“ und „liebend-vertrauende Zuflucht zu Gott“. Beim Buddhismus wird das „radikale Ungenügen der veränderlichen Welt“ hervorgehoben und die Suche nach dem „Zustand vollkommener Befreiung“ und der „höchsten Erleuchtung“ (Nostra Aetate 2).

Sieht man von einzelnen modernen Apologeten[9] des Buddhismus einmal ab, die neben sozialen, philosophischen und allgemein humanitären Begründungen auch die moderne Psychologie argumentativ ins Feld führen, so entzieht sich auch das Selbstverständnis des buddhistischen Weges als einer Religion buddhismusfremden Maßstäben der Beurteilung. Gautama Buddha soll sich nach den Quellen sogar gewehrt haben, die ihm zuteil gewordene religiöse Erfahrung des Nirvāṇa in Gestalt einer Botschaft an andere weiterzuvermitteln[10]. Der Schlüssel des Zugangs lag für ihn gerade nicht im Verständnis, sondern in der existentiellen Hinwendung, im Gehen des von ihm gewiesenen Weges. Auch für ihn gab es keine Maßstäbe, die als zu benennende und plausibel zu machende außerhalb des eigenen religiösen Erlebens selber lägen[11].

Aber man braucht nicht an die restriktive Art zu denken, in der in der Überlieferung des buddhistischen Pāli-Kanons das ‚objektiv' nicht zu erfassende Geheimnis des befreienden Erlebens sachgemäß behandelt wird. Der Mahāyāna-Buddhismus in seiner anders gearteten Boddhisattva-Frömmigkeit läßt sich weniger noch als das methodisch strenge Hīnayāna in Kategorien psychologischen Erlebens erschöpfend erfassen. Die für sein Heilsverständnis entscheidenden Faktoren liegen gerade nicht im Selbst der eigenen Person. Diese ist vielmehr – darin der indischen Bhakti-Haltung vergleichbar – gänzlich auf den zu verehrenden Helfer gerichtet. Auf ihn kommt es an, wenn der Weg, dem das Heil verheißen ist, gelingen soll[12].

Darum muß auch vom Selbstverständnis anderer Religionen wie

---

[9] Vgl. dazu die aufschlußreiche Münchner Dissertation von *G. Rothermundt,* Buddhismus für die moderne Welt. Die Religionsphilosophie K. N. Jayatillekes, Stuttgart 1979.

[10] „Erkannt habe ich diese Lehre ... in Weltlust aber verweilt die Menschheit ... Wenn ich die Predigt predigte und die anderen sie nicht verständen, das wäre für mich Ermüdung, das wäre für mich Qual." „Mit schwerer Mühe erreicht hab ich's genug: ich künd es andern nicht" (Mahavagga I, 5 H. Oldenberg. Die Reden des Buddha, 1942, 38f).

[11] „Wenn der wesentliche Inhalt der Lehre im Weg liegt, dann ist damit zugleich ein Doppeltes gesagt: einerseits wird, da es sich nicht – wie im Christentum – um einen Weg Gottes zu den erlösungsbedürftigen Menschen handelt, sondern um einen Weg, den die Menschen zu ihrem Heil gehen sollen, damit zugleich sichtbar, daß wir es mit einer Religion zu tun haben, die entscheidend die Kräfte des Menschen in Anspruch nimmt, also um eine Religion weitgehender Selbsterlösung" (*G. Mensching,* Buddhistische Geisteswelt, Baden-Baden o.J., 89).

[12] Dies kommt besonders in Anrufungen zum Ausdruck, in denen die Hilfe des Boddhisattva erbeten wird. Dafür ist folgender Text ein Beispiel: „Wie könnte ich (aus eigener Kraft) Dein (rettendes) Dharma-Schiff erreichen! Reich' mir, o Jina, Deine Gnadenhand zur Hilfe! ... Stütze Du den von allzu heißem Durste Vergehenden!" (*R. Otto,* Vishnu-Nārāyana, 1923, 191).

des Buddhismus und des Hinduismus bestritten werden, „daß die menschliche Psychologie als objektives Wahrheitszeugnis des Religiösen gewertet werden müßte“ [13]. Was für eine Religion „wahr“ ist, läßt sich jedenfalls nicht an der Frage ermessen, inwieweit sie den psychologischen Vorstellungen vom Unbewußten entspricht und diesen gerecht wird.

Damit wird aber auch ein weiterer Einspruch Drewermanns fragwürdig, der das Verhältnis des Christentums zu anderen Religionen betrifft. „Das bisher negative Verhältnis zu den außerchristlichen Religionen ist jedoch nur die Außenseite der polemischen Einstellung des Christentums gegenüber dem Unbewußten und den mythischen Kräften im Menschen“ [14]. Einer solchen Kritik liegt die Annahme zugrunde, daß das Christentum per se die Tiefenschichten der menschlichen Seele nicht in dem Maße zu erreichen vermag, wie dies bei anderen Religionen der Fall ist. Doch das ist eine Verallgemeinerung, die für einen Argumentationsgang nicht brauchbar ist.

Zuzustimmen wäre unter dem Aspekt einer einseitigen historisierenden Betrachtung der christlichen Heilsbotschaft einer Auseinandersetzung mit bestimmten theologischen Tendenzen wie sie sich in unserer Zeit mit den Absichten der sogenannten ‚Entmythologisierung‘ verbanden. In ihr wurde nicht nur das in mythischer Sprache überlieferte Glaubensgut einer oberflächlichen Begrifflichkeit geopfert. Auch die geschichtlichen Spuren der Heilsgeschichte traten mehr und mehr zurück hinter sogenannten „Bedeutsamkeiten“ und die davon ablösbaren Verkündigungsgehalte. Sofern sich der Einwand Drewermanns gegen diese durch zeitbedingte philosophische und weltbildhafte Einflüsse bestimmte theologische Schule richtet, käme ihm die Bedeutung einer begrüßenswerten theologischen Kritik zu. Sie käme damit der seit einigen Jahren im Gang befindlichen theologischen Korrekturbewegung zugute, die – angeregt durch die Ergebnisse der neueren Mythenforschung – wieder nach der „Wahrheit des Mythos“ im biblischen Überlieferungszusammenhang fragt [15]. Aber gerade dieser wünschenswerten theologischen Korrek-

---

[13] Die Frage nach Maria (s. Anm. 1) 106.

[14] Ebd.

[15] Einen zusammenfassenden Überblick zu diesem Thema vermittelt das Werk von *K. Hübner,* Die Wahrheit des Mythos, München 1985. Unter Hinweis auf „die überraschenden Ergebnisse der heutigen Mythen-Forschung, die gezeigt hat, daß der Mythos keineswegs ein mehr oder weniger vages oder irrationales Gebilde ist ...“, kann Hübner feststellen: „Der Christ darf also daran glauben, daß Gott es war, der den Kosmos

turbewegung begibt sich die Kritik Drewermanns. Indem sie sich nicht gegen eine bestimmte, kritikwürdige theologische Schulrichtung wendet, sondern das Christentum als solches im Vergleich zu anderen Religionen als mythenfeindlich deklariert, wird sie objektiv falsch. Ein solches Urteil verkennt die Verwendung der Sprache des Mythischen im Bereich der Bibel und in der Tradition der Kirche. Es übersieht aber auch, daß gerade in dem von Drewermann in dieser Hinsicht als überlegen gewerteten Buddhismus die Botschaft des Buddha in wesentlichen Teilen eine Absage an die mythischen Traditionen des Brahmanismus und der Veden ist[16].

Aber wie immer man im Blick auf die einzelnen Religionen die Rolle, die das Mythische in ihnen spielt, gewichten mag, entscheidend ist, daß Eugen Drewermann bei seiner Kritik das „objektive Wahrheitszeugnis des Religiösen“ an der Mythen bildenden Potenz menschlicher Psyche mißt. Religion wird so zu einem Produkt des Unbewußten selbst.

### *4. Ergänzungsbedürftigkeit des Christentums?*

Seit ihren Anfängen war der Sendungsauftrag an die Menschheit bestimmend für die Kirche. Bei Drewermann entwickelt sich nun aus dem Ansatz einer berechtigten Kritik an bestimmten Vorgängen in der Geschichte des abendländischen Christentums und seiner Weltmission der verallgemeinernde Rückschluß auf etwas vermeintlich im Wesen des Christentums selber Angelegtes. Die dem Christusereignis eigene, universale Bedeutung für die Menschheit („Machet zu Jüngern alle Völker“, Mt 28,19) wird als Grundlegung für einen fragwürdigen Durchsetzungsprozeß gedeutet: „Völkerunterdrükkung des Kolonialismus“, „Imperialismus“, „zerstörerischer Um-

---

aus dem Chaos oder aus dem Nichts geschaffen hat, während der Wissenschaftler, will er seinen Gegenstand nicht dogmatisch mißdeuten, Weltmodelle der kosmologischen Theorie nur als Hypothesen vertreten darf, die auf schwankendem Boden stehen“ (*K. Hübner,* Meditationen zur Schöpfungsgeschichte als Beispiel für das künftige Verhältnis von Mythos, Religion und Wissenschaft, in: *O. Schatz/H. Spatzenegger* (Hrsg.), Wovon werden wir morgen geistig leben? Mythos, Religion und Wissenschaft in der „Postmoderne“, Salzburg 1986, 47).

[16] Nach H. von Glasenapp wird „derjenige, der auf dem Heilsweg begriffen ist oder ein Heiliger geworden ist, ... an den Göttern ebensowenig geistig hängen und über sie nachsinnen wie über die Elemente, die Lebewesen, die höheren Bewußtseinssphären, das mit den Sinnen Erkannte, Einheit, Vielheit oder Nirvana“ (*H. v. Glasenapp,* Der Buddhismus – eine atheistische Religion, München 1966, 34).

gang mit den fremden Kulturen im ganzen Verlauf ihrer Geschichte geradezu Christenpflicht“ [17].

Der Distanzierung von der Mission entspricht bei Drewermann die Ergänzungshypothese: Das Christentum bedarf „zu seiner eigenen Ergänzung“ „anderer Wahrheiten“, die es auf Grund seiner geschichtlichen Bedingtheit nicht leben konnte, „die jedoch in bestimmten außerchristlichen Religionen gelebt werden“ (Der Krieg 361). Kann es aber einen übergeordneten religiösen Wahrheitsfundus geben, aus dem die einzelnen Religionen – jeweils unterschiedlich auf Grund der besonderen, sie bedingenden geschichtlichen Gegebenheiten – schöpfen? Der in die Geschichte eingebetteten Christusoffenbarung gegenüber bietet sich Drewermann die im Mutterschoß des Unbewußten – unbelastet von aller geschichtlichen Bedingung – erfolgende Geburt des Religiösen selbst an [18].

Mit dieser „Verinnerlichung“ als der absoluten und reinen Geburt des Religiösen in der Seele gewinnt er das Kriterium gegenüber dem sich geschichtlich verhaltenden und auslegenden Christentum. Mit der übergreifenden Vorstellung eines solchen Religiösen in den Religionen reiht sich Drewermann – ihm wahrscheinlich unbewußt – in die Reihe jener modernen Apologeten des Hinduismus und des Buddhismus ein, die die Allgemeingültigkeit dieser Religionen und ihre Überlegenheit gegenüber dem geschichtlich verpflichteten Christentum eben in diesem Rekurs auf dem Wege nach Innen, zum Urgrund des menschlichen Selbst weisen [19]. „Mystik“ – eine wichtige Komponente auch der christlichen Frömmigkeit – wird damit zur Formel für eine die Religion überhöhende Innerlichkeit, die sich nicht mehr an den Namen Gottes, an das Glaubensbekenntnis und

[17] Die Frage nach Maria (s. Anm. 1) 105.

[18] Die Rückführung der für das christliche Heilsverständnis grundlegenden geschichtlichen Vorgänge auf den in den archetypischen Strukturen des Menschen liegenden Voraussetzungen ist ein wesentliches Anliegen Drewermanns. Ihm „geht es bei einer tiefenpsychologischen Auslegung geschichtlicher Überlieferung immer wieder um die Rückführung der historischen Gestaltungen auf die szenarischen Sequenzen archetypischer Symbole im Menschen selbst und um die Frage, welche Affekte und Mechanismen der menschlichen Psyche die Geschichte (oder mindestens die Überlieferung der Geschichte) bestimmt haben“ (Tiefenpsychologie und Exegese I, Olten 1984, 322).

[19] Als ein Beispiel für andere sei hier auf *S. Radhakrishnan* und auf seinen Versuch verwiesen, in der hinduistisch begründeten mystischen religiösen Grunderfahrung den gemeinsamen Nenner für religiöse Erfahrung überhaupt zu sehen: „Alle Religionen gründen sich auf die persönlichen Erfahrungen der Seher. ...Die persönliche Erfahrung der Vereinigung mit dem Absoluten oder mit Gott ist stets ein gemeinsamer Zug aller Glaubensbekenntnisse der Menschheit gewesen“ (Religion und christlicher Glaube 130).

an die ekklesiale Gemeinschaft zu binden braucht. Aber eine solche ‚Meta-Religion' ist nicht mehr mystische Frömmigkeit auf Grund personaler Gott-Mensch-Beziehung, wie sich christliche Mystik seit ihren Anfängen beim heiligen Paulus verstand. „Mystik" ist hier zur Einheitsformel für die Grunderfahrung indischer Religiosität geworden. Die Wege, die Hinduismus und Buddhismus weisen, führen in das nicht mehr namhaft zu machende Erlebnis der Einswerdung mit dem göttlichen Seinsgrund, dem Brahman[20]. Für diese Ātman-Brahman-Integration des Individuellen in das Allgemeine gilt dann allerdings die in der Geschichte sich ereignende Offenbarung und ihre geschichtliche Vermittlung in Gestalt der kirchlichen Sendung als noch vorläufige religiöse Vorstufe für das namenlose innere Erleben[21].

### *5. Wiedergeburt aus der Natur*

Die indischen Religionen sind Wege der Reintegration des Menschen in einen als göttlich verehrten Seinszusammenhang. Dem ewigen „Stirb und werde!" der Einzelseele im Zyklus von Geburt und Wiedergeburt entsprechen die großen kosmischen Prozesse der sich unendlich wiederholenden Weltentstehungen und Weltuntergänge. Dem Naturjahr vergleichbar vollziehen sich diese kosmogonischen Vorgänge nach den feststehenden Gesetzen einer inneren universalen Ordnung (dharma). Das in allem Seienden verborgene göttliche Sein ist das Geheimnis indischer Erlösungssehnsucht. Die Wege, die die indischen Religionen weisen, sind darum solche, die aus den māyā-haften Verstrickungen des Menschen in Raum und Zeit und damit in seine geschichtliche Existenz hinausführen in das im Inneren der menschlichen Seele verborgene göttliche Brahman. Hier, in diesem tiefsten Seinsgrund sucht der Mensch der indischen Religion seine Zuflucht. Es ist sozusagen ein meditativer Rückzug in die Innenseite der Erscheinungswelt. Hier liegt die Ruhe eines in sich konfliktfreien Entnommenseins aus der Welt der konkreten Erscheinungsweisen und Lebensbezüge. Auch die Götter unterliegen den Gesetzen des universalen, göttlichen Brahman als Quelle und Seins-

[20] „Die individuellen Seelen sind somit mit Gott identisch, der auch ihre Form annimmt". Die Erlösung besteht in der ‚erfahrenen' Einsicht, „daß Seele und höchste Wirklichkeit eins sind" (*J. Gonda,* Die Religionen Indiens II, Stuttgart 1963, 227).

[21] Vgl. dazu *S. Radhakrishnans* Verständnis der „wahren Religion": „Die Grundwahrheit einer spirituellen Religion besteht darin, daß unser wirkliches Selbst das höchste Wesen ist, das wir zu erforschen haben ..." (Die Gemeinschaft des Geistes. Östliche Religionen und westliches Denken, Darmstadt 1952, Baden-Baden ²1961, 45).

grund alles dessen, was ist. Auch sie bilden ihr Karman, sind daher wandelbar und wechseln ihre Erscheinungsweisen. Nichts ist einmalig. Alles bleibt Durchgang, Übergang, Wandel. Das Wesen der Religion besteht hier in der Rückführung der Teile in den ihnen verborgenen Zusammenhang des Ursprungshaften.

Dem entspricht eine sich verweigernde Haltung in bezug auf den Verlauf der Geschichte mitverantwortende Initiative. Wenn die Zustände für den Einzelnen und seine gesellschaftliche Situation sowohl wie für die Welt im Ganzen ihre kausal bestimmte, göttlich sanktionierte Ordnung haben, muß der Eingriff in das Bestehende sozusagen ein sündhaftes, verletzendes Verhalten sein. Indische Stimmen der Reformbewegung haben sich darum in den Fragen nationalbewußter und auch humanitärer Verhaltensweisen an einer Ethik orientiert, wie sie das dem Christentum eigene Welt- und Menschenverständnis ermöglichte[22]. Nicht die große „Lethargie" gegenüber dem Bestehenden und seine göttliche Sanktionierung sollte länger das Verhalten des indischen Menschen bestimmen. Alle Reformen seit Ram Mohan Roy, dem „Vater des modernen Indiens", waren Aufbrüche in eine gestalterische Verantwortung der Wirklichkeit, nicht mehr länger Rückzug aus einer Welt des Scheins und der Täuschungen[23].

Man fühlt sich an diese Sicht indischer Weltschau erinnert, wenn man die Antworten bedenkt, die Drewermann auf die uns heute bedrängenden Fragen einer technischen Entwicklung und auf die damit gegebenen Gefahren für den Menschen gibt. Es ist ein Aufmerken auf Probleme, die sich in den letzten Jahren zunehmend ins Bewußtsein vor allem unserer westlichen Gesellschaft in einer technisch sich rapide weiterentwickelnden Situation stellen. Wie viele andere ist Eugen Drewermann von der Frage bewegt, wie der Mensch als homo faber davor bewahrt werden kann, daß er die Voraussetzungen für weitere menschenwürdige Gestaltungen durch die von ihm geschaffene Welt der Technik sich nicht selber entzieht.

---

[22] Dazu ausführlich *Wilhelm Halbfass,* Indien und Europa. Perspektiven ihrer geistigen Begegnung, Basel 1981, Teil 2: Die indische Tradition und die Aneignung der europäischen Philosophie 191 ff.

[23] Am deutlichsten in dieser Hinsicht *K. M. Panikkar,* Hindu Society at Cross Roads, Bombay/New Delhi 1955, [2]1956. „Bevor die Hindus ihren Platz unter den zivilisierten Menschen einnehmen können, müssen zwei Voraussetzungen erfüllt sein: sie müssen ihre Gesellschaft ausrichten auf die modernen Vorstellungen und sich selbst der zahlreichen Lähmungen entledigen, die sie im Blick auf das Leben in jeder Hinsicht wirkungslos sein lassen" (*K. M. Panikkar,* Hinduism and the Modern World, 1938. Zit. bei *P. Devanandan,* The Concept of Māyā, London 1950, Calcutta 1954, 230).

Die Antworten, die Drewermann im Bemühen um eine Lösung dieser sich heute stellenden Probleme gibt, gehen nun nicht in Richtung verantwortlicher Anwendung der Technik und ihres Einsatzes zugunsten umweltschützender Maßnahmen. Vielmehr greift seine Kritik an den negativen Begleiterscheinungen der technischen Entwicklung zurück auf ein vorchristliches Verständnis von Natur und sucht in ihr selber die therapeutischen Wurzeln menschlichen Heils[24]. Nicht erst eine vom machbaren Fortschritt faszinierte säkularisierte westliche Gesellschaft, die ihrer Erwartung eines unbegrenzten materiellen Wachstums erliegt, wird zum Anlaß genommen, auf die in der christlichen Schöpfungslehre enthaltene ethische Erhaltungsverantwortung zu verweisen. Die Kritik an der Vergessenheit des Auftrages, den der Schöpfer dem Menschen zur Erhaltung seiner Schöpfung als Ermächtigung erteilt hat[25], schlägt um in die Kritik des biblischen Schöpfungsauftrages selber. Nicht mehr der Mensch in seiner autonomen Willkür gegenüber seinem Schöpfer ist für Eugen Drewermann der Grund für die heutige Problemlage. Im biblischen Schöpfungsverständnis selber sieht er letztlich die Ursache für ein naturfeindliches Verhalten. Es ist die „Fremdheit des biblischen Denkens gegenüber der äußeren Natur" und die „vom Patriarchalismus geprägte Fremdheit und Unterdrückung der inneren Natur des Menschen" (Der Krieg 184), die der Ambivalenz technischer Welterschließung zugrunde liegt. Das Christentum selber ist es, das „aufgrund seiner spezifisch semitischen, jüdischen Geistesart einen außerordentlich gewalttätigen und rücksichtslosen Charakter an sich trägt". Drewermann verlängert seine Kritik am biblischen Schöpfungsverständnis in das überlieferte Zentrum des christlichen Glaubens selber hinein. Die Tatsache, daß in der Menschwerdung des Gottessohnes der Mensch der Gotteskind-

---

[24] Die Naturfeindlichkeit, die Eugen Drewermann dem Christentum zum Vorwurf macht, hängt für ihn mit der Orientierung an der Geschichte zusammen. Die vor- und außerchristlichen Religionen mit ihren Vergöttlichungen der Natur werden dabei geradezu zu einem idealen Gegenmodell: „Die christlich-jüdische Vergeschichtlichung hingegen bedurfte der Natur nicht mehr; sie empfand sie als gefallen, fremd und sündig; die Natur war und ist im christlichen Abendland kein Ort, um sich von der menschlichen Geschichte zu erholen, wie A. Camus es wollte. Die Zerstörung der Umwelt ist eine gerade Folge dieser Seelenlosigkeit und Naturfremdheit des jüdisch-christlichen Menschenbildes" (Religionsgeschichtliche und tiefenpsychologische Bemerkungen zur Trinitätslehre, in: Trinität. Aktuelle Perspektiven der Theologie [Quaestiones Disputatae, Bd. 101], Freiburg i. Br. 1984, 142).

[25] Vgl. *G. von Rad,* Theologie des Alten Testaments I, München 1961, 140 ff („Der theologische Ort von der Schöpfung").

schaft gewürdigt und als „Erstling der ganzen Schöpfung" (Kol 1,15) der Erlösung teilhaftig wird, erscheint schließlich als Legitimationszusammenhang für des Menschen herrscherliche Isolierung und Selbstbehauptung gegenüber der Natur. „An der radikal anthropozentrischen Weltsicht ändert sich durch die ‚Christozentrik' des Neuen Testamentes natürlich nichts; im Gegenteil trägt gerade die Christologie in ihrer bisherigen Form wesentlich dazu bei, die Objektivität der Naturbetrachtung in Verwechslung existentieller Aussagen mit naturphilosophischen Folgerungen zu verfälschen" (Der Krieg 185).

Dagegen ist festzuhalten: Zur Christologie „in ihrer bisherigen Form" gehören aber gerade jene neutestamentlichen Aussagen, die den erhöhten Christus als Grund alles Geschaffenen bekennen. Schon im Zusammenhang des irdischen Jesus lassen die Evangelien keinen Zweifel daran, daß die Kräfte der Natur und des Kosmos seiner Herrschaft zugeordnet und damit untertan sind. Die Botschaft des heiligen Johannes verkündet ihn als den Urgrund allen Seins. Er ist von Anfang an, und vor ihm war nichts (Joh 1,1). Nicht nur in der paulinischen Botschaft trägt Christus kosmische Züge, umfängt er das Universum in seiner Tiefe und Weite. Was immer als Kräfte und als Mächte im Raum des Geschaffenen wirkt, es ist dem Christus unter die Füße gelegt in dieser und in der zukünftigen Weltzeit (Eph 1,21). Er ist der „Erstgeborene alles Geschaffenen", „in ihm ist das All gegründet", „das All ist durch ihn und auf ihn hin erschaffen" (Kol 1,15f).

Eine höhere Würde kann darum auch die ‚Natur' nicht erhalten, als daß sie einer solchen ‚Seins-Union' mit dem Christus Gottes gewürdigt wird. Der Glaube sieht über den Konflikten und tödlichen Prozessen der gefallenen Natur bereits das Morgenrot des allversöhnenden Christusgeschehens angebrochen. Die Natur ist gerade durch die „Christologie in ihrer bisherigen Form" nicht ausgegliedert und sich selbst überlassen, sondern dem Heilsgeschehen in einer unüberbietbaren Weise integriert. Wenn sich demgegenüber eine sich autonom dünkende Menschheit „naturvergessen" verhält, ist dies, gerade umgekehrt zur Deutung Eugen Drewermanns, nicht die Folge dieser „Christozentrik", sondern die Folge ihrer Preisgabe.

Wer in dieser Weise dem zentralen und grundlegenden Inhalt christlichen Glaubens und nicht dem Verlust desselben schöpfungsfeindliche und naturferne Konsequenzen anlastet, muß Antworten bei den außerchristlichen Religionen suchen. Darin unterscheidet sich Drewermanns christentumspolemische Aufwertung der asiatischen Religionen nur gradweise von dem in neuerer Zeit stärker werdenden Chor der vom Abendland und von seinem christlichen Erbe entfremdeten Heilsucher in den Religionen des Ostens und der Naturvölker. Was bei diesen oft in oberflächlicher Weise, einem Zivilisationsüberdruß und -ekel entspringend, in naiver Sehnsucht gesucht und vermeintlich gefunden wird, erhält bei Drewermann den Rang quasi-theologischer Begründung.

Erst durch die Zuwendung zu den asiatischen Religionen, die „mit ihren Mythen und Riten den Menschen in die umgebende Natur einzubeziehen suchen", wird „die Naturvergessenheit und die Anthropozentrik der Bibel in ihrer Einseitigkeit besonders kraß ersichtlich" (Der Krieg 185). Gegenüber „den gütigen und weisen Religionen des indischen Buddha, des iranischen Zarathustra ..." sind „Mensch und Natur ... in den biblischen Religionen einander von Grund auf fremd und feindlich" (189). Eine solche Deutung besonders der buddhistischen Haltung gegenüber der Natur läßt außer acht, welchen religiösen Voraussetzungen sie entspringt. Die indischen Erlösungsvorstellungen und zumal der Weg des Buddha hängen zutiefst mit der Frage zusammen, wie sich der Mensch aus den ‚naturbedingten' Wirkungen seines Handelns in Gestalt seiner Karman-Verhaftung zu entnehmen vermag. Damit hängt die Forderung zusammen, fremdes Karman nicht zu verletzen. Die von Eugen Drewermann als der christlichen Schöpfungsverantwortung überlegen gewertete ahiṃsā-Haltung ist von Hause aus etwas völlig anderes als Naturverbundenheit und Liebe zum Geschöpflichen. Sie ist notwendiges Meideverhalten. Wer sich auf den Weg des Buddha begibt, wendet sich nicht der ‚Natur' zu, sondern wendet sich von ihr ab[26]. Der Weg führt nach innen, ist Abschied von allem ‚Natürlichen' der Außenwelt, nicht Zuwendung, sondern Preisgabe.

Hier, so läßt sich vermuten, liegt der eigentliche Anknüpfungspunkt für die Bevorzugung, die indische Religiosität bei Drewermann erfährt. Für seine Einladung zur Wiedergeburt aus den

[26] Bei Savatthi sprach der Erhabene zu den Bhikkhu: ‚Was nicht euch gehört, das gebet auf; das Aufgeben wird euch zu Heil und Segen gereichen" (Samyutta-Nikaya XXII, 33. *K. Schmidt,* Buddha, Die Erlösung vom Leiden, 164). „...ebenso nun auch, ihr Mönche, haben jene Mönche ..., die das Werk gewirkt, die Bürde abgelegt, das Heil errungen, die Daseinsfesseln vernichtet haben .. diese Strömung der Natur durchkreuzt und sind heil an das andere Ufer gelangt" (*K. E. Neumann,* Die Reden Gotamo Buddhas I, Zürich 1956, 253).

Kräften des Unbewußten bietet sich die indische Geisteswelt im Unterschied zum Christentum als die geeignetere Religiosität an. Den Wegen gegenüber, die zum Selbst, zur wahren Buddha-Natur des Menschen führen, nimmt sich das in Christus widerfahrene Heil und der es annehmende Glaube als „vom Patriarchalismus geprägte Fremdheit und Unterdrückung der inneren Natur des Menschen" (Der Krieg 184) aus. Dieser „Unterdrückung" des psychogenen, inneren Heiles, so folgert Drewermann, entspricht die Unterdrückung des Kreatürlichen.

Hier liegt der eigentliche Grund für Drewermanns Christentumskritik. Indem er den schöpfungstheologischen Bezug kritisch befragt, wird ihm der darin gründende Christusbezug fraglich. Antworten auf die ihn bewegende Problematik heutigen Natur- und Umweltverhaltens müssen darum bei ihm aus der ‚Natur' des Menschen selber abgeleitet werden. Diese wiederum gewinnt mit Hilfe tiefenpsychologischer Einsichten in ihrem innersten Selbst soteriologische Bedeutung. Dazu aber bieten die aus der Einheit der Natur heraus sich verstehenden Religionen Asiens die passenderen Vorstellungen. Die in der biblischen Botschaft im Zentrum stehende Teilhabe am erneuernden Christusgeschehen muß dazu ‚entgeschichtlicht' werden. Sie wird letztlich zum Interpretament eines Heils, das aus den unergründlichen Tiefen des menschlichen Selbst resultiert. Was im Zusammenhang seiner Ausführungen über das Wunder der Weihnacht gesagt wird, gewinnt seine Bedeutung für das Verständnis biblischen Geschehens überhaupt. Es wird zum äußeren Symbol innerpsychischer Erfahrungen: „Es kommt nur alles darauf an, die Szenen dieser weihnachtlichen Darstellung in ihrer mythischen Symbolik *innerlich* zu deuten – nicht, wie es meist geschieht, als Aussagemittel und Hinweise auf eine besondere theologische Bedeutsamkeit" [27].

---

[27] *E. Drewermann,* Religionsgeschichtliche und tiefenpsychologische Bemerkungen zur Trinitätslehre (s. Anm. 24) 115. *Robert Spaemann* hat die Konsequenzen, die in solcher ‚Verinnerlichung' des Mythos liegen, in treffender Weise beschrieben: „Wenn wir den Mythos – psychoanalytisch – als Selbstausdruck der Seele verstehen, bleiben wir im Subjekt-Objekt-Schema stecken und schlagen ihn sozusagen der Subjektseite zu ... Die psychologische Interpretation des Mythos nimmt diesen nicht mehr als eine Geschichte über die Wirklichkeit im Ganzen, über den Ursprung der Welt, sondern als einen Ausdruck unserer Gestimmtheit. Der Mythos läßt sich dann allerdings nicht mehr vermitteln mit solchem begrifflichen Reden ... Drewermanns Programm scheint mir also in der Gefahr zu sein, vom Rationalismus in den Irrationalismus zu fallen" (*O. Schatz / H. Spatzenegger* [s. Anm. 15] 180f).

# VIII

# Erneuerung durch Tiefenpsychologie?

*Von Albert Görres*

Eugen Drewermann hat mir ein Rundfunkinterview geschickt, das eine harte, traurige, aber weithin zutreffende Beschreibung des „Elends“ der heutigen Kirchen enthält. Sie ist in vielen Punkten meinen eigenen „Diagnosen“ überlegen, die allerdings z. T. aus vorkonziliarer Zeit stammen. Weniger eindrucksvoll als die Diagnostik erscheinen mir Drewermanns Therapievorschläge. Es sind Träume von einer wahrhaft christlichen Kirche; klar gesagt: Utopien, die nur wirklich werden könnten, wenn die Taufe oder eine totale Bekehrung den Christen jede Neigung und Möglichkeit zu Irrtum, Dummheit und Sünde wegzaubern könnten. Jesus ist ein Arzt, ein Wundertäter, aber verzaubern wollte er den Menschen nicht. Drewermanns Bestandsaufnahme des kirchlichen Elends, die so klar und kompakt in seinen bisherigen Werken nicht enthalten ist, verdient große Aufmerksamkeit. Für die „Strukturen des Bösen“ habe ich schon in meinem zusammen mit Karl Rahner verfaßten Buch „Das Böse. Wege zu seiner Bewältigung in Psychotherapie und Christentum“ geworben und bekannt, wieviel ich diesem Werk verdanke.

In neueren Büchern Drewermanns hingegen wird dieser gute Geschmack verdorben, als hätte jemand ranziges Öl über eine vorzügliche Mahlzeit geschüttet. Die folgende Darstellung soll ein Versuch sein, diese Verunreinigungen zu zeigen, damit die Mahlzeit wieder genießbar und nahrhaft werden kann. Vielleicht tut das der Leser selbst, vielleicht eines Tages auch der Autor, der seine Talente z. T. etwas zu tief in schlechtem Boden vergraben hat. Ich kann den Zorn über einen Künstler, der sein eigenes großes Werk durch grelle Übermalung leichtfertig verdirbt, nicht verbergen, weil ich ihm und seinen unverstellten Träumen den Dank der zornigen Kritik schulde für den guten Anteil unter seinen Gaben. Es wird, wie in Familien unvermeidlich, ohne gegenseitige Kränkungen nicht abgehen. Doch hoffe ich, daß auch hier Streiten verbindet. So halte ich mich an das

Wort des großen Origenes, man dürfe nicht immer nur Friedensschalmeien blasen, sondern auch einmal zur Kriegstrompete greifen – in der Theologie. Sie war immer, seit Propheten sprachen und Jesus stritt, polemisch.

Mein Haupteinwand gegen Drewermann sei also klar formuliert: Die Kirche ist, wie die Sonne, für alle da. Für Gerechte und Ungerechte, Sympathen und Unsympathen, Dumme und Gescheite; für Sentimentale ebenso wie Unterkühlte, für Neurotiker, Psychopathen, Sonderlinge, für Heuchler und solche wie Natanael, „an denen kein Falsch ist" (Joh 1,47); für Feiglinge und Helden, Großherzige und Kleinliche. Für zwanghafte Legalisten, hysterisch Verwahrloste, Infantile, Süchtige und Perverse. Auch für kopf- und herzlose Bürokraten, für Fanatiker und auch für eine Minderheit von gesunden, ausgeglichenen, reifen, seelisch und geistig begabten, liebesfähigen Naturen.

Die lange Liste ist nötig, um klarzumachen, was man eigentlich von einer Kirche, die aus allen Menschensorten ohne Ansehen der Person, von den Gassen und Zäunen wie wahllos zusammengerufen ist und deren Führungspersonal aus diesem bunten Vorrat stammt, erwarten kann – wenn nicht ständig Wunder der Verzauberung stattfinden, die uns niemand versprochen hat. Heilige, Erleuchtete und Leuchtende sind uns versprochen. Wer sie sucht, kann sie finden. Wer sie nicht sucht, wird sie nicht einmal entdecken, wenn sie jahrelang neben ihm gehen, weil er sie vielleicht nicht wahrhaben will oder kann.

Drewermann scheint zu meinen, er könne eine andere Kirche fordern, der die Heiligkeit, Weisheit und Liebe aus den Augen leuchtet. Das kann er nicht. Der immer und überall in ihr anwesende Geist ist ein verborgener Gott, Latens Deitas, sagt Thomas von Aquin, Deus absconditus, sagt Luther. Ein Gott, der sich zeigt, wann und wem er will. Er preist die selig, die nicht sehen und doch glauben. Sie brauchen keine strahlende Kirche, weil sie den Glanz des Heiligen auch durch rußgeschwärzte Scheiben wahrnehmen. Sie sind auch frei von der verbreiteten Neigung, den verdrängten Haß auf den quälenden Jesus Christus auf die Kirche zu verschieben. Das Schwinden der religiösen Erfahrung in unserer Zeit könnte eine Herausforderung sein, die „dunkle Nacht" eine Zumutung an alle, nicht nur eine Prüfung für Heilige und Mystiker.

Drewermann meint, die Tiefenpsychologie könne den erblindeten Augen den Star stechen. Auch das kommt wirklich vor, ich habe es in psychotherapeutischen Behandlungen dankbar miterlebt. Aber die Analyse wird immer ein Weg für nur wenige bleiben, und auch bei den Wenigen wird sie nur einem Teil die Augen für das Heilige und den Weg zu ihm öffnen; einem anderen wird sie auch noch den letzten Schimmer nehmen „Wer hat, dem wird gegeben, wer nicht hat, dem wird auch das Wenige noch genommen, das er hat."

Ein Christ ist einer, der es für entscheidend wichtig hält, Jesus Christus gut zu verstehen und sich nach ihm zu richten.

Die Generation der Katholiken, die unter der Herrschaft des Nationalsozialismus zum geistigen Leben und zum Glauben erwacht ist, empfand die Kirche in jenen Tagen als eine unvollkommene, aber im wesentlichen vertrauenswürdige Führerin beim Eingehen in das Denken, Fühlen, in die Gesinnung Jesu Christi. Ihr folgen hieß Ihn finden; sie gab dem Gutwilligen die Chance, Ihn immer besser zu verstehen, Ihm zu glauben, Ihn zu lieben.

Es wurde uns im „Dritten Reich" scheinbar leicht gemacht, uns vom Konformismus mit „der Welt" abzusetzen. Das glaubten wir zu tun, wenn wir den Nationalsozialismus noch mehr haßten und verachteten als den Kommunismus und uns gleichzeitig mit geringerem Erfolg bemühten, die Nazis und die Kommunisten zu lieben. Zur vollen Konsequenz fehlte es uns freilich an Einsicht und noch mehr an Mut.

Heute steht es anders. Die Kirche steht wie in der Reformationszeit auch bei eifrigen Katholiken im Verdacht, in wichtigen Bereichen mehr von Jesus und dem Evangelium weg- als zu ihm hinführen; insbesondere im Bereich der Liebe, der Ehe- und Sexualmoral, der politischen und sozialen Einstellung, aber eigentlich in der gesamten Gewissensbildung. Das Erschreckende in der Situation wird sichtbar im todesnahen Siechtum, in der Schwäche und Leblosigkeit des Christlichen in unseren Herzen. Es ist in vielen von uns nicht mehr als Lebendigkeit und ausstrahlende Freude gegenwärtig, sondern nur noch als mühsame Pflichterfüllung, sozusagen als bürokratische Verwaltung des Glaubens, der Hoffnung und der Liebe. Das ist es, was uns für illusionäre Gaukelspiele so anfällig macht. Der Verdurstende in der Wüste läuft jeder Fata Morgana nach. Meist ist sie auch von großer Schönheit.

So fließen breite Ströme des Mißtrauens in alle Kirchen ein. So kommt es zu der Erscheinung der Teilidentifizierung, die ja auch ihre berechtigten Seiten hat, ferner zu einem Loyalitätsverlust und zur Identitätsspaltung.

Oft sind das gesunde Reaktionen auf frühere Überidentifikationen, Überloyalitäten und falsche Identitätsbildungen, wie bei jener legendären Konvertitin, die gesagt haben soll: Ich glaube alles, was die katholische Kirche zu glauben lehrt, ob es wahr ist oder nicht.

Kurzum, wir fühlen uns nicht nur berechtigt, sondern verpflichtet, der Kirche, wie sie geht und steht, im großen Bereich ihrer Fehlbarkeit genau auf die Finger zu sehen. Denn wir sind in einem Übervertrauen in selbstverschuldeter Unmündigkeit Enttäuschte. Oft allerdings blieben bei der notwendigen Revision Ehrfurcht und Liebe auf der Strecke. Wir studieren die Fehlleistungen und Fehlentwicklungen in Kirchengeschichte und Gegenwart und versuchen in ihrer Überwindung Jesus Christus besser zu verstehen als bisher. Das Zweite Vatikanische Konzil hat uns zu alledem ermutigt.

Es ist verständlich, daß solche Selbstkritik in der Kirche von Zeit zu Zeit wie ein Vulkan explodiert. Sie wird es überleben, auch wenn die Lavamassen Landschaften und Wohnstätten verwüsten. Doch ist es nicht sinnlos, nicht nur auf das Erlöschen von Vulkanen zu vertrauen – alle Feuer brennen einmal aus –, sondern auch eine Eindämmung oder Evakuierung zu versuchen.

In den christlichen Kirchen brodelt es, als wäre der Teufel los. Langsam, aber anscheinend sicher, bluten sie aus, werden von ihren Gläubigen lautlos verlassen. Im Inneren rumort lautstarker Protest. Eine Kluft tut sich auf zwischen Papst und Hierarchie auf der einen, Priestern, Kirchenvolk und Kirchenjugend auf der anderen Seite. Die Predigtsprache erreicht oft den Hörer, die Elternbotschaft die Kinder nicht mehr. Der Religionsunterricht scheint in den Schlachten und Rückzügen der Nahkampfpädagogik zu erliegen. Der Nachwuchs der Priesterseminare und Orden bleibt aus, viele verlassen das sinkende Schiff. Die Zurückbleibenden können ihrer Treue nicht recht froh werden. Die katholische Jugend merkt es schon aus Unkenntnis gar nicht mehr, wenn sie Dogma, christliche Ethik und große Teile der Bibel Stück für Stück über Bord wirft. Der jüngere Pfarrklerus kommt im Kirchenrecht oft mit dem letzten und wichtigsten „Paragraphen" aus, der alle anderen bei Bedarf außer Kraft setzt: Salus animarum suprema lex. Das Heil der Seelen ist das höchste Gesetz. Papst und Bischöfe beobachten die Situation mit wachsender Sorge und spüren, daß weder spektakuläre Papstreisen noch verlegene Bischofssynoden oder angefochtene Enzykliken das Chaos des aufgewühlten Meeres besänftigen können – im Gegenteil. Und der Herr schläft im wirbelnden Schiff.

Die Verwirrung, die Rat- und Hilflosigkeit schreit nach Propheten – mit oder ohne Auftrag. Eine kleine Gruppe ultrakonservativer Katholiken hat ihren Propheten im Erzbischof Lefebvre gefunden. Konservative ähnlicher Gesinnung lesen ihren „Fels“ oder „Theologisches“ und finden ihr Glück in einer vorkonziliaren Festungssekte. Die Kirche duldet sie mit der unfaßlichen Langmut, die sie schon so oft ihren Ultras, den „Häresien“ (wenn ich heute das höchst tabuierte Wort ausnahmsweise gebrauchen darf) von rechts, päpstlicher als der Papst und gegen den Papst, erwiesen hat[1].

Die andere Seite, bei der die gewohnte Sprache, die Ausdrucksformen und das Gesamtverhalten der Kirche an Unverständnis stößt oder vorwiegend Mißverständnisse hervorruft, wie beim Turmbau zu Babel – diese andere Seite sucht und findet Propheten, von denen sie sich verstanden fühlt: Einer von ihnen ist Eugen Drewermann[1a]. Ich vermute, daß dessen neuer Markus-Kommentar[2] und seine älteren Schriften, wie z. B. „Psychoanalyse und Moraltheologie“, für

---

[1] Der so unbeliebte wie unersetzliche Begriff wird von Karl Rahner in seinem Aufsatz „Was ist Häresie?“ in allen Voraussetzungen und Konsequenzen dargelegt und liegt so auch meinen Überlegungen zugrunde. Der Aufsatz in: *A. Böhm* (Hrsg.), Häresien der Zeit, Freiburg i. Br. 1961. Vgl. auch das Stichwort in allen von K. Rahner herausgegebenen Lexika.

[1a] Jeder Leser wird spüren, daß mein Beitrag aus einer intensiven Ambivalenz geschrieben ist. Die Gründe sind die üblichen: der Splitter im Auge des anderen ärgert dort besonders, wo im eigenen ein Balken steckt. Dazu kommt, daß meine Generation, die in ihrer Jugend eine Flut von Verleumdungen, ungerechten Anklagen und Verachtung der Kirche auch am eigenen Leibe ertragen mußte, auf Anklänge von dergleichen heute noch empfindlich reagiert. Ich muß mir vorwerfen, daß dies zu einer Fehlleistung geführt hat. In einem Aufsatz über „Kirchliche Beratung“ habe ich einen Absatz geschrieben: „Es mag so aussehen, als seien gerade die Psychologen so durchdrungen von ihren mit Wissenschaft verwechselten Ideologien, daß sie hochmütig und arrogant jede tiefere Loyalität zur Lebenslehre der Kirche verachten. Die Grundlage ihrer Beratung ist dann weniger der Glaube der Kirche als die neue Anthropologie mit Freud oder Jung als neuen Kirchenvätern, die möglicherweise in wichtigen Punkten dem Glauben widerspricht. Daß für solches nicht nur Laien, sondern auch Priester und Theologen anfällig sind, ist bekannt. Ich verwies auf Drewermann, weil er mit ungewöhnlicher Darstellungskraft die Summe all solcher Tendenzen vor Augen bringt“ (Arbeitshilfen 51, „Kirchliche Beratungsdienste“, hrsg. vom Sekretariat der deutschen Bischofskonferenz, Bonn 1987, 7 f).
Dieser Absatz gibt eine Meinung wieder, die ich freundlicher formulieren könnte, aber in der Substanz für zutreffend halte. Die Fehlleistung besteht darin, daß im vorangehenden Text unter den Empfehlungen, die kirchlichen Beratungsstellen nachgesagt werden, auch der Rat zur Abtreibung vorkommt. In diesem Punkt nun hat gerade Drewermann eine sehr abgewogene Darstellung der Problematik gegeben, die nicht als Abtreibungsempfehlung aufgefaßt werden kann (Psychoanalyse und Moraltheologie [im folgenden mit „Psychoanalyse“ abgekürzt] I (Angst und Schuld), Mainz 1982, 40.

[2] Das Markus-Evangelium I, Bilder von Erlösung, Olten 1987.

lange Zeit die beherrschende Redequelle für moderne Kapläne, Pastoralassistenten, Religionslehrer u. a. sein wird. Drewermann kündet seine Botschaft mit einem revolutionären Fanfarenstoß an, der an Deutlichkeit und Lautstärke nichts zu wünschen übrig läßt.

Auf dem Umschlag seines Markus-Kommentars lesen wir: „Dieser tiefenpsychologische Kommentar zeigt, daß der Jesus des Markus-Evangeliums diametral dem traditionellen Jesus-Klischee und radikal dem Menschenbild und der Theologie unserer Kirchen entgegensteht."

Drewermann hält dennoch die Kirche, der er manchmal „radikal" widerspricht, für die Stiftung Jesus Christi. An ihrer Gemeinschaft will er irgendwie festhalten, obwohl er ihr die Zustimmung in verbindlichen Punkten aufkündigt, einen Teil ihrer Lehren für absurd erklärt, ihre Praxis weitgehend als verderblich für Leib und Seele der Gläubigen anklagt und ihr im ganzen eine von Anfang bestehende, ständig wachsende Abweichung vom Wege ihres Stifters vorwirft. Entfremdete Kirche.

Es wäre leicht, diesem Autor zahlreiche Selbstwidersprüche nachzuweisen. Aber wem wäre geholfen mit polemischem Triumphalismus? Drewermanns Kritik der Kirche hat bei aller Ungerechtigkeit und Ungenauigkeit in Einzelheiten so viel Gewicht, daß niemand sie leicht nehmen kann, der seiner eindringlichen Sprache aufmerksam und verstehenswillig zuhört.

Drewermann zieht den Leser durch Strudel von affektverzerrter Wirrnis. Dennoch läßt sich bei gutem Willen ein tief berührender Grundton des Schmerzes und der Klage eines in seiner Liebe zur Kirche verwundeten Mannes durchhören. Es ist oft nicht nur die nörgelnde Sprache des Ressentiments, sondern das, was die Benediktsregel die „justa murmuratio", das gerechtfertigte Murren, nennt. Sie hat nicht nur schrille, sondern auch tiefe und reine Töne. Der Schmerzensschrei des Leidenden kann kein Wohlklang sein.

Wie in der Menschheit zu allen Zeiten neues Leben geboren wird und heranwächst, so findet sich in ihr auch jederzeit Krankheit, Siechtum und Untergang, bedrohtes Leben, bedrohte Zukunft.

Ähnlich steht es im spirituellen Leben der Christenheit: Alle Zeiten sehen aufblühenden Glauben, neue Freude, frische Liebe mit allen Charismen. Jede Zeit bringt Menschen hervor, die Licht und Macht des Heiligen ausstrahlen in mitreißender Anziehungskraft, Heiterkeit und Liebenswürdigkeit. Die Gottesliebe ist wie ein Feuer in der Nacht.

Jede Epoche der Kirchengeschichte hat aber auch ihre offenen und verborgenen Krankheiten, ihr Siechtum, ihre Resignation und Depression.

Überdruß an der Kirche, Widerwille gegen die von ihr angebotene Nahrung und Weisung, Mißtrauen gegen die Wirksamkeit der überlieferten Lebens- und Heilmittel einer Christenheit, die kraftlos, leblos, lustlos wie ein Heer lebendig Toter ihres gespenstischen Weges zu ziehen scheint: So wirkt die Kirche heute auf viele. So hat sie immer auf viele gewirkt. Auch die Jünger haben Jesus schon für ein Gespenst gehalten (vgl. Mk 6,49).

Eindrücke dieser Art treten heute aus vielerlei Gründen in den Vordergrund. Die Illusion einer Zukunft, die sich im nachkonziliaren Katholizismus ausgebreitet hatte, weicht einer zunehmend enttäuschten Ernüchterung.

Da greift die Hoffnung nach jedem Namen, der neues Leben verspricht. Eugen Drewermann ist ein Hoffnungsname, der viele ermutigt und begeistert. Er weckt die Hoffnung, die vergreiste Christenheit und ihr abgestandener Glaube könne durch eine Art Frischzellentherapie, durch Zuführen von Tiefenpsychologie, revitalisiert werden. Ich muß zugeben, daß ich an diesen Träumen, zu schön um wahr zu sein, auch mitgeträumt habe. Aber wie viele Träume endeten auch diese nicht immer gut, und ich fühlte mich nach dem Erwachen weit besser als im Traum. Diese Erfahrung gibt mir den Mut, die undankbare Aufgabe der Desillusionierung als Katharsis anzuerkennen. Auch ich meine, daß tiefenpsychologische Einsichten und psychotherapeutische Erfahrungen eine Hilfe auf dem Weg zur Heilung und zum Heil[3] werden können. Aber wie bei allen Medikamenten gibt es die Gefahr der Überdosierung und der Wahl falscher, schädlicher Substanzen. Von beidem scheint mir die Rezeptur Drewermanns nicht frei zu sein.

## *Was ist Tiefenpsychologie?*

Der Begriff Tiefenpsychologie wurde von S. Freud geprägt, um die Psychoanalyse als Psychologie des Unbewußten von der „akademischen“ Bewußtseinspsychologie des ausgehenden 19. Jahrhunderts abzuheben.

[3] *A. Görres,* Heilung und Heil, in: An den Grenzen der Psychoanalyse, München 1968. Vgl. auch „Arbeitshilfen (s. Anm. 1). Der Aufsatz enthält meine Vorstellungen über die Psychotherapien als Hilfen auf dem Heilungs- und Heilsweg.

Ihre Grundthese: Aktuelles, bewußtes Erleben ist von physiologischen und psychologischen Vorgängen und Strukturen, „Mechanismen" bedingt, die der Erlebende nicht kennt. Unter den erlebten Intentionen und Motiven findet sich eine unbewußte intentional-motivische Unterwelt. So kann der Wille auf ein Ziel gerichtet sein, das ein unbewußter „Gegenwille" (Freud) ablehnt und sabotiert. Viele unbewußte Vorgänge und Strukturen verschiedener Art wurden in der klinischen und in der experimentellen Psychologie entdeckt (z. B. sogenannte psychische Mechanismen, Konditionierungen, Gestaltgesetze u. a.).

Gewisse Grundbegriffe und -thesen sind der Sache nach fester Bestand der klassischen christlichen Anthropologie, z. B. die Unterscheidung zwischen seelischer Wirklichkeit und Bewußtsein. Der Begriff der „Verdrängung" findet sich schon im Römerbrief (1, 18), „aletheian katechonton", die Wahrheit niederhalten; ihm entspricht auch der Begriff der Ignorantia affectata, der tendenziösen Unwissenheit. Die dogmatische Lehre von der Ungewißheit des Gnadenstandes und des Heils setzt voraus, daß die eigenen tiefsten existentiellen Haltungen und Entscheidungen der bewußten Reflexion nicht voll zugänglich sind. Diese und ähnliche fundamentale Sachverhalte, auf welche auch die Psychoanalyse, fast gleichzeitig die experimentelle Psychologie und schon vor ihnen die Philosophie (z. B. Pascal, die französischen Moralisten, Schopenhauer und Nietzsche) gestoßen sind, bieten unter verschiedenen Bezeichnungen „tiefenpsychologische" Einsichten an, die zum unbestrittenen Bestand der heutigen integrierenden Anthropologie gehören.

Die Christen können und sollen bei der „Tiefenpsychologie" in die Lehre gehen, wie sie das bei allen Wissenschaften und Philosophien schlecht und recht versucht haben, ohne diese freilich als unbezweifelbare Autoritäten anzunehmen. Solche gibt es weder in den empirischen Wissenschaften noch in den Philosophien. Der Dialog ist eine vernünftige Aufgabe, nicht aber die Unterwerfung. Christen sollten im Sinn behalten, daß keine empirische Wissenschaft Aussagen über jenseits der Erfahrung liegende metaphysische Gründe und Wirklichkeiten machen kann.

In die Schule der Tiefenpsychologie gehen sollte aber nicht heißen, über die wenigen elementaren, von breitem Konsens getragenen Grundeinsichten hinaus Methoden und Hypothesen der verschiedenen, teilweise sehr gegensätzlichen Tiefenpsychologien in breitem Strom über die Theologie, Seelsorge und Erziehung auszugießen. Das wäre ein Übermaß an Demut am falschen Platz, das schnell in elitäre Überheblichkeit umzuschlagen pflegt.

Folgen wir Drewermanns Thesen: Ist es also richtig, daß das Christentum sich, wie er will, „recht bescheiden bei der Tiefenpsychologie in die Schule begibt?“ [4]

Gibt es überhaupt eine Schule der Tiefenpsychologie? Tiefenpsychologie ist ein Konglomerat von Schulen mit so gegensätzlichen Hypothesen, Theorien und Praktiken, daß man nur wenige tiefenpsychologische Sätze formulieren kann, die nicht von angesehenen Forschern mit guten Gründen bestritten werden. Wir dürfen trotzdem annehmen, daß viele dieser Sätze genial oder gar wahr und weise sind; aber wir wissen oft nicht, welche. Das „Museum der Gegenbeispiele“ ist allzu groß. Drewermann zeigt das in seinem Lehrstück über „Konfrontationstechnik“ [5].

Doch zeigt er kaum Kenntnis der reichen und argumentativ starken kritischen Literatur gegenüber der Tiefenpsychologie aller Schulen, angefangen von Rudolf Allers Kritik von 1922 bis zu A. Grünbaums souveräner Arbeit, die von der Logik und Wissenschaftstheorie bis zur experimentellen Psychologie die wichtigsten Argumente der Kritik zusammenfaßt [6].

---

[4] Psychoanalyse I, 13.

[5] Psychoanalyse II (Wege und Umwege der Liebe), Mainz [3]1984. Obwohl ich alle wissenschaftlichen Bücher Drewermanns studiert habe, zitiere ich fast ausschließlich „Psychoanalyse und Moraltheologie“, weil in den drei Bänden die psychologischen Ansichten des Autors fast vollständig enthalten sind. In einem Punkt enthält „Der Krieg und das Christentum“, Regensburg 1982, eine erfreuliche Variante: die ganz unhaltbaren Verurteilungen „der Ethik“ in „Psychoanalyse und Moraltheologie“ werden dort zwar wiederholt, aber an anderen Stellen unbefangen wieder aufgehoben, ohne den Versuch, den Widerspruch aufzulösen. Auch enthält dieser Band, ebenso wie „Der tödliche Fortschritt“, Regensburg [2]1982, eine große Fülle von psychoanalytischen Einzelbemerkungen. In beiden Bänden kommt auch Freud stärker zur Geltung.
Die Syndrome und Neurosetypen sind eindrucksvoll dargestellt. Eine durchgehende übermäßige Typisierung entspricht heute nicht mehr dem Stand der Forschung, da die Zuordnung von Symptomen und Syndromen zu bestimmten Charakterbildern sich allzu oft als unhaltbar erwiesen hat. Doch kann man sie im Sinn von statistischen Trends gelten lassen. Kleinere Fehlleistungen sind leicht in weiteren Auflagen zu berichtigen: Freuds Behandlungszeit war nicht 25 Minuten, sondern über Jahrzehnte ganz in der Regel 60 Minuten pro Sitzung. Ferner: Hysterie und Depression sind doch wohl nicht unvereinbar (warum auch?). In meinen poliklinischen Erfahrungen war diese Mischstruktur sogar recht häufig. Dies immer unter der Voraussetzung, daß Hysterie und Depression im Sinne Freuds definiert werden. Das ist nicht zwingend notwendig, aber üblich und empfehlenswert.

[6] *R. Allers,* Über Psychoanalyse, Berlin 1922; *ders.,* The successful error, London 1941; *A. Grünbaum,* The foundations of psychoanalysis, Berkeley 1984; *T. Moser,* Kompaß

Drewermann mischt aus Freud, Schultz-Hencke und viel, viel Jung eine Mixtur von unbewiesenen und unbeweisbaren Plausibilitäten zusammen, die er dann als „Ergebnisse der modernen Tiefenpsychologie“ für bare Münze nimmt und gibt. Dieser Vorwurf ist keineswegs mein Sondergut. Mehr oder weniger höflich formuliert findet er sich in vielen mir bekannt gewordenen Besprechungen seiner Bücher[7]. Diese seine Tiefenpsychologie ist nicht eine Wissenschaft mit einem Kanon gesicherter Erkenntnisse und allgemein anerkannter Sätze, von denen manche eine hohe Wahrscheinlichkeit in Anspruch nehmen dürfen. Sie ist vielmehr ein Lagerhaus teils gleichsinniger, teils widersprüchlicher Hypothesen, von denen einige gute Gründe, andere plausible Vermutungen für sich haben und wieder andere nicht einmal das. Wenige der tiefenpsychologischen Hypothesen sind beweisbar, wenige widerlegbar.

Jedenfalls ist es unberechtigt, uns Tiefenpsychologen zu Sachverständigen oder gar zu Schiedsrichtern in Lebens- und Glaubensfragen machen zu wollen. Niemand sollte schön bescheiden bei der Tiefenpsychologie in die Schule gehen: sie ist eine oft geniale, aber unzuverlässige Lehrmeisterin.

Wie ist es möglich, daß Drewermann für einen Sachverhalt blind ist, der jedem in der Philosophie und Wissenschaftstheorie der Gegenwart Belesenen begegnen muß, da er doch bis zu jeder anspruchsvollen Zeitung durchdringt?

Drewermann hat anscheinend bis heute nicht die unvermeidliche Faszination der ersten Liebe überwunden, die oft zu einer Überschätzung der theoretischen Fundiertheit und der therapeutischen Wirksamkeit der Psychotherapie führt. Sie macht blind für gewisse

---

der Seele, Frankfurt [3]1984; *ders.,* Der Psychoanalytiker als sprechende Attrappe, Frankfurt 1987; *D. E. Zimmer,* Tiefenschwindel, Reinbek [2]1986; *E. Wiesenhütter,* Freud und seine Kritiker (Erträge der Forschung, Bd. 24),Darmstadt 1974.

[7] *J. Blank* in: Publik-Forum vom 8.2.1985; vgl. *ders.* in: Kairos, H. 1–2/1987, 29–44; *J. Venetz* in Orientierung 49 (1985) Nr. 18; *J. H. Schroedel,* Remythologisierung der Bibel, in: Herder-Korrespondenz 39 (1985) 275–279; *L. Wachinger* in: Stimmen d. Zeit 203 (1985) H. 11; *ders.* ebd. 205 (1987) H. 10; *W. Groß* in: Theolog. Quartalschr. (Tübingen) 166 (1986) 224ff; *H.-J. Lauter* in: Pastoralblatt für die Diözesen Aachen... 37 (1985) H. 2; *ders.* ebd. 39 (1987) H. 2, 40 (1988) H. 2; *H. J. Müller* ebd. 39 (1987) H. 6; *H. Wahl* in: Theol. Literatur-Zeitung 112 (1987) 923–927; *N. Copray* in: Publik-Forum vom 28.8.1987; *W. Kasper* in: Theolog. Quartalschr. (Tübingen) 167 (1987) 309–312; *H. Stenger,* Die Wiederentdeckung der Bilder, in: Theologie d. Gegenwart 30 (1987) 232–241; *G. Mack,* Die Bibel, die Wahrheit und die Theologen, in: Die Zeit Nr. 53 vom 25.12.1987; *A. A. Bucher,* Tiefenpsychologie und Exegese?, in: Herder-Korrespondenz 42 (1988) 114–118.

Mängel und Grenzen der Tiefenpsychologie und nimmt auch die triftigste Kritik nicht ernsthaft zur Kenntnis[8].

Der gewichtigste Vorwurf nennt den Mangel an Kriterien, im Bereich der tiefenpsychologischen Deutungen wahr und falsch zu unterscheiden. Es gibt mehr oder weniger plausible, es gibt Deutungen, die von Patienten angenommen oder abgelehnt werden. Es gibt solche, die Änderungen zum Besseren oder zum Schlechteren mit sich zu bringen scheinen. Nur eines gibt es in unserem Fach nicht: Wahrheitskriterien. Denn wir finden hier nicht einmal das schlechteste aller in der Wissenschaftsgeschichte angebotenen, den Konsens der Fachgelehrten, weil wir in der Tiefenpsychologie allenfalls einen Konsens in Schulen und Zirkeln finden, der zudem von Machtausübung der Fachgesellschaften und Institute mitbestimmt ist. Freud, Jung, Adler, Melanie Klein, Schultz-Hencke, Kohut, T. Moser – wer zählt die Völker, nennt die Namen, kennt die Kontroversen?[9]

Hier mag der Hinweis genügen, daß jeder beliebige Traum, jedes Symptom, jede Krankengeschichte bei bescheidenen Ansprüchen mit jedem Deutungsinstrument nach Freud, Jung, Adler oder daseinsanalytisch nach L. Binswanger oder M. Boss oder auch ganz anders mit den sogenannten Lerntheorien der Verhaltenstherapie[10] einigermaßen plausibel gedeutet werden kann. Die Hieroglyphen wurden lange vor ihrer zutreffenden Entzifferung durch Champollion schon von Athanasius Kircher gelesen – plausibel, aber falsch! Immerhin, der Irrtum war bei Hieroglyphen nachweisbar, bei der Traumdeutung ist er es nie.

---

8 Möglicherweise handelt es sich um eine arbeitsdienliche Abwehr wissenschaftstheoretischer Bedenklichkeiten, die er mit vielen Psychoanalytikern teilt. Mindestens der Anfänger kann sich die skeptische Skrupulanz des von kritischer Wissenschaftstheorie Bedrängten gar nicht leisten, weil sie die Unbefangenheit, das Selbstvertrauen und sogar die Intuitionen stören, die der Praktiker bei seiner Arbeit braucht. Psychotherapeuten sind, so hoffen wir, Intuitive. Intuitive Hochbegabung ist aber selten ohne einen gewissen Unfehlbarkeitskomplex in bezug auf diese eigenen Intuitionen gegeben, denen allzu gern das Prädikat der Evidenz vorschnell gegeben wird. Unter uns gibt es daher die beiden Typen – der „Gucker“ und der „Mucker“, der mehr intuitiven und der mehr kritischen.

9 Zur Deutung einer Krankengeschichte und eines Hypnoseexperiments schreibt Freud (GW XI, 286f): „Einen solchen Sachverhalt haben wir im Auge, wenn wir von der Existenz unbewußter seelischer Vorgänge reden. Wir dürften alle Welt herausfordern, von diesem Sachverhalt auf eine korrekte wissenschaftliche Art Rechenschaft zu geben und wollen dann gern auf die Annahme unbewußter seelischer Vorgänge verzichten.“ Dieses Generalargument trifft heute nur noch bei wenigen psychoanalytischen Sätzen zu.

10 *Ch. Kraiker,* Psychoanalyse. Behaviorismus, Handlungstheorie. Theoriekonflikte in der Psychologie, München 1980. Dort auch reiche Literatur zur Lerntheorie.

We agree to disagree – die berühmte Toleranzformel der englischen Analytiker – ist wohl einer der wenigen gemeinsamen Nenner, auf den ein Weltkonzil aller Tiefenpsychologen sich einigen könnte.

Auch sollte niemand Drewermann vorwerfen, er habe die neueste Entwicklung der Psychoanalyse nicht berücksichtigt. Denn schon die lesenswerte Literatur ist unübersehbar. Drewermann tut, was wir alle tun: Er nimmt, was er für seine Arbeit brauchen kann, und verläßt sich darauf, daß jede Kochkunst ihre Liebhaber findet. Auch extremer Eklektizismus ist eine Geschmacksfrage.

In der Psychotherapie ist das berechtigt, weil es gar nicht anders geht. Die Wirkung einer Psychotherapie steht und fällt nicht mit der Wahrheit ihrer Traum- oder Symboldeutungen und Theorien.

Es läßt sich, scheint mir, nicht ausschließen, daß die Methoden der Traum-, Symbol- oder Symptomdeutung eine Sammlung jener Operationen enthalten, mit denen man jedes beliebige Zufalls- und Unsinnsgebilde in einen sinnvoll erscheinenden Text verwandeln kann. Daß es so ein Instrumentarium gibt, habe ich in der Ausbildung und Tätigkeit als Dechiffrierer von verschlüsselten Funktexten erfahren. Gar nicht so selten ergaben unsere Decodierungen in sich sinnvolle, aber falsche Texte, wenn wir Fehler beim sendenden wie beim empfangenden Funker unterstellten. Solche gab es natürlich. Damit ist natürlich auch nicht ausgeschlossen, daß viele Träume usw. von sich aus nicht nur Sinnelemente enthalten (das ist immer der Fall – ganz Sinnloses kann man nicht träumen), sondern auch Sinnzusammenhänge, Aussagen, Botschaften und dergleichen. Nur gibt es keine wissenschaftliche, d.h. hier verfizierbare oder falsifizierbare, Möglichkeit der Deutung, wie es solche z.B. bei der Entzifferung von unbekannten Schriften und Codes sehr wohl gibt. Wenn Karl Popper sagt, Naturwissenschaft sei begründetes Raten, dann gilt dies von aller Tiefenpsychologie noch viel mehr, leider oft auch ohne das Adjektiv[11].

---

[11] Bei Christen gibt es nicht selten einen wissenschaftsfeindlichen Affekt, der sich manchmal nicht nur gegen den rationalistischen Mißbrauch richtet und gelegentlich als Beifall von der falschen Seite Drewermann zu Hilfe eilt. Allerdings gehört zu Drewermanns Faszinationskraft auch gerade das Antilogische. Es gibt eine Anziehungskraft des Widersprüchlichen und des Unsinns.
Wir sind „Irrationalisten", insofern wir glauben, daß es Dinge gibt, die unser Verstand nicht begreifen kann. Wir sind es, weil wir glauben, daß die Gedanken und Absichten Gottes unserer Erfahrung unzugänglich sind. Wir können noch nicht einmal sicher wissen, was unser Nachbar denkt und fühlt, wir können es nur vermuten oder ihm glauben. Wir sind Irrationalisten, weil unser Fühlen und Intuieren oft weiter reicht als

Mein Einwand gegen die „Tiefenpsychologie" Drewermanns richtet sich nicht nur gegen seinen Mangel an kritischem Sinn. Er richtet sich auch gegen seine ständige Vermengung von Traum, Symbol, Archetypus auf der einen, Realität auf der anderen Seite. Wenn einer träumt, sein Vater habe ihn enterbt, dann kann der Analytiker viele sinnvolle Interpretationen daran knüpfen. Nur eines kann er dem Traum nicht entnehmen, ob nämlich eine Enterbung wirklich stattgefunden hat. Liegt aber ein Testament dieses Inhaltes tatsächlich vor, dann kann der Psychologe umgekehrt nicht tröstend einwenden, es sei kein reales Testament mit Rechtskraft vorhanden, weil ja der Enterbungstypus in Sage, Dichtung und Geschichte häufig vorkomme und also auch in diesem Falle angenommen werden dürfe. Dieses schlichte Argument, Träumen sei zwar ohne Zweifel eine Realität, nämlich ein seelischer Vorgang, aber diese seelische Realität verbürge niemals außerseelische Sachverhalte, Tatsachen, verläßliche Erwartungen, wird in den Arbeiten dieses Buches als Kritik gegen Drewermann gerichtet. Umgekehrt: Das Vorhandensein von vielen Königsmärchen mit archetypischen Inhalten schließt niemals aus, daß es wirkliche Könige mit zwar typischen, aber realen Königstaten gegeben hat und gibt.

Natürlich weiß Drewermann das auch. Aber diese Trivialität scheint nicht nur von Exegeten, die er heftig kritisiert, sondern von ihm selbst gelegentlich vergessen zu werden. Nicht selten deutet Drewermann aus dem religionsgeschichtlichen Vorkommen von Erzählungen, Sagen und Geschichten an, daß durch sie historische Wirklichkeit biblischer Berichte entwertet werde. Aber auch eine solche Beobachtung der Motivwiederholung beweist nichts. Die Geschichte besteht nicht nur aus einzigartigen Ereignissen.

Schwerer wiegt ein anderer Einwand: Drewermann kennt die Kritik und Selbstkritik der Tiefenpsychologie kaum. Vor allem aber steht ihm, soweit überhaupt, nur eine oberflächliche Kenntnis aller

---

unser Denken. – Wir sind „Rationalisten", insofern wir meinen, daß wir ohne Verstand und Vernunft nicht gut und christlich leben können; auch nicht ohne kritische Vernunft, auch nicht ohne Denken, das schlußfolgernd vom unmittelbar sinnlich und geistig Gegebenen und Erfahrbaren zum nicht Gegebenen und nicht Erfahrbaren vordringen kann. Dies ist das Wesen aller Wissenschaft, die Theologie ist nicht ausgenommen. Der Mensch bleibt an Logik, an Rationalität transzendental gebunden, auch wenn er sich dieser befreienden Fessel ab und an entledigen möchte.
Jesus Christus war mehr als ein Denker, der sich der Logik bediente. Aber er war auch ein Denker. Logik, Argumentation wird bei ihm in den Auseinandersetzungen mit seinen Gegnern als Instrument, ja als Waffe benutzt und keineswegs verachtet.

anderen Bereiche, vor allem der Grundlagenfächer der Psychologie zur Verfügung: Der allgemeinen und experimentellen, der lerntheoretischen und der Sozialpsychologie, der Entwicklungspsychologie, der Genetik und der Physiologie[12].

Er benutzt die Grundbegriffe C. G. Jungs, als handle es sich um wissenschaftlich anerkannte und bewährte Begriffe, obwohl deren „ontologischer Wert", ihre Validität, d.h. der Nachweis, daß ihnen eine psychische Wirklichkeit entspricht, niemals geklärt wurde. Er vergißt, daß die Geschichte der Wissenschaft viele Begriffe gebildet hat, denen keine Realität entspricht, z.B. Phlogiston, Miasma, Himmelssphäre, usw. usw. Er spricht, als ob es keine wissenschaftstheoretischen Kriterien der Begriffs- und Theoriebildung in der Psychologie gäbe.

Der Begriff des Archetypus ist in seiner therapeutischen Brauchbarkeit einigermaßen gerechtfertigt. Mit seiner Hilfe können psychische Veränderungen in Gang gesetzt werden. Das gilt aber auch für astrologische, magische und esoterische Begriffe jeglichen Aberglaubens. Ferner scheint mir der Archetypbegriff als Ausgangspunkt wissenschaftlicher Untersuchungen geeignet. Es gibt auch solche, die versuchen, aus den vorhandenen Befunden, z.B. der überraschenden Übereinstimmung psychotischer Halluzinationen von Europäern mit Mythen von Eskimos und Indianern, vorsichtige Schlüsse zu ziehen, indem sie z. B. modo Aristotelico statt eingeborener Archetypen einen angeborenen Sinn für symbolisches Verständnis von Welterfahrungen anerkennen.

Manche Ergebnisse allerdings sind so vieldeutig und widersprüchlich, daß sie als solider Baugrund für theologische Arbeit aller Art kaum geeigneter sind als der Versuch, moderne Physik, Biologie und Medizin auf den Lehren von Demokrit, Aristoteles und Hippokrates zu begründen. Auf dem von Jung erkundeten psychologischen Terrain findet man viel Platz für schnell aufgeschlagene Zelte einer psychotherapeutischen Wanderung und viel Anlaß, nach festem Untergrund und nach Quellen zu graben. Aber Solides, Dauerhaftes, Verläßliches hat sich, abgesehen von vieldeutigen Materialien z.B. der Alchemie, bisher kaum mehr gefunden als im Bereich der Parapsychologie. Die Psychologie Jungs ist eine in vielen Einzelheiten geistreiche und plausible Lehre, Glaubensartikel für Jungianer und ihre Patienten. Das genügt, wenn sie mit menschli-

---

[12] Vgl. Anm. 6 u. 7.

chen Qualitäten und psychotherapeutischer Begabung zusammentrifft, für gute und sehr gute Psychotherapie. Wir dürfen Drewermann glauben, daß er mit ihren Mitteln für sich selbst und für manche Patienten Hilfe gefunden hat. Die Theologie als Ganzes sollte sich aber nicht unkritisch auf so unstabile Fundamente einlassen; wenn sie an ihren eigenen freilich verzweifelt, wird sie es mit Jung, mit Schamanismus oder Esoterik versuchen. Die Archetypenlehre ist einer von mehreren Erklärungsversuchen der Befunde, weder der einzige noch der anerkannteste[13]. Drewermann hat hier bei seinen Fachgenossen und vielen Lesern oft zu leichtes Spiel, weil er vorwiegend von Theologen und interessierten Laien gelesen wird, die Psychoanalyse oft mit Psychologie schlechthin gleichsetzen und von Problemen, Methoden und Ergebnissen der psychologischen Gesamtforschung nur unzureichende Kenntnisse haben. Ihnen können natürlich die Lücken bei Drewermann nicht auffallen, noch nicht einmal die Lücken seiner Jung-Kenntnis. So übernimmt er, wie es scheint, z. B. die höchst fragwürdige Lehre von der Vererbung erworbener Eigenschaften als Grundlage der Bildung von Archetypen, als gäbe es keine gewichtigen biologischen Gegengründe, denen der ältere Jung sich durchaus geöffnet hat. Die Lücken und Fehler in Einzelheiten nachzuweisen würde den hier verfügbaren Raum sprengen. Ich muß mich mit der Angabe leicht zugänglicher Literatur begnügen[14].

---

[13] Meine Kenntnis der Psychoanalyse kann man an meinen Publikationen prüfen: „Methode und Erfahrungen der Psychoanalyse", München [2]1958, TB München [3]1973; „An den Grenzen der Psychoanalyse", München 1968; „Pathologie des katholischen Christentums", in: *F. X. Arnold / K. Rahner* u. a., Handbuch der Pastoraltheologie II/1, Freiburg i. Br. [2]1971, 277–343. „Psychoanalyse und Verhaltenstherapie" im gleichnamigen TB, hrsg. v. C. H. Bachmann, Frankfurt/Main 1973; „Kennt die Psychologie den Menschen?", TB München [2]1987: *A. Görres / K. Rahner,* Das Böse. Wege zu seiner Bewältigung in Psychotherapie und Christentum, Freiburg [4]1987; vgl. *A. Görres,* Ein existentielles Experiment. Die Exerzitien des Ignatius von Loyola, in: Interpretation der Welt, Festschrift R. Guardini, Würzburg 1965; *A. Görres,* Spiritualität des Arztes, in: Wege zum Menschen. Monatsschr. für Arzt u. Seelsorger, 35 (1983) 351 ff.
Die „Komplexe Psychologie" C. G. Jungs habe ich in einer Lehranalyse bei einer Analytikerin der Jung-Schule und in den von ihr mit Gustav Heyer und Wilhelm Bitter geleiteten mehrjährigen Seminaren sowie aus der Literatur kennengelernt. Mit dieser Methode habe ich als Therapeut gearbeitet, bis mir das Instrument nicht mehr als das für meine Patienten und mich geeignetste erschien. Der Vermutung, hier benutze ein Freudianer die Gelegenheit, eine Parteifehde auszutragen, darf ich widersprechen, obgleich mir die Methode Freuds besser in der Hand liegt. Ob sie weltweit therapeutisch erfolgreicher ist, wurde m. W. noch nicht geprüft.

[14] *C. G. Jung,* Ges. Werke, Bd. 9/1, Zürich 1958 ff. *M. Buber,* Gottesfinsternis, Zürich 1953; *R. Hostie,* C. G. Jung und die Religion, Freiburg 1957; *V. White,* Gott und das

In diesem Band kommen einige Theologen, Philosophen und Historiker zu Worte, die Drewermanns Werk für einen beachtenswerten Beitrag zum besseren Verständnis des Christlichen halten. Gleichzeitig sehen sie in diesem Werk nicht nur relativ harmlose wissenschaftliche Schönheitsfehler, sondern Irrtümer, die Herz und Verstand verderben. Das ist der Vorwurf, der unüberhörbar ausgesprochen wird.

Die Ankläger schreiben aus der schwächeren Position. „Die Stimme des Intellekts ist leise", sagt Freud. Sie scheint kraftlos gegenüber der Sprachgewalt des Rhetors, der von von seiner Sache so treuherzig überzeugt ist – ein genialischer Mann, dem nur eine Gabe oft zu fehlen scheint: Selbstkritik. Kraftlos ist die Stimme auch gegenüber jenen Lesern, die mehr begeisternde als begründete Erkenntnis suchen.

---

Unbewußte, Zürich 1957; *A. A. Bucher,* Tiefenpsychologie und Exegese (s. Anm. 7). In diesem Aufsatz wird Drewermanns Definition der archetypischen Bilder aus psychologisch-methodischen Gründen als unbrauchbar und unwissenschaftlich abgelehnt; ebenso der allerdings auch mir abenteuerlich erscheinende Satz: „Gerade in der Auslegung archetypischer Symbole ... besteht die allergeringste Erlaubnis und Möglichkeit zur Willkür"(Drewermanns Tiefenpsychologie und Exegese I, 225). Ein Blick in ein Lexikon der Symbolkunde und jede ausführliche Jung-Lektüre zeigt das genaue Gegenteil: die immense Vieldeutigkeit archetypischer Bilder, die Drewermann auch wieder nicht bestreitet. Aber wie kann er dann einen solchen Satz formulieren? Drewermann hält viel von der Heilung und Heil bringenden Kraft der Archetypen. Extra archetypum nulla salus. Er vergißt freilich auch nicht das Gegenteil, ihre Gefahren für Heilung und Heil (Strukturen des Bösen II, 417ff). Aber wie der Ausschluß von Willkür der Auslegung möglich sein sollte, bleibt ungeklärt. Faktisch führen die Archetypen oft dahin, wohin der Psychotherapeut sie bewußt oder unbewußt seiner Weltanschauung gemäß führen lassen will, oder, bei trotzköpfigen Patienten, in die entgegengesetzte Richtung: zum Pantheismus, zu Buddha, zu Christus oder zu den Göttern Indiens; zum Selbst, ins Reich der Mütter oder zum Tantra-Yoga; meist natürlich zu den Konventionen der Jung-Schule und auf diesem Weg auch zu einer Milderung, manchmal auch zu einer Verstärkung der Neurose.

Als Gutachter bei Hunderten von Psychotherapieverfahren habe ich einen gewissen Einblick in die Verhältnisse.

*A. A. Bucher* fragt in seiner durch gründliche Kenntnis der Möglichkeiten und Grenzen psychologischer Methodik ausgezeichneten Rezension: „Hat der Psychoanalytiker Hacker (Psyche 11/1958, S. 642f) nicht doch recht, wenn er die Archetypen als »absichtlich mysteriös gehaltene Oberflächlichkeiten« kritisiert?" Jedem Theologen und Psychologen, der in Versuchung ist, in gläubigem Begriffsrealismus jeden Begriff schon als Verbürgung einer Realität hinzunehmen, sei das Studium der theologischen Erkenntnislehre von W. Pannenberg empfohlen. Leider sind die in den USA schon klassischen Arbeiten von B. Lonergan, „Insight", London [3]1961, und seine Wissenschaftstheorie der Theologie „Method in Theology", London 1971, nicht ins Deutsche übersetzt und darum unbeachtet geblieben. Lonergan ist m. W. der einzige Philosoph, über dessen Werk schon zu seinen Lebzeiten ein Weltkongreß abgehalten wurde (Washington, D. C., 1969).

Während meine Generation der zwischen beiden Weltkriegen Geborenen noch einigermaßen abgeschirmt in der scheinbar heilen Welt des vorkonziliaren Festungskatholizismus aufwuchs, dessen Bastionen durch die Angriffe der nationalsozialistischen Weltanschauung nur gestärkt wurden, einer heilen Welt, in der man auf jeden Topf von Einwänden gegen „den Glauben" einen festen apologetischen Deckel fand, der alle Einwände „klipp und klar" zunichte machte, sind heute viele Bastionen geschleift.

„Klipp und klar" war der Titel eines apologetischen Lexikons, das in wenigen Sätzen alle denkbaren und manche undenkbaren Glaubensschwierigkeiten beseitigte, unbeirrt Gottesbeweise vortrug und ebenso schlagend bewies, daß die katholische Kirche die einzig authentische, wahre, heilige und unfehlbare Trägerin der Offenbarung des ewigen Gottes mit Alleinvertretungsanspruch sei. Dieser katholische Triumphalismus, der viele zu Teilhabern der Unfehlbarkeit, zu unerträglichen Rechthabern und zelotischen Pfäfflein machte, wurde, erst hundert Jahre nach seinem Tod im Ersten Vatikanischen Konzil (1871), im Zweiten Vatikanischen Konzil in den sechziger Jahren unseres Jahrhunderts feierlich begraben. Denn erst spät wurde die befreiende Sprengkraft wirksam, die darin besteht, daß die Unfehlbarkeitsdefinition des Ersten Vatikanums als seine logische Kehrseite deutlich machte, wie viele fehlbare, möglicherweise irrige Lehren die Glaubenstradition und die Theologie enthielt. Die Kirche hat die Gabe der Unfehlbarkeit nur in den Fällen, in denen sie sozusagen unter Eid dafür bürgt, daß gewisse Glaubensinhalte semper et ubique, in allen Zeiten und überall in der Welt nach Christus, Inhalt des gemeinsamen Glaubens gewesen sind, ausdrücklich oder implizit. Die Unterscheidung „authentischer" von „unfehlbaren" Sätzen darf ich hier als Nicht-Fachmann ausklammern.

Glaubenssätze dieser „eidesstattlichen" Art, „irreformable" nennen sie die Theologen, gibt es nicht allzu viele. All das viele und manchmal viel zu viele, das Theologen, Bischöfe, Päpste im Lauf der Jahrhunderte formuliert haben und das wir braven Vorkonziliaren für bare Münze des Heiligen Geistes hielten – „Roma locuta, causa finita" hieß der unheilvolle Spruch; alles also, das nicht mit dem Markenzeichen des semper et ubique, des unfehlbar Christlichen, ausgezeichnet war, konnte nun nach dem logischen Grundsatz „was nicht un-fehlbar ist, ist fehlbar“, aus gegebenen Gründen in Frage gestellt werden, auch wenn es in päpstlichen Bullen und Enzykliken geschrieben stand.

Es war selbstverständlich, daß Theologen und theologische Laien nach der Schleifung falscher Bastionen sich manchmal etwas übermütig auf dem Felde der neuen Freiheit tummelten und auch Essentials benagten oder dem alten Wahren der Überlieferung theologische Neukonstruktionen anfügten. Dies letzte durften sie, denn es war von Paulus über die Kirchenväter und die Scholastik guter alter Brauch.

### *Glaubenserneuerung durch Tiefenpsychologie und Mythologie?*

Dennoch ist der Versuch Drewermanns, den Glauben durch tiefenpsychologische, mythologische und religionsgeschichtliche Stoffe besser zu verstehen und dem Zeitgenossen breiteren Zugang gleichzeitig zum Evangelium und zu seinen eigenen seelischen Tiefenschichten zu geben; sein Versuch, das alte, glanzlos gewordene Christentum wieder leuchtend, anziehend und lebbar zu machen, für viele Christen ein hilfreicher Versuch.

Aus eigener Erfahrung beurteilen kann ich dies nur insofern, als ich Patienten kenne, die durch archetypische Inhalte eigener Träume, durch Bilder aus dem Unbewußten und durch fremde Gestaltungen solcher Art, Märchen, Mythen usw., Entwicklungsanstöße, korrigierende Erfahrungen, Problemlösungen, Gefühlsvertiefung, Klärung von Beziehungen, Lösung von Fehlhaltungen, Förderung, Hilfe und Heilung finden. Die psychologischen Erklärungen, die in verschiedenen Heilungstheorien besonders aus der Schule Jungs und Neumanns entwickelt wurden, haben nur eine kleine Minderheit der Psychotherapeuten der Welt überzeugt. Ich vermute, daß solche Entwicklungen und Heilungen stark mit den suggestiven Führungsgaben des Helfers zusammenhängen, mit seinem Charisma und vielen anderen Faktoren. Niemand weiß so recht, was eigentlich passiert und warum es geschieht. Darum leuchtet mir nicht immer ein, wie auf diese Weise das erreicht wird, was Drewermann will, nämlich „Urängste überwinden und Urvertrauen wiederherstellen“.

Aber ich weiß, daß über eine in langer Zeit aufgebaute Vertrauensbeziehung zu einem gütigen, vertrauenswürdigen, vielleicht weisen Menschen Schritte getan werden können, welche entstörtes

Vertrauen auch im Raum des Glaubens ermöglichen. So ist es nicht nur in der Einzeltherapie, sondern auch in Gruppen möglich, auf diese Weise gestörte oder zerstörte Grundformen personaler Beziehung, die Vertrauen, Glauben, Hoffen, Lieben ja doch sind, so anzufachen wie einen glimmenden Docht. So könnte sich auch das wiederherstellen, was Goethe den „sakramentalischen Sinn“ nennt.

### *Überschätzte Möglichkeiten*

Drewermann macht auf solche Möglichkeiten aufmerksam, und das ist gut. Ich fürchte nur, er überschätzt sie, und er unterschätzt die schlichten, hergebrachten Hausmittel, welche die Kirche und die Kirchen zu allen Zeiten angeboten haben, die heute etwas verächtlich behandelte „Übungsfrömmigkeit“ und ihre überlieferten Instrumente, die vielen Wege der „geistlichen Übungen“, in denen Glaube, Hoffnung und Liebe wachsen sollen. Ich meine das, was Luther als Grundelemente des Christentums nennt: Oratio, meditatio und temptatio. Wir wissen, daß die katholische Kiche noch einige andere kennt, aber der Lutherschen Trias stimmt sie zu. Ohne sie würden auch die Sakramente der Erwachsenen kein Heil wirken.

### *Eine Hoffnung für viele*

Eugen Drewermann ist eine Hoffnung für viele. Romano Guardini hat in den zwanziger Jahren von einem „Erwachen der Kirche in den Seelen“ gesprochen. Obwohl dieses Wort immer wahr ist, weil dieses Erwachen sich tagtäglich vollzieht, scheinen wir heute eher ein langsames Absterben, ein Dahinsiechen der Kirche in den Seelen mitzuerleben. Der überlieferte Glaube der Christenheit scheint in diesen Seelen zu schwinden.

Unter denen, die noch getauft wurden, kenne ich aus der psychotherapeutischen Praxis und aus der Erfahrung des Hochschullehrers und Mitmenschen verschiedene Gruppen.

Die erste und kleinste ist die der unangefochten Glaubenden, deren religiöse Welt eine heile Welt ist. Glaube, Hoffnung und Liebe sind ungebrochen, die Beziehung zur Kirche ist unproblematisch und liebevoll. Ein Teil dieser Menschen ist freilich in einer naiven religiösen Infantilität steckengeblieben. Aber ich fand auch einige, bei denen die unangefochtene Glaubensgewißheit nicht die orthopädische Schiene ist, mit der ein gebrochener Knochen gehalten wurde, sondern ein unserer Psychologie sich entziehendes, lebenskräftiges Gebilde, wurzelnd in einer alltäglichen, unbeschreiblichen, aber auf unfaßliche Weise „mystischen" Erfahrung gewöhnlicher Menschen. Diese Glaubensweise mit ihrem verborgenen, mystischen Kern findet sich ebenso bei geistig Behinderten, die man früher Schwachsinnige nannte, bis zu den höchsten Gipfeln genialer Geisteskraft; aber auch bei Leuten, die durch alle Abgründe der Skepsis, des Relativismus und des Nihilismus gegangen sind, wie etwa C. S. Lewis, Ludwig Wittgenstein oder Edmund Husserl und seine Schülerin Edith Stein, zweifelnd, denkend und glaubend.

Die zweite Gruppe der Getauften, also aus irgendwie christlichem Seelenland Kommenden, sind die, an denen das Taufwasser ganz abgelaufen ist. Für sie ist das Christliche eine weit entfernte historische Reminiszenz, Nebelfetzen, von denen nur wenige ethische Binsenweisheiten übriggeblieben sind. Nichts hat je den Verdacht in ihnen erweckt, Jesus Christus und seine Freunde könnten eines aufmerksamen Blickes würdig sein. Sie versuchen ihr Glück auf handgreifliche Weise mit den Bordmitteln des Irdischen zu machen; seelische, sinnliche und geistige Genüsse; Erfolg, Geld, Macht oder eine des Einsatzes würdig erscheinende Sache oder Person lassen ihnen ihr Leben lebenswert erscheinen – right or wrong.

Der Psychotherapeut hat mit solchen Menschen, solange ihr Konzept recht und schlecht funktioniert, wenig Erfahrung. Psychoanalyse ist die Philosophie der angeschlagenen Existenz. Er sieht diese Menschen erst, wenn ihr Konzept durch Krankheit, Mißerfolg, Enttäuschung gescheitert ist oder auf kaum überwindliche Hindernisse stößt.

Bei jungen Menschen scheitert es heute oft sehr früh und zerfällt ins Nichts durch die Aussichtslosigkeit ihrer Sinnfindung, ihres Berufsweges, mehr noch durch die depressive Resignation, Glück in und durch Liebe zu finden. Sie ist nicht nur, aber sehr oft durch das wiederholte Mißglücken zu früher, zu vieler und zu flacher erotisch-sexueller Erwartungen und Enttäuschungen vorprogrammiert.

Viele, aber nicht alle können die depressive Erfahrung der Nichtigkeit und der Leere, das Schweben im Nichts, die Gefühlsverödung und Austrocknung, die Einsamkeit und ihren gegenstandslosen Urschmerz durch ein „Mir gefällt die Welt"-Programm schnell wechselnden Sensationskonsums oder durch eine „Kreativität" übertönen, viele können „arbeiten und nicht verzweifeln", viele leben als Mönche und Nonnen des Nichts in ihren einsamen Eremitagen oder Wohngemeinschaften. Das kann auch winterliche Vorbereitung guter Erfahrungen sein.

Drewermann ist für keine dieser drei Gruppen wichtig.

Die auf ihn hoffen, sind jene Christen, denen „das Christliche", oder „das Religiöse", was und wie immer es sei, als Antwort auf die Sinnfrage erscheint, wenn es denn überhaupt eine solche geben sollte. Für viele ist ja das Dasein nichts als ein irrer Witz, vom Zufall zustande gebracht.

Wie immer: Die Antwort, wie sie in der Sprache und Lehre der Kirchen überliefert wurde, scheint ihnen nur in einzelnen Stücken oder Personen annehmbar, nicht aber als ganzes eines angeblich verbindlichen Glaubensbekenntnisses einer kirchlichen Konfession mit ihren Dogmen. Ohne sie freilich kann es keine Konfession geben, mit ihnen aber, so scheint es, ist keine Konfession erträglich. Nur ein Auswahlchristentum ist für diese vielen einzelnen denkbar. Ihr Glaube ist die Summe des ihnen Einleuchtenden. Private judgement nannte dies Newman und hielt es für den Rost, der die Christenheit zerfrißt. Tolstoi schildert diesen Typus in einem Satz: „Karenin sah nichts Unmögliches und Absurdes in dem Gedanken, ... daß, da er den vollkommenen Glauben besaß, dessen Maß er im übrigen selbst bestimmte, auch für die Sünde kein Raum sei."[15]

## *Die Unglaublichkeit des Ganzen*

Unter vielen Christen hat sich der Eindruck durchgesetzt, die christliche Lehre als ganze sei nicht glaubbar, sie sei von ständig wachsenden inneren und äußeren Widersprüchen zerfetzt. Die christliche Ethik sei nicht lebbar, sie führe nur in unerträgliche Konflikte und Hemmungen der Lebenskraft.

Der Versuch, mit dem Ganzen der Bibel und dem Ganzen der kirchlichen Lehre zu leben, scheint gescheitert.

Auf der anderen Seite wollen viele an einleuchtenden Weisungen der Religion, auch des Evangeliums, festhalten. Sie glauben dem Christus immer noch, er habe „Worte des ewigen Lebens". So suchen sie in den Schriften nach dem, was sie trifft und ihnen etwas

[15] Psychoanalyse III, 134.

gibt; sie lassen weg, was sie belastet und stört. Sie wollen an der Größe der Religion teilhaben, ohne ihre ganze Last zu tragen.

Auf diese Weise wird aber das Evangelium auf die Dauer leer, schal und langweilig. Es fordert nicht mehr heraus – und ohne Herausforderung kein Wachstum. Das Evangelium gibt uns Selbsterkenntnis, weil es uns Widerstand leistet. Verändern wir es nach unseren Bedürfnissen, auswählend, weglassend und umdeutend im private judgement, haben wir Jesus Christus verleugnet und verlassen. Wir glauben uns, nicht Ihm. Die unsichtbare Kirche der solcherart Auswählenden – Dieu à la carte – ist wohl die größte und mächtigste aller Weltkirchen.

### *Der Staub der Gewohnheit*

Dazu kommt, daß Seine Worte durch jahrhundertelangen Gebrauch und Mißbrauch abgegriffen sind wie alte, wertlos gewordene Münzen. Menschen unserer Zeit haben oft eine allergische Überempfindlichkeit gegen die biblische, religiöse und theologische Sprache, die auch auf deren reichlichen Mißbrauch zurückgeht. Aber Allergien sind Krankheiten, und das wollen viele nicht wahrhaben. Der Satz „Ich bin voll von Vorurteilen, aber willig zu lernen", fällt uns schwer. Das ist eine Situation, aus der es nur zwei Auswege gibt: Neuprägung ohne Veränderung der Grundgestalt durch betende Meditation, aufmerksam hinhörendes Nachdenken, Tuchfühlung mit anderen, durch zähes, geduldiges Gebet und Zuführung der asketischen Spurenelemente von Verzicht, Opfer, Ergebung in das jeweils Zugemessene an Armut, Gehorsam, das jedem Christen zugemutet wird. Die entschlossene Flucht, die Entschiedenheit, allem „Unzumutbaren" aus dem Wege zu gehen, zerstört jedes Christsein. Das Bestehen auf der übersensiblen, allergischen Reaktion macht den Kontakt unmöglich.

Am ärgsten war für viele Seelsorger die Erfahrung, daß Gottes Angebot aus ihren Händen und aus ihrem Munde nur noch wenige und diese so wenig interessierte, als sprächen sie, die Verkünder, in einer ganz unverständlichen, zudem abstoßenden Fremdsprache. Eines Tages kam der Augenblick, daß verbindliche Sätze ihres Glaubens ihnen entweder nichtssagend oder einfach unglaublich erschienen. Nicht selten, weil diese Sätze nicht mehr an den Mann, an die

Frau gebracht werden konnten. Der allgemeine Widerstand ließ sie erlahmen.

Für den berufenen Verkünder dieses Glaubens liegt es nahe, nur noch das anzubieten, was Aussicht hat, angenommen zu werden, hingegen alles „Unverkäufliche“ laut oder leise aus dem Lager zu nehmen. Die Verkündigung versucht manchmal, sich zuerst auf leicht faßliche Essentials zu beschränken, schließlich aber dem leicht Faßlichen zuliebe auch Essentials preiszugeben.

### *Der Erfolg der neuen Lehre*

Ich meine, unser Autor verdanke seinen staunenswerten Erfolg bei jüngeren Theologen und Laien, die mit „Wissenschaft“ im Bereich des Glaubens nicht viel im Sinn haben, guten und weniger guten Gründen:

Ein guter Grund: Drewermann formuliert in monotoner, einhämmernder Wiederholung und großer Sprachkraft eine christliche Grundwahrheit, die in der christlichen Theologie immer festgehalten, aber von auffälligeren Kulissen des Vordergrundes oft bis zur Unsichtbarkeit verdeckt worden ist: Gott hat alle Menschen, Gute und Böse, Sünder und „Gerechte“, ohne ethische oder religiöse Vorleistung bedingungslos in sein Herz geschlossen. Er will sie nehmen, wie sie sind. Alle sind berufen, alle sind eingeladen, ja ersehnt.

Aber: Keiner von denen, die er nimmt, wie sie sind, soll so bleiben, wie er ist. Alle sollen umsinnen, verändert werden. Alle werden mit und trotz allen Fehlern angenommen. Es wird ihnen gesagt: Ja, es ist gut, daß es dich gibt und daß du bist, der du bist. Nur bestehe nicht darauf, in jeder Hinsicht so zu bleiben. Denn du bist noch nicht fertig. Du bist noch entstellt und entfremdet. Du bist noch nicht o.k.

Dennoch, du bist schon lebenswertes Leben, und Ich, dein Gott, mache aus dir liebenswertes und liebenswürdiges Leben, auch wenn du mir im Moment noch nicht so ganz gefällst. Wenn du zustimmst, wenn du dich nicht verweigerst, werden wir das gemeinsam ändern und gute Freunde sein für alle Ewigkeit. Wir werden uns eines Tages gegenseitig anblicken und schön finden, wie Liebende. Kannst du mir zutrauen, daß ich das schaffe? Dann vertraue mir. Fürchte dich nicht, folge mir und alles andere ergibt sich von selbst.

Zu dieser Grundbotschaft, die wie jede große Wahrheit trotz ihrer Einfachheit auch gründlich mißverstanden werden kann, kommt bei Drewermann eine Fülle von einfach frommen, wie Sterne leuchtenden Glaubenseinsichten in herzberührender Sprache.

Schließlich findet er Worte, die ein ungewöhnliches Verstehen der Mentalität des gläubigen wie des ungläubigen Zeitgenossen zeigen; freilich auch solche, die von einem Mitfühlen mit Haß und Aufbegehren gegen Autoritäten und Hierarchien, gegen die „herrschende Moral" und die Moral der Herrschenden bestimmt sind, so daß jedem das Herz schneller schlägt, der vom Leid und Zorn der 68er Studenten berührt worden ist – und nur die in der Tugend verhärteten waren das nie!

Menschen, die von untergründiger Aggression voll sind – das ist bei intellektuellen und pseudointellektuellen Katholiken nicht selten, Menschen, die von Schuldgefühlen gequält werden, weil sie freiwillig übernommene Loyalität und schlichte menschliche Ehrfurcht ständig verletzen, sie fühlen sich durch Drewermann gerechtfertigt. Die Weise, wie er mit der Kirche und Kirchengeschichte willkürlich umspringt,[16] ist oft weit entfernt von der Sachlichkeit, Fairneß und Loyalität, die jeder Christ auch in der Kritik seiner Kirche und sich selbst schuldet, wenn er seine eigene Identität bewahren will. Auch existentielle Gespaltenheit macht krank, nicht nur psychische, wie Schizoidie oder -phrenie.

Drewermann lehrt zwar, die katholische Kirche sei schon sehr früh einer Fehlentwicklung erlegen. Doch gibt er die Hoffnung nicht auf, sie könne sich kraft der Ausbreitung seiner Einsichten in das wahre Wesen des Christlichen zu diesem zurückführen lassen.

So hat Drewermann also auch Gründe, seine Kirchenzugehörigkeit nicht aufzugeben, obwohl das katholische Dogma für ihn nur da

---

[16] Vgl. die staunenswerte Behauptung, die Kirche habe die Mystik verworfen (Psychoanalyse I, 12). Von der „Mystik des Apostels Paulus" (A. Schweitzer) bis zur Gegenwart durchzieht der flammende Strom alle Generationen der Kirchengeschichte bis zum heutigen Tag. Unzählige Mystiker werden von der ganzen Kirche als Heilige verehrt, unter ihnen sogar viele „Fachtheologen". Daß bei den Schriftstellern unter ihnen mancher Text des Irrtums verdächtigt wurde, blieb dem „allgemeinen Lehrer" Thomas von Aquin, der unter die offiziellen Kirchenlehrer aufgenommenen Teresa von Avila, den Ordensstiftern Franziskus, Ignatius von Loyola und der mit Schlagfertigkeit und Mutterwitz den Glauben der kleinen Leute vertretenden Jeanne d'Arc nicht erspart. Auch die Schriften der Therese von Lisieux wurden zwar nicht von der Kirche, aber von ihren leiblichen Schwestern beanstandet. Hat mit alledem die Kirche die Mystik verworfen?

verbindlich bleibt, wo es mit seiner Theologie übereinstimmt. Ich sehe nicht, wie man auf diese Weise die „Bodenlosigkeit des Beliebigen“ (Jaspers) vermeiden kann, die schon mit der Beteuerung beginnt: „Das Christentum ist keine Lehre“.[17] Doch hat sein Verfahren immer den Vorteil, daß er jedem Kritiker nachweisen kann, dieser habe die Stellen übersehen, in denen das Gegenteil gesagt wurde.

Ich kann einen massiven Einwand nicht verschweigen. Die steinzeitlichen Waffen einer ungezügelten Aggression sind unerträglich. Eine Blütenlese von Beispielen: „Es ist die geistige Belanglosigkeit und kulturelle Ohnmacht des Christentums selbst, die heute der christlichen Theologie die schlimmste aller Todesarten zuspricht: Das schweigende Vergessenwerden eines Überalterten schon zu seinen Lebzeiten.“[18] Drewermann spricht von der „Oberflächlicheit, mit welcher die christliche Theologie ihre eigenen Dogmen auslegt“[19]. Wir lesen ferner: „Trotzdem scheint es so, als ob die Theologie sich von der Fixierung auf die Fragen des ethischen Sollens und Handelns nach wie vor nicht lösen könnte und durchaus nicht merken wollte, wie sehr sie sich damit selbst widerspricht.“[20] Weder – noch. Bei diesem Argument mag bleiben, wer heutige Theologie weder wirklich zur Kenntnis nehmen noch verstehen will. Denn „die geistige Belanglosigkeit des Christentums und die Oberflächlichkeit seiner Theologie“ äußert sich unter anderem – reden wir nur von Theologen – in Namen wie Pierre Teilhard de Chardin, Romano Guardini, Karl Rahner, Hans Urs von Balthasar, Karl Barth, Rudolf Bultmann, Wolfhart Pannenberg, Joseph Ratzinger und vielen anderen bedeutenden Autoren. Wenn sie geistig belanglos und oberflächlich sind, wer ist dann geistig von Belang? Wo ist die erdrückende Übermacht der geistig Überlegenen, die den Christen vor Unterlegenheitsgefühlen erbeben lassen? Sitzt sie in der Frankfurter Schule? Horkheimer, Tillich und Adorno wußten, was Theologie ist und hätten nie so gesprochen. Aber die Lücken in Drewermanns Literaturverzeichnis sprechen Bände.

Wer Aggressionen weckt, schürt, rechtfertigt, kann des Erfolgs ge-

---

[17] Diese Behauptung Kierkegaards wird natürlich bei Drewermann ebensowenig durchgehalten wie bei Kierkegaard selbst. Man kann nicht „jemand“ glauben, ohne ihm auch „etwas“ zu glauben, nämlich das, was er sagt – und lehrt. Darum ist auch bei Drewermann von Lehren die Rede, z. B. Psychoanalyse I, 12: “... die eigentlichen Lehren des Christentums“.

[18] Ebd.

[19] Ebd. 14.

[20] Ebd.

wiß sein. Noch mitreißender als Aggression aber ist Haßliebe. Vielleicht ist sie eine tiefe und häufige Gefühlshaltung großer Teile der Katholiken gegenüber der Kirche und einer großen Mehrheit der westlichen Menschen gegenüber dem Christentum und seinem Gott. Diese Haßliebe gibt dem Denken und Sprechen eine mitreißende Dynamik, aber selten Vernunft. Oft ist Kirchenhaß verschobener Gotteshaß.

Unser Autor antwortet gelegentlich seinen Kritikern. Er wirft ihnen vor, „falsch Zeugnis abgelegt zu haben" gegen ihn. Er schreibt über das Buch „Tiefenpsychologie und keine Exegese" von Lohfink und Pesch: „Fast die Hälfte ihres Buches sind Zitate. Aber sie lassen mich in Wahrheit niemals zu Worte kommen. Weder referieren sie, noch diskutieren sie in irgendeiner Stelle den eigentlichen Gedankengang meiner Arbeit: Die verschiedenen Erzählweisen der Bibel von Traum und Mythos bis zur Geschichtserzählung und Gleichnis tiefenpsychologisch im Menschen selber zu begründen, statt sie als rein zeitbedingter Ausdrucksformen der frühen Kirche in ihrer Auseinandersetzung mit der Synagoge und dem ‚Heidentum' zu betrachten."[21] Wie vereinfacht ist diese Alternative!

Drewermann ist immer der Mißverstandene, von Übelwollenden Verfolgte. Könnte dies nicht eine Folge seiner schillernden Vieldeutigkeit und dessen sein, was Karl Jaspers „undialektische, platte Selbstwidersprüche" nennt? Nun, auch Jesus und schon gar Paulus haben sich so ausgedrückt, daß man bei beiden schier unüberbrückbare Gegensätze finden kann, die seit zweitausend Jahren die Christenheit beunruhigen. Quod licet Jovi: Dürfen Professoren es auf dieselbe Weise versuchen? Nicht einmal Konzilien dürfen das, und sie wissen es.

Ein Wort Jesu lautet: „Willst du zum Leben eingehen, so halte die Gebote!" (Mt 19, 17). Drewermann zeigt immer wieder, daß die Voraussetzung dazu die Überwindung der Urangst durch erfahrene Gottesnähe ist. Die These ist, „daß der Mensch in moralischem Sinne nur gut sein kann, wenn er mit sich selbst in Einklang ist, und daß er mit sich nur im Einklang sein kann, wenn er die Angst in der Tiefe der menschlichen Existenz durch die Gegenkraft des Glaubens zu beruhigen vermag."[22] Und weiter: „Man könnte zugleich sehr wohl wissen, daß alle Religiosität vollkommen nichtig ist, ohne

---

[21] Deutsches Allgemeines Sonntagsblatt vom 17. 1. 1988.
[22] Psychoanalyse I, 17.

ein solches absolutes Vertrauen in die Richtigkeit des eigenen Daseins, wie es z.B. die Psychotherapie praktisch zu vermitteln sucht."[23] Sucht auch das Evangelium ein „absolutes Vertrauen in die Richtigkeit des eigenen Daseins zu vermitteln"? Es ist gut, daß es mich gibt – Ja! Ich bin richtig, so wie ich bin – das wäre die Selbstkanonisation des Hochmuts.

Die Schriften Drewermann enthalten viele wertvolle Einsichten. In der Strömung dieser Vernunft eines überaus belesenen Mannes übersehen viele begeisterte Leser das mitgeschwemmte Treibgut von Unstimmigkeiten und Unsinnigkeiten. Es gibt Texte bei Drewermann, bei denen man nicht für möglich hält, daß er ein einziges Evangelium aufmerksam gelesen und im Sinn behalten hat. Ein Beleg:

In dem Aufsatz „Vom Unkraut im Weizen"[24] wird das Gleichnis Mt 13,24ff ausgelegt. Dort steht Wichtiges und Schönes. Aber dann kommt ein Satz, der, so scheint mir, durch keinen Kontext gerechtfertigt wird: „Alles, was in unserem Herzen lebt, verdient, gelebt zu werden. Keine Wunschregung, keine Phantasie, keine Neigung gibt es darin, die nicht an sich berechtigt wäre, und die ganze Lebenskunst scheint darin zu bestehen, nicht auszurotten, nicht zu bekämpfen, dem ‚Bösen' nicht zu widerstehen, sondern alles gemeinsam wachsen zu lassen." Die beste Weise, Versuchungen zu bewältigen, ist, ihnen Raum zu geben – ist das der neue Originalton Jesu Christi?[25]

Zum Glück hat die Redaktion dem Leserbrief eines gütigen und weisen Bibeltheologen, Heinrich Spaemann, Raum gegeben. Weil in diesem Brief die Sache Drewermanns schlicht, fair und genau besprochen wird, möchte ich ihn in vollem Wortlaut zitieren[26]:

---

[23] Ebd. 16

[24] Christ in der Gegenwart Nr. 29 vom 19.7.1987

[25] Es kann kaum anders sein, als daß ein christlicher Theologe solche unsinnigen Prinzipien glücklicherweise vergißt, sobald er sie am konkret Realen ausprobiert. So lesen wir in dem klugen, vielleicht allzu konservativen Kapitel über die Onanie (Psychoanalyse II, 181): „Man muß bedenken, daß die Onanie nicht nur ein autoerotischer, sondern vor allem phantasieüberladener Akt ist, der in der prinzipiellen Gefahr der Zügellosigkeit steht, insofern die sexuelle Phantasie ohne Widerstand der Wirklichkeit in überdimensionalen Traumbildern und sofortigen mühelosen Befriedigungen schwelgen kann. Was sont nur als Belohnung einer mühevollen Charakterentwicklung und dornenreicher Entsagung winkt, die Liebe einer Frau, das erreicht der Onanist in der Phantasie ohne die geringste Anstrengung." Wie paßt das nun zum „Unkraut wachsen lassen"?

[26] Christ in der Gegenwart, Nr. 32 vom 9.8.1987.

Lieber Herr Drewermann, Ihren Artikel vom „Unkraut im Weizen“, Ihr Anliegen kann man zunächst ja nur verteidigen. Jedes menschliche Fehlverhalten mitsamt dem Unheil, das es bedeuten und anrichten mag, verhält sich zur Selbstgerechtigkeit derer, die darüber lediglich zu Gericht sitzen und ans Auslöschen dieser bedrohlichen „Elemente“ gehen wollen, wie ein Splitter zum Balken. Ja, ich möchte sagen, diese „Splitter“ von leichtem oder schwerem menschlichem Versagen, wie und wo immer es sie gibt, beabsichtigt oder unbeabsichtigt, sind im Grunde alle nur Holz vom Balken menschlicher Selbstüberhebung und falscher Selbsteinschätzung.

Aber nun sagen Sie in diesem Zusammenhang doch einiges, was einer, der von der Bibel herkommt, auch wenn er alles andere als ein Fundamentalist ist, so nicht unerwidert stehen lassen kann.

Sie möchten zum Beispiel, daß wir die Einteilung zwischen Nutzkraut und Unkraut überhaupt aufgeben, den Mut haben, „in der Welt Gottes nichts mehr zu verleugnen“. Jesus will jedoch die Unterscheidung Unkraut und Weizen keineswegs beseitigen, im selben Gleichnis dient sie ihm ja auch als bildhafte Kennzeichnung des Endgerichts. Das Unkraut bringt er in Zusammenhang mit „Verführern und Übeltätern, die es säen“ (Mt 13,43).

Die Wirklichkeit, wie sie durch die Sünde wurde, „mit all dem Schillern der Übergänge zwischen Schwarz und Weiß und all den Zweideutigkeiten des oszillierenden Lichtes“, ist nach Ihren Worten von Gott selbst so geschaffen. Die Genesis ebenso wie das paulinische Schrifttum und die vier Evangelien, insbesondere das johanneische, sagen es anders. Der Jakobusbrief begegnet der Vorstellung, auch Dunkles und Böses komme von Gott und die Versuchung zur Sünde könne ihn selbst zum Urheber haben, ausdrücklich mit dem Wort: „Täuscht euch nicht, meine geliebten Brüder! Jede gute Gabe und jedes vollendete Geschenk kommt von oben herab, vom Vater der Lichter, bei dem kein Wechsel ist noch ein Schatten der Veränderung ...“

„Alles, was in unseren Herzen lebt, verdient gelebt zu werden. Keine Wunschregung, keine Phantasie, keine Neigung gibt es darin, die nicht an sich berechtigt wäre“, so sagen Sie. Wie wollen Sie in diesem Satz Auschwitz, die Folterkammern unseres Jahrhunderts und die Kindermißhandlungen unterbringen? Und wie vereinbaren Sie ihn mit Jesu Wort: „Von innen, aus dem Herzen des Menschen, kommt das böse Denken, kommen Hurerei, Diebstahl, Mord, Ehebruch, Habsucht, Bosheit, List, Ausschweifung, böses Schauen. Lästerung, Stolz ... Alles dieses Böse kommt von innen heraus und verunreinigt den Menschen“?

„Die ganze Lebenskunst scheint darin zu bestehen, nicht auszurotten, nicht zu bekämpfen, dem ‚Bösen‘ nicht zu widerstehen, sondern alles gemeinsam wachsen zu lassen.“ Sie setzen das Böse in Anführungszeichen. Ihr ganzer Artikel hat im Grunde das Ziel, daß wir, die Leser, diesem Anführungszeichen recht geben. Aber wenn Sie wirklich sagen wollen, daß es das Böse und den Bösen im Grunde nicht gebe – halten Sie diese Auffassung für vereinbar mit der neutestamentlichen Botschaft und ihrer Predigt von der Heilsbedeutung des Todes und der Auferstehung Christi?

Ich verstehe den Psychotherapeuten. Aber muß dieser wirklich die Freiheit des Menschen, zwischen Gut und Böse zu wählen, leugnen, weil er ihr von Berufs wegen nur in krankhaft eingeengter Form begegnet? Die Botschaft Jesu negiert nicht, sondern sie stärkt und weckt das Freiheitsbewußtsein.

Dem „Bösen" nicht widerstehen, dieses Wort entspricht dem Evangelium, sofern es darum geht, es durch das Gute zu überwinden, wie Paulus es (Röm 12,21) sagt und wie die Bergpredigt es will, wenn sie uns (sprichwörtlich) auffordert: „So dich einer auf die rechte Backe schlägt, halt ihm auch die andere hin ..." „So dir einer den Rock nehmen will, laß ihm auch den Mantel" (Mt 15,39).

Dem Bösen als einer abgründigen Macht der Verführung zu widerstehen, dazu mahnt uns jedoch die Bibel an vielen Stellen. Ich verweise nur auf: 1 Petr 5,8f, Mk 9,43–48 oder abschließend auf Eph 6,10–17; dieser Abschnitt fordert uns auf, „die Waffenrüstung Gottes zu ergreifen im Kampf nicht gegen Blut und Fleisch, sondern gegen die Gewalten, gegen die Weltbeherrscher dieser Finsternis, gegen die Geister der Bosheit in der Atmosphäre". Wie diese „Rüstung Gottes" aussieht, verdeutlicht Jesus in der Bergpredigt und vor allem in seiner eigenen Passion. Diese allein ist es, dieser Sieg des Lichtes über die Finsternis, die Ihrem Anliegen, lieber Herr Drewermann, den Schrecken über das Unkraut nicht Macht über uns gewinnen zu lassen, recht gibt, nicht die Bejahung einer Vermischung von Licht und Finsternis.

Zum Schluß: Was die Freude des Menschen an einer guten Weizenernte und den Ärger über das Unkraut betrifft, wovon Jesus in seinem Gleichnis ausgeht – sie ist jedem Unbefangenen verständlich. Sie freuen sich doch auch an einem guten Brot auf Ihrem Tisch. Was würden Sie sagen, wenn in das Mehl, aus dem es bereitet wird, fortan zur Hälfte Unkrautsamen etwas von Dornen und Disteln hineingemahlen würde? Lassen Sie uns den Appetit auf das gute Brot! Indem ich Sie herzlich grüße, bin ich Ihr:
*Heinrich Spaemann*

Das Rezept des „Wachsenlassens" war ein pädagogisches Schlagwort zu Anfang des Jahrhunderts und wurde in den zwanziger Jahren als no-frustration-Ideologie in die amerikanische Pädagogik übernommen. Von den Ergebnissen dieser Laissez-faire-, Laissez-aller-Pädagogik, der „no-frustration-generation" schaudert es noch heute die, welche die Folgen ausbaden mußten: Eltern, Nachbarn, Lehrer. Das Rezept ist weit entfernt von der Psychoanalyse, obwohl es sich auf sie beruft. Denn diese hält zwar nicht viel von zuviel Verdrängung, aber die „Verurteilung und Unterdrückung", die „Urteilserledigung" und den Verzicht auf Triebregungen in vielen Situationen hält Freud für das Glücken des einzelnen und des gemeinsamen Lebens für unerläßlich. In „Moses des Michelangelo" schreibt er:

„... die gewaltige Körpermasse und die kraftstrotzende Muskulatur der Gestalt wird nun zum Ausdrucksmittel für die höchste psychische Leistung, die einem Menschen möglich ist, für das Niederringen der eigenen Leidenschaft zugunsten und im Auftrag einer Bestimmung, der man sich geweiht hat."[27]

Immerhin ist es eine psychoanalytische Erfahrung, die Drewermann zu seiner Auslegung des Gleichnisses angeregt haben mag. In der psychoanalytischen Methode spielt die sogenannte „freie Assoziation" eine entscheidende Rolle, nicht nur für die Erkenntnis des Entstehens der Neurose, sondern auch für die Therapie. Der Patient soll in entspannter Lage alles aussprechen, was er, wie Freud sagt, „auf der Oberfläche seines Bewußtseins vorfindet", ohne etwas auszulassen, zu verändern usw.: Erinnerungen und Phantasien, gegenwärtige Wahrnehmungen, Gedanken, Gefühle: Alles. Nichts soll verdrängt, unterdrückt, zurückgehalten werden. Das ist das Angebot eines großen Freiheitsraumes, den die Welt sonst nirgends gewähren kann; oft eine ermutigende Erlaubnis zu einer sonst nie gewagten Aufrichtigkeit. Keine Höflichkeitspflicht gegen den Arzt, keine Rücksicht auf Dritte soll ein Hindernis werden. Für viele neurotisch Kranke, die niemals Freimut der Rede und des Ausdrucks kennengelernt haben und sich von ihren eigenen Hemmungen wie verschüttet vorfinden, ist das Angebot eines solchen Freiraums wahrlich eine große Befreiung. Unter den Phantasien und Impulsen, die da auftauchen, sind regelmäßig auch feindselige, wütende, leidenschaftliche aller Art, sexuelle und perverse. Ich erinnere mich des Grauens, das einen Patienten und mich packte, als er den quälenden Wunsch eingestand, „ein Kinderhälschen unter seinen Händen krachen zu hören". Ähnliche grausame Phantasien finden wir übrigens in den Psalmen, die seit drei Jahrtausenden im jüdischen, christlichen und mit gleichem Inhalt im islamischen Gottesdienst täglich rezitiert werden. In der psychoanalytischen Behandlung soll diesem und allem anderen schlimmen Seelenmüll der „Abfluß in der Rede" (Freud) geöffnet werden. Das ist in vielen Fällen heilsam bei Menschen, die von Kindesbeinen an keine andere Bewältigung archaischer Regungen gelernt haben als die Verdrängung in das wortlose Dunkel des Unbewußten.

Freilich bringt dieses ebenso erschreckende wie hilfreiche Verfah-

---

[27] Ges. Werke, Bd. X, 198.

ren der „freien Assoziation" dem Kranken und dem Arzt Gewissensprobleme. Darf ein Mensch sich so weit gehen lassen?

Man könnte meinen, die analytische Grundregel, alles zu sagen, was einfällt – unter der Strafandrohung des Krankbleibens als Bedingung der Gesundung gestellt –, sei eine Form intimen Psychoterrors oder jedenfalls der Nötigung. In der Praxis scheint das Unbewußte mit dem Ich zusammenzuarbeiten, um das zu verhindern. Patienten sprechen einfach nicht aus, was nicht von einem gewachsenen Vertrauen her ermöglicht wird, oder sie lassen es sich gar nicht erst einfallen. Ich habe mir die Situation erleichtert, indem ich die Grundregel nicht als Bedingung der Analyse auferlege, sondern nur als Erlaubnis und Empfehlung formuliere. Zwei Mitarbeiter, W. E. Rosenberg und S. Michel, haben eine „sanfte" Modifikation der Primärtherapie Janovs entwickelt, die dem Patienten erlaubt, alles zu verschweigen, was er nicht sagen mag, und so die Diskretion gegen sich selbst und andere zu wahren (noch unveröffentlichte Dissertationen).

Hier liegt ein ethisches Problem, das nicht einfach mit dem Hinweis auf den guten Zweck der Heilung gelöst wird. Der einzige, bei dem ich bisher eine durchdachte, ethisch, anthropologisch und theologisch befriedigende und sorgfältig begründete Lösung gefunden habe, ist ein Psychologe von Weltrang, der emeritierte Direktor des Psychologischen Instituts der Universität Louvain, der zudem Theologe ist: Joseph Nuttin in seinem Buch „Psychoanalyse und Persönlichkeit"[28].

Hier ist nicht der Ort, seine Überlegungen zu referieren. Mir scheint, daß es ihm gelingt, die Rechtmäßigkeit dieses Freiheitsraumes in der psychoanalytischen Behandlung überzeugend zu begründen. Mit dieser Begründung ist auch die plakative These Drewermanns von der von ihm bejahten Unmoral der Psychotherapie gegenstandslos. Drewermann schreibt: „Jede Psychotherapie macht irgendwo ein Stück gewissenloser, selbstherrlicher und skrupelloser. Jede Psychotherapie ist also eine Art Verführung, eine Lehrstunde der Unmoral."[29] An anderer Stelle lesen wir: „Jede Analyse, jedes Selbstbewußtsein, jeder Akt der reflektierenden Selbstvergewisserung ist daher ein Stück Unmoral."[30] Die zusammenfassende Schluß-

---

[28] Freiburg/Schweiz 1956. Das bedeutende Buch ist leider vergriffen. Vor Nuttin hielt man sich einfach an das alte Prinzip, daß es erlaubt ist, sich jeder Versuchung auszusetzen, wenn es im Rahmen einer Pflichterfüllung notwendig ist.

[29] Psychoanalyse I, 83. [30] Ebd. 86.

these lautet: „Der Weg der Selbstfindung, der Herausbildung der Subjektivität ist amoralisch; und nicht anders ist das Verfahren zu kennzeichnen, das diesem Zwecke dient.“ Ein ganzes Kapitel heißt: Die Unmöglichkeit, die Psychotherapie ethisch zu rechtfertigen[31].

Natürlich liegt diesem Denken ein sehr eigenwilliger Moralbegriff zugrunde, der besser das Wort Überich-Moralismus oder Legalismus verdient. Daß die klassische Ethik und Moraltheologie sich ganz anders, nämlich als Lehre vom Gelingen des Lebens, als Glückskunde versteht, wird Drewermann wissen; aber warum beugt er sich dem Sprachmißbrauch der Unwissenden, für die Moral nichts ist als eine Sammlung lästiger, lebenswidriger und der Freude feindlicher Verbote? Der Grund liegt wahrscheinlich in einem anthropologischen Grundgesetz, das Drewermann erfunden hat und auf alle Triebbereiche ausdehnt, obwohl es nur im Bereich des Lufthungers und wohl auch in dem des Schlafbedürfnisses voll gültig ist. Er schreibt: „Denn so wenig man einen Fluß einfachhin durch eine Staumauer absperren kann, so wenig vermag man einen Trieb zu blockieren: Das aufgestaute Wasser wird überfließen, oder sich auf Seiten- und Sickerwegen an der Mauer vorbeiarbeiten, und ähnlich wird ein Trieb verborgene Mittel und Wege finden, um an der Hemmschwelle der Angst vorbei sich an sein ursprüngliches Ziel heranzuarbeiten.“[32] Das ist, obgleich vielfach zutreffend, doch vereinfachte Vulgärpsychoanalyse. Eine differenzierte Beantwortung dieser Frage findet man bei Stephan Pfürtner in: „Triebleben und sittliche Vollendung“[33], aber auch schon bei Freud[34]. Die hoch suggestive Metapher vom gestauten Strom ist in ihrer sehr begrenzten

---

[31] In dem ganzen Absatz „Von der Unmoral der Psychotherapie“ fällt auf, wie Drewermann sich ohne jede Kenntnisnahme und Auseinandersetzung mit der heutigen ethischen und moraltheologischen Grundlagendiskussion und mit den philosophischen Kontroversen um Hegel gelegentlich apodiktisch mit Hegel identifiziert bis zu Sätzen wie: „Denn die psychotherapeutische Erfahrung zeigt und bestätigt unzweifelhaft die Richtigkeit der Hegelschen Phänomenologie.“ Unzweifelhaft! Ich habe versucht, die ethische Befreiungskraft der Psychoanalyse deutlich zu machen, von der auch Freud überzeugt war. Drewermann stellt in dem oben angeführten Rundfunkinterview meine Position völlig entstellt dar, die in dem Buch „Das Böse“ (s. Anm. 13), Kap. VI, 128ff, ausführlich behandelt ist. Zur genannten Grundlagendiskussion vgl. *A. Auer,* Autonome Moral und christlicher Glaube, Düsseldorf ²1984; *W. Schöllgen,* Grenzmoral, Düsseldorf 1946; *B. Schüller,* Die Begründung sittlicher Urteile, Düsseldorf (1973) 1980; *R. Spaemann,* Moralische Grundbegriffe, München ³1986.

[32] Psychoanalyse I, 27.

[33] Freiburg/Schweiz 1958.

[34] Ges. Werke, Bd. 1, 86ff 94f.

Gültigkeit von vielen Forschungen in der Psychologie und Psychoanalyse entkräftet worden[35].

Hier ist nicht der Ort, die Überlegungen Pfürtners und Nuttins zu referieren. Mir scheint, daß es ihnen gelingt, die Rechtmäßigkeit des psychoanalytischen Freiheitsraumes der freien Assoziation überzeugend zu begründen, ebenso wie die Richtigkeit der psychoanalytischen Auffassung von den Möglichkeiten des Verzichtes, der Triebbeherrschung, der Sublimation, der „Unterdrückung, Urteilserledigung und Verurteilung durch Denkarbeit" usw. Was aber Drewermann in der freien, ungeschützten und unbegleiteten Wildbahn des Alltagslebens jedermann empfiehlt, ist ein Seiltanz ohne Seil. Es ist nicht die Stimme des Evangeliums. Sollte der, der gesagt hat: „Wenn dein Auge dir Ärgernis gibt, reiße es aus" (Mt 5,29); sollte Er es für gut halten, wenn einer allen denkbaren Begierden, grausamen, lüsternen, habgierigen, freien Lauf läßt in seinem Herzen?

Man kann meinen, dies sei für jeden Menschen jederzeit bekömmlich; aber kann man auch meinen, Jesus finde dies auch gut? Es ist klar, daß Drewermann an vielen Stellen die gegenteilige Antwort gibt, aber warum muß erst einmal ein unhaltbares Prinzip aufgestellt werden, um es später bei Gelegenheit wieder zu verwerfen?[36] So finden wir z. B. in der Beurteilung der Masturbation einen ungewöhnlich strengen und konservativen Standpunkt. Aber der Psychologe weiß, daß die extremen, rigoristischen oder laxistischen Positionen sich oft viel stärker dem Gedächtnis und dem Gefühl einprägen als die mittleren und maßvollen. Und darum empfinde ich den Stil des Wechselbades als einen demagogischen.

Drewermann schreibt, der Psychotherapeut „mit seiner Erfahrung gerade bei den frömmsten Vertretern der Kirche ... kann nur erschüttert sein über das ungeheure Ausmaß an Angst, das von der kirchlichen Lehre und Praxis de facto nicht geheilt, sondern provoziert wird"[37].

Das ist also Drewermanns weitere These: Die kirchliche Lehre und Praxis provoziert ein ungeheures Ausmaß an Angst. Aus Jahrzehnten psychotherapeutischer Erfahrung kann ich diesen Satz für viele Fälle bestätigen, allerdings mit der einschränkenden Frage, woher Drewermann wissen will, daß seine neurotischen Patienten

---

[35] Literatur bei *N. Bischof*, Das Rätsel Ödipus, München 1985, sowie bei *S. Pfürtner*, Triebleben und sittliche Vollendung, Freiburg/Schweiz 1958.

[36] Vgl. Anm. 22

[37] Psychoanalyse I, 10.

gerade die „frömmsten Vertreter der Kirche“ sein sollten? Es ist denkbar, daß gerade die wirklich Frommen unter ihnen eher selten beim Psychotherapeuten erscheinen. Immerhin soll unbestritten bleiben, daß eine bestimmte Art oder Unart christlicher Erziehung in den Familien und in der religiösen Unterweisung große Ängste provozieren und aufrechterhalten *kann*[38]. Viele Christen aber finden in der kirchlichen Lehre und Praxis auch Frieden und Freude.

Doch hören wir weiter Drewermanns Text: „In Wahrheit sind und waren es gerade die Quellen des Religiösen, die nach Wegräumung des neurotischen Schutts auch von der Tiefenpsychologie als heilende Kräfte der menschlichen Psyche wiederentdeckt werden konnten und wurden, und man muß nur die religionshistorische Ursprungs- und Wirkungseinheit von Priester und Arzt in der Gestalt des Schamanen z. B. in den sog. ‚Primitivkulturen‘ vor Augen haben, um zu wissen, wie recht die Psychoanalyse mit ihrer grundlegenden Erkenntnis hatte: Die Menschen brauchten nur die Kunst des unverstellten Träumens wiederzuerlernen, um seelisch zu sich selbst zurückzufinden.“ [39]

Bei diesem Text habe ich zwei Fragen: Ist es die grundlegende Erkenntnis der Psychoanalyse, daß die Menschen nur die Kunst des unverstellten Träumens wieder zu erlernen haben, um seelisch zu sich selbst zurückzufinden? Was ist die Kunst des unverstellten Träumens, und wie erlernt man sie? Ich kenne jedenfalls keinen psychoanalytischen Autor, der dies als die Lehre der Psychoanalyse ausgibt. Die Kunst des unverstellten Träumens leistet aber noch weit mehr. Wiederum Drewermann: „Was denn wäre die Religion im tiefsten wohl auch anderes, als eine Weise des unverstellten Träumens in den ewigen Bildern der Erlösung?“ [40] Hat Jesus Christus gelebt, gelehrt, ist er gestorben, um uns unverstelltes Träumen beizubringen? Weiter im Text: „Die Offenbarung Gottes geschieht nicht durch die Mitteilung bestimmter Lehren, Inhalte oder rein äußerlicher Fakten; sie ereignet sich allein durch die Erfahrung einer vorbehaltlosen, bedingungslosen und umfassenden Akzeptation, durch das, was in der Theologensprache ‚Gnade‘ heißt.“ Das ist die Kernthese. Der Text fährt fort: „Wo sie gelebt, ermöglicht und er-

[38] *A. Görres,* Pathologie des katholischen Christentums (s. Anm. 13); *ders.,* Verdirbt das Christentum den Charakter?, in: TB „Kennt die Psychologie den Menschen?“ (s. Anm. 13).
[39] Psychoanalyse I, 11.
[40] Ebd.

fahren wird, gleichgültig, ob im Sprechzimmer des Psychotherapeuten oder im Beichtstuhl eines Priesters, verändern sich im Unbewußten die Bildsequenzen des Konflikthaften, Neurotischen, immer mehr zu Bildern der Heilung. Das Traummaterial, das zunächst den Erinnerungen der individuellen Biographie entstammt, weitet sich dabei augenscheinlich zu dem Material der Großen Träume, das den Symbolen und Riten auch der großen Menschheitsreligionen zugrunde liegt. In einem Klima des Vertrauens ereignet sich immer wieder die Offenbarung der archetypischen religiösen Wahrheiten der menschlichen Psyche, nur daß der Schamane, der Priester, von den Bildern seines Heiltraumes, seines Glaubens *ausgeht,* um den Kranken, den ‚Ungläubigen' durch die Macht der Bilder, der Sakramente, in die Welt des Heils einzubeziehen, während der göttliche Arzt, der Psychotherapeut um sich herum eine Sphäre der Akzeptation zu schaffen sucht, in der wie von selbst die Bilder der ewigen Träume der Menschheit von innen heraus aktiviert werden."

### *Falsches Vertrauen in Traumbilder*

Ich finde in Drewermanns Schriften ein ungerechtfertigtes Vertrauen in die Weisheit und Autorität von Bildern, Mythen und Religionen, die doch auch grauenhafte Mißweisungen enthalten – nicht nur in Psychosen und rituellen Schlachtungen bei den Azteken. Waren nicht auch Hexenverbrennungen archetypische Explosionen? Auch mein Vertrauen in den „göttlichen Arzt, den Psychotherapeuten", ist durch Erfahrungen mit mir selbst, mit Kollegen und mit unserer Deutungs- und Unterscheidungskunst ein wenig ernüchtert.

Ich sehe auch nicht, warum Iris und Osiris unser beschädigtes Vertrauen in die unendliche Hilfsbereitschaft Gottes und die Menschenfreundlichkeit seines Sohnes fördern und unseren Verdacht, Gott sei der unterlassenen oder ungenügenden Hilfeleistung schuldig, in Auschwitz, Tschernobyl und überall auf dieser Welt, entkräften sollte. Die Zeit der alten Götter ist abgelaufen. Kein Hölderlin und kein Walter Otto, kein New Age wird diese Toten wieder auferwecken. Das Evangelium, Jesus Christus, konnte auch vor und ohne Freud und Jung verstanden werden.

Ich sehe nicht, wie Religion als Überwindung der Ängste, der Verzweiflung und wie das hoffnungslos hoffende Gebet der Verendenden in den Gaskammern, von denen einige den Dunklen, Unbegreiflichen anbeteten, sinnvoll als „unverstelltes Träumen in den ewigen Bildern der Erlösung" beschrieben wäre. Das alles klingt mir angesichts der uns zugemuteten, realen Fürchterlichkeit des Daseins zu poetisch, ästhetisch, romantisch, zu verträumt.

So bleibt mir nur der Eindruck, daß Drewermann sich und seine Sache nicht angemessen, sondern allzu mißverständlich und subjektiv vermittelt. So führt er viele irre.

Weder Mythologie noch Tiefenpsychologie mit all den unzähligen Unsicherheiten ihrer Deutung, noch irgendeine Wissenschaft sind für den Christen der feste Grund, auf den er sein zeitliches, irdisches Glück, seine lebenstragenden Überzeugungen und schließlich die Vergebung seiner Sünden und sein ewiges Heil bauen könnte.

Vor allem sehe ich nicht, warum die Hoffnungen und so oft trügerischen Phantasien der Träume und Mythen, die eine „vorbehaltlose, bedingungslose und umfassende Akzeptation"[41] durch das Göttliche, die also Erlösung und Gnade ersehnen, warum solche seelische Gebilde die Erfüllung ihrer Sehnsucht auch verbürgen könnten?

Die intensivsten Halluzinationen des Verdurstenden mögen ihn in Trance versetzen und seine Qual mildern, aber sie geben ihm keinen Tropfen Wasser und halten seinen Tod nicht auf. Was also wäre Religion, wenn sie nur das Träumen in den ewigen Bildern der Erlösung wäre? Drewermann weiß, daß sie mehr und anderes ist, aber solche Aussagen beschreiben sie schlecht.

Am deutlichsten zeigt sich dies in einem Beitrag zu einem Sammelband über „Trinität"[42]. Die Offenbarung der Dreifaltigkeit, das Aufbrechen des starren Monotheismus, das uns zeigt, daß die Gottheit nicht numinoser Narzißmus der Selbstgenügsamkeit ist, sondern Liebe, die wie zwischen „Personen" brennt, ist ein für den menschlichen Geist unfaßbares Mysterium der Unbegreiflichkeit dieses Gottes, von dem sich die spekulative und die mystische Theologie immer wieder herausgefordert sahen. Drewermann meint nun, durch zahlreiche religionsgeschichtlich-mythische Parallelen, in denen das Göttliche mit den Zahlen drei oder vier in Beziehung gesetzt wird, dieses Glaubensbewußtsein archetypisch bereichern zu können, da ihn die traditionelle Trinitätstheologie unbefriedigt läßt,

---

[41] Ebd.

[42] Trinität. Aktuelle Perspektiven der Theologie, hrsg. v. W. Breuning (Quaestiones disputatae, Bd. 101), Freiburg i.Br. 1984, 115–142.

weil es eine voll befriedigende nicht gibt und nicht geben kann. Das Ergebnis ist statt mancher dürrer Spekulation neuscholastischer Art phantastische Spekulation ägyptischer Fasson – vom Regen in die Traufe.

Ich gebe zu, daß für manche Leute die Traufe erfreulicher ist als der Regen. Aber sein Aufsatz, als Predigt vorgestellt, würde keine Glaubensbelebung, sondern nur befremdetes Erstaunen hervorrufen, vielleicht neugieriges Bildungsinteresse befriedigen. Wenn man von der rhetorischen Zaubergabe des Mannes absieht, bleiben, so fürchte ich, oft nur des Kaisers neue Kleider übrig. Sie sind weder warm noch regenfest.

## *Eugen Drewermann*

Eugen Drewermann, geboren 1940, studierte Philosophie in Münster, Theologie in Paderborn und Psychoanalyse als Gast der Neuroseklinik Tiefenbrunn bei Göttingen. Gleichzeitig war er zwei Semester Wissenschaftlicher Assistent der Theologischen Fakultät (1968–1969). Das ist wichtig, weil er auch in Paderborn die Anfänge der Studentenrevolte am eigenen Leibe erfahren haben wird.

Er hat seine psychoanalytische Ausbildung in Tiefenbrunn vorzeitig abgebrochen. Seelsorgliche Erfahrungen gewann er als Seminarpräfekt, auch in Pfarrgemeinden und als Studentenseelsorger Mitte der siebziger Jahre. Sein Ruf war damals, daß er, gegen große persönliche Anfeindungen, der in einen vagen Ökumenismus zerlaufenden katholischen Studentengemeinde wieder einen Sinn für kirchliche Bindung vermittelt habe.

Seine Lehrer in der Kirchlichen Hochschule Paderborn waren u.a. der Dogmatiker Brinktrine und der Moraltheologe Ermecke. Beide galten im Vergleich mit den Kollegen an den Universitäten als außergewöhnlich konservativ.

Die katholischen Theologen, die damals vor dem Konzil und während des Konzils die theologische Welt aufhorchen ließen: Hugo und Karl Rahner, Henri de Lubac, Jean Daniélou, Hans Urs von Balthasar, Joseph Ratzinger, haben ihn anscheinend erst sehr spät erreicht; aber auch Romano Guardini, Josef Pieper, Theodor Haecker, welche die jungen katholischen Intellektuellen während des Dritten Reiches und in der Nachkriegszeit tief geprägt haben, finden sich nur selten unter den vielen tausend Zitaten dieses Belesenen.

Ebenso ist die stürmische und spannende Entwicklung der Moraltheologie in der Nachkriegszeit spurarm an ihm vorübergegangen[43], wie auch die Auseinandersetzung und das wachsende Verständnis zwischen Kirche, Theologie und Psychoanalyse. Was Drewermann darüber sagt, entspricht dem Stand vor dem Zweiten Weltkrieg, wie er sich z. B. im 1930–1938 erschienenen Lexikon für Theologie und Kirche widerspiegelt. In der zweiten, von Karl Rahner und Josef Höfer herausgegebenen Auflage (ab 1957) desselben weltweit verbreiteten zehnbändigen Lexikons schon war nach dem Vorausgang vieler kompetenter katholischer Autoren ein die Psychoanalyse und ihre Bedeutung für die christliche Anthropologie positiv beurteilender Artikel erschienen, der auf einem „Hochland"-Aufsatz über „Heilung und Heil" basierte (1952).

Leider taucht auch eine wichtige Reihe von Autoren nicht auf, die gerade Drewermanns Mischung von „säkularer" Psychoanalyse und theologischer Deutung der Neurose begründet und in ausführlichen Monographien dargelegt haben: Igor Caruso, Wilfried Daim, Viktor Emil von Gebsattel, Josef Nuttin, Karl Stern, um nur die „Klassiker" zu nennen[44]. Bei einigen der genannten Autoren liegt eine ähnliche und, wie mir scheint, allzu große Annäherung von Neurose und Sünde vor wie bei Drewermann, gegen die ich einige Argumente vorgebracht habe[45].

Die Bausteine seiner Theorie sind nicht neu. Wohl aber ist das Kernkapitel seiner Neurosenlehre „das Tragische und das Christliche"[46] in der Neurosenpsychologie originell, gedanklich und sprachlich von hohem Rang, wenngleich ich seine doch wohl gnostische Metaphysik und Theologie, das Tragische in die Gottheit zu verlegen, nicht für eine christliche Idee halten kann. Die in der Weltliteratur – wie mir scheint – unerreichte Darstellung und Deutung der Tiefenpsychologie Freuds, Jungs und Adlers in der „Theodra-

---

[43] *A. Auer,* Autonome Moral (s. Anm. 31); *F. Böckle,* Fundamentalmoral, München (1977) [4]1985; *J. Fuchs,* Das Gewissen, Düsseldorf 1979; *W. Heinen,* Liebe als sittliche Grundkraft und ihre Fehlformen (1954), Freiburg i. Br. [3]1968; *W. Kerber,* Sittliche Normen, Düsseldorf 1982; *B. Schüller,* Die Begründung sittlicher Urteile (s. Anm. 31); *ders.,* Der menschliche Mensch, Düsseldorf 1982; *R. Spaemann,* Moralische Grundbegriffe (s. Anm. 31).

[44] *I. Caruso,* Psychoanalyse und Synthese der Existenz; *W. Daim,* Umwertung der Psychoanalyse, Wien 1951; *ders.,* Tiefenpsychologie und Erlösung, Wien 1954; *V. Frankl,* Ärztliche Seelsorge, Wien 1946; *V. E. von Gebsattel,* Prolegomena einer medizinischen Anthropologie; *K. Stern,* Die dritte Revolution, Salzburg 1956; *J. Nuttin* (s. Anm. 28).

[45] *A. Görres,* An den Grenzen der Psychoanalyse (s. Anm. 13), Kap. „Person, Psyche, Krankheit". [46] Psychoanalyse I, 19 ff.

matik"[47] von Hans Urs von Balthasar sowie die „klassische" Gedächtnisvorlesung Romano Guardinis zum 100. Geburtstag von Sigmund Freud im Jahre 1956, beide von höchstem philosophischen Rang, wurden Drewermann nicht bekannt[48].

Man weiß aus vielen biographischen Quellen, daß spirituelles Wachstum, tiefe Bekehrung, seelsorgliche Führung, gute Exerzitien selbst schwere Neurosen geheilt oder gemildert haben. Das ist erweislich wahr; das gab es in allen Zeiten, Kulturen und Religionen vor der Erfindung der Psychoanalyse.

Jedoch: Von dieser Erkenntnis bis zum Ausbau einer therapeutischen Seelsorge oder einer das Heilziel nicht auslassenden Psychotherapie ist noch ein weiter Weg.

Daß Träume, Märchen, Mythen, archetypische Bilder in der Psychotherapie hilfreich sind, dürfen wir den Psychotherapeuten glauben. Sie zeigen dem Patienten, daß seine Seele nicht leer, langweilig und unproduktiv ist und daß Phantasie der Völker und Zeiten auch ihre eigenen großen helfenden und heilenden Bilder, Intuitionen, Einsichten bereithält. Drewermann zeigt schön in seinen Märchendeutungen, daß diese Welt der Phantasien möglicherweise auch dem der technischen Rationalität unserer Zeit übermäßig zugewandten Menschen eine lebenswichtige Ergänzung seiner Einseitigkeit vermitteln könnte. Ob aus diesen Quellen eine neue Lebendigkeit des Christseins zu erwarten ist, ist eine Hoffnung, die vermutlich vielen Lesern vermittelt wird. Ist es nicht die Hoffnung, aus der die humanistische Bildung seit der Renaissance und seit der Romantik lebt? Generationen von Schülern sind mit antiken Mythen und deutschen Märchen und Sagen gefüttert worden. Die Stifterin eines Erziehungsordens, die hl. Madeleine-Sophie Barat, hat von sich gesagt, daß sie der antiken Dichtung eine Kräftigung von Geist und Herz, eine Förderung im geistig-geistlichen Leben von unschätzbarem Wert verdankte. Alle christlichen Schulen der sogenannten höheren Bildung waren darin einer Meinung. Die Mythenfeindlichkeit des Christentums kann so groß nicht gewesen sein, denn wir wüßten von diesen Mythen wenig, wenn nicht Generationen fleißiger Mönche uns die Texte handschriftlich überliefert hätten. Hugo Rahner hat ausführlich gezeigt, wie die Kirchenväter sich bemüht haben, antike Mythen zum christlichen Glauben in Beziehung zu setzen. Daß sie

---

[47] *H. U. von Balthasar,* Theodramatik I, Einsiedeln 1973, 463 ff.
[48] Münchner Universitätsreden.

gleichzeitig den Unterschied zwischen heidnischem Mythos und christlicher Offenbarung für wichtiger hielten, als es Drewermann gefällt, hat zwingende Gründe, die auch heute noch gelten.

Mein Beitrag ist härter, polemischer, als ich je geschrieben habe. Warum? Ich glaube, u.a. weil ich in Drewermanns Buch genau das Üble finde, was er seinen Kritikern vorwirft: „Falsch Zeugnis", Entstellung. Ein Beispiel: Katholische Kinder lernen in der Regel im zweiten Jahrfünft ihres Lebens als Lehre der Kirche in einer für Kinder zugänglichen Sprache, was sie später, ein wenig fachlicher ausgedrückt, noch einmal hören: Normalerweise könne kein Mensch die läßliche Sünde immer meiden und nur wenige die sogenannte objektiv schwere Sünde. Wohl aber gäbe es niemals ein „Muß" zur subjektiv schweren Sünde, also zur Übertretung des göttlichen Gebotes in einer gewichtigen Sache, bei klarer Einsicht in das Böse des Tuns oder Lassens und bei zureichender Freiheit. Dies ist biblisch begründet in dem Satz des Paulus 1 Kor 10,13: „Gott aber ist treu. Er läßt nicht zu, daß ihr versucht werdet über Vermögen; sondern er wird mit der Versuchung auch den Ausgang schaffen, daß ihr bestehen könnt." In der sehr wichtigen Anmerkung 75[49] zitiert Drewermann diese Stelle zwar nicht, sondern nur das folgende: „So definierte das Konzil von Trient in Can. 18 der Sess. VI (Denz. 828), daß Gott allen Gerechten die hinreichende Gnade zur Beobachtung seiner Gebote gebe und berief sich dabei auf den hl. Augustinus, der in seiner Schrift ‚über Natur und Gnade' (c 43, n 50) gesagt hatte: ‚Gott befiehlt nichts Unmögliches, sondern durch den Befehl mahnt er, zu tun *was man kann*.'" So weit, so gut. Aber was macht Drewermann wenige Seiten später (72) aus diesem kinderschweren Wissen?

„Zwei Lehrsätze der Schultheologie müssen an dieser Form der Tragödie gleichzeitig zerschellen: Vorab schon das zitierte Theorem, Gott erweise einem jeden so viel Gnaden, daß er nicht in Sünde fallen müsse; dieses Theologumenon, bislang schon wenig glaubwürdig, verwandelt sich als erstes angesichts der furchtbaren Realität gerade dieser Gestalt des Tragischen vollends in eine wirklichkeitsfremde und in sich selber widersprüchliche Theorie des menschlichen Lebens." Es geht Drewermann darum zu zeigen: „dieses Schauspiel der bizarren Unverhältnismäßigkeit von Lebensauftrag und Vermögen ist, jenseits aller Menschenschuld, wenn überhaupt, dann Schuld des Schicksals selbst, dann Tragik Gottes".

---

[49] Psychoanalyse I, 65.

Was soll es, als „Lehrsätze der Schultheologie" zu denunzieren, was schon Achtjährige differenzierter lernen, als ein Dozent der Dogmatik es darstellt? Solche Dinge meine ich mit „Entstellung" und „falsches Zeugnis geben".

Noch ein anderer Punkt zöge mir eine existenztragende Glaubenswahrheit unter den Füßen weg, wenn ich Drewermanns Theologie vertrauen würde. Er schreibt:

„Auch die zweite theologische Allerweltsauskunft versagt endgültig in dieser Form der Tragödie des an sich schuldlosen Versagens von Menschen an der Ungemäßheit ihres Schicksals: Die Lehre von der Vorsehung Gottes in dem empirischen Schicksal eines jeden einzelnen.

Dem Christentums gilt es als eine zentrale Lehre, daß über dem Leben eines jeden Menschen Gottes Plan und Fügung waltet und daß in Zeit und Ewigkeit sein Wohl und Wehe Ziel und Zweck des Weltenlaufes sei. Diese Auffassung, die der Anerkennung des Tragischen im menschlichen Leben besonders entgegensteht, wird auf grausame Weise widerlegt, wenn sich immer wieder zeigt, daß nicht nur auf das physische Wohlergehen des Menschen im Gang der Natur keine besondere Rücksicht genommen wird, sondern auch seine moralische Integrität durch die Macht der Umstände immer wieder zerstört wird."[50] Weiter heißt es: „Diese Form des Tragischen ist ein Teil der Schöpfung selbst, und sie ist zutiefst eine Tragik des Schöpfers. ... Statt Gott von dieser Form des Tragischen im Innersten der Schöpfung reinzuwaschen, sollte es vielmehr seine (sc. des Christentums) so praktischen Einteilungen in Gut und Böse, Frei und Unfrei, Schuld und Reue gänzlich über Bord werfen und zu einer unmittelbaren Ehrfurcht vor dem menschlichen Leid zurückfinden. Es könnte dabei theologisch nur gewinnen: Seine Gottesvorstellung wäre ipso facto glaubwürdig."[51] Ich persönlich kann für mich nur sagen: Für mich nicht, weder – noch. Wer die Vorsehung streicht, läßt Gott nicht Gott sein. Er konstruiert nach eigenem Ermessen anstelle eines allmächtigen und allwissenden Herrn der Geschichte einen Deunculus, einen armen tragischen Wotan. Das darf er uns nicht antun, und ich für meinen Teil will mich mit Heftigkeit wehren gegen neue Propheten ohne Berufung.

Einige Zeilen später freilich folgen einige sehr schöne Sätze, die

---

[50] Ebd. 75ff.

[51] Ebd. 77.

den dogmatischen Mißwuchs in etwa wieder aufzurichten versuchen.

Drewermann gehört zu den intuitiven und künstlerischen Menschen, die in Formen, Tönen und Farben die feinsten Valeurs, aber auch die leisesten Mißtöne sowohl wahrnehmen als auch hervorbringen. Solche Menschen haben oft große, manchmal unüberwindliche Schwierigkeiten, ihre fühlende Feinwahrnehmung in dem groben Netz wissenschaftlicher Begriffssprache einzufangen. Worauf sie hinauswollen, kann wichtig und wahr sein; was sie sagen, findet schwer den „korrekten" Ausdruck. Es führt leicht zu Irrtümern des Lesers, dem die Erfahrungen und Intuitionen des Autors fehlen. An vielen Stellen kann ein freundlicher Leser aber ein schiefes Bild geradehängen. Im ganzen könnten wir uns alle von Drewermann helfen lassen, unsere oft schiefen Bilder geradezuhängen. Es ist für uns so nötig wie für ihn. Ich für meinen Teil schulde ihm neben allem Zorn und Schmerz und Widerspruch dennoch Dank für viele hilfreiche Einsichten, die den Glauben vertiefen und festigen, auch wenn es eine Vertiefung und Festigung durch Widerspruch ist.

# QUAESTIONES DISPUTATAE

71 **Gisbert Greshake/Gerhard Lohfink, Naherwartung – Auferstehung – Unsterblichkeit.** Untersuchungen zur christlichen Eschatologie
5. Auflage. 232 Seiten. ISBN 3-451-02071-4

72 **Grundfragen der Christologie heute**
H. Fries, A. Halder, P. Hünermann, W. Kasper, F. Mußner, L. Scheffczyk (Hg.)
184 Seiten. ISBN 3-451-02072-6

74 **Der Tod Jesu.** Deutungen im Neuen Testament
J. Beutler, J. Gnilka, K. Kertelge (Hg.), R. Pesch, R. Schnackenburg, A. Vögtle
2. Auflage, 240 Seiten. ISBN 3-451-02074-2

81 Kirchliche und nichtkirchliche Religiosität. Pastoraltheologische Perspektiven
F. X. Kaufmann, K. Lehmann, N. Mette, R. Zerfaß, P. M. Zulehner
128 Seiten. ISBN 3-451-02081-5

83 **Johannes B. Lotz, Person und Freiheit**
192 Seiten. ISBN 3-451-02083-1

85 **Gegenwart des Geistes.** Aspekte der Pneumatologie
W. Kasper (Hg.), M. Kehl, W. Kern, G. Kretschmar, K. Lehmann, H. Mühlen, A. Nossol
208 Seiten. ISBN 3-451-02085-8

87 **Zur Geschichte des Urchristentums**
J. Blank, G. Dautzenberg, H. Merklein, K. Müller, M. Waibel, A. Weiser
160 Seiten. ISBN 3-451-02087-4

89 **Paulus in den neutestamentlichen Spätschriften.** Zur Paulusrezeption im NT
K. Kertelge (Hg.), G. Lohfink, K. Lönig. H. Merklein, P.-G. Müller, A. Sand, W. Trilling, P. Trummer
240 Seiten. ISBN 3-451-02089-0

90 **Herbert Vorgrimler, Hoffnung auf Vollendung.** Aufriß der Eschatologie
2. Auflage, 176 Seiten. ISBN 3-451-02090-4

91 **Die Theologie und das Lehramt**
P. Eicher, F. Hahn, W. Kasper, W. Kern (Hg.), R. Schaeffler, M. Seckler
240 Seiten. ISBN 3-451-02091-2

92 **Offenbarung im jüdischen und christlichen Glaubensverständnis**
P. Eicher, B. S. Kogan, H.-J. Kraus, M. A. Meyer, J. J. Petuchowski, R. Rendtorff, M. Seckler, W. Strolz, Sh. Talmon, D. Wiederkehr
264 Seiten. ISBN 3-451-02092-0

93 **Mission im Neuen Testament**
N. Brox, H. Frankenmölle, K. Kertelge (Hg.), J. Kremer, R. Pesch, G. Schneider, K. Stock, D. Zeller
240 Seiten. ISBN 3-451-02093-9

94 **Richard Schaeffler, Fähigkeit zur Erfahrung.** Zur transzendentalen Hermeneutik des Sprechens von Gott
128 Seiten. ISBN 3-451-02094-7

95 **Die Frau im Urchristentum**
J. Blank, C. Bussmann, M. Bußmann, G. Dautzenberg, R. Geiger, G. Lohfink, R. Mahoney, H. Merklein, K. Müller, H. Ritt, A. Weiser
**Sonderausgabe.** 2. Auflage, 360 Seiten. ISBN 3-451-20841-5

96 **Gewalt und Gewaltlosigkeit im Neuen Testament**
E. Haag, N. Lohfink (Hg.), L. Ruppert, R. Schwager
256 Seiten. ISBN 3-451-02096-3

97 **Otto Hermann Pesch, Gerechtfertigt aus Glauben.** Luthers Frage an die Kirche
144 Seiten. ISBN 3-451-02097-1

**98 Christliche Grundlagen des Dialogs mit den Weltreligionen**
A. Ganoczy, H.-W. Gensichen, C. J. v. Korvin-Krasinski, H. Seebaß, W. Strolz, C. Thoma, H. Waldenfels
192 Seiten. ISBN 3-451-02098-X

**99 Heilsgeschichte und ethische Normen**
K. Demmer, B. Fraling, F. Furger, K. Rahner (Vorw.), H. Rotter (Hg.)
160 Seiten. ISBN 3-451-02099-8

**100 Heinrich Fries/Karl Rahner, Einigung der Kirchen – reale Möglichkeit**
**Erw. Sonderausgabe** mit einer Bilanz „Zustimmung und Kritik" von H. Fries
3. Auflage, 192 Seiten. ISBN 3-451-20407-X

**102 Ethik im Neuen Testament**
F. Böckle, J. Eckert, W. Egger, F. Furger, P. Hoffmann, K. Kertelge (Hg.), G. Lohfink, R. Schnackenburg, D. Zeller
216 Seiten. ISBN 3-451-02102-1

**103 Stefan N. Bosshard, Erschafft die Welt sich selbst?**
Die Selbstorganisation von Natur und Mensch aus naturwissenschaftlicher, philosophischer und theologischer Sicht
2. Auflage, 264 Seiten. ISBN 3-451-02103-X

**104 Gott, der einzige.** Zur Entstehung des Monotheismus in Israel
G. Braulik, G. Hentschel, H.-W. Jüngling, N. Lohfink, J. Scharbert, E. Zenger
192 Seiten. ISBN 3-451-02104-8

**105 Auferstehung Jesu – Auferstehung der Christen**
I. Broer, P. Fiedler, H. Gollinger, I. Maisch, J. M. ...ützel, L. Oberlinner (Hg.), D. Zeller
200 Seiten. ISBN 3-451-02105-6

**106 Seele – Problembegriff christlicher Esch...**
R. Friedli, G. Greshake, E. Haag, G. H... ... H. Pesch, H. Verweyen
224 Seiten. ISBN 3-451-02106-4

**107 Liturgie – ein vergessenes The... ...ologie?**
A. Angenendt, D. Emeis, M... ...-Guembe, A. Kallis, K. Kertelge, A. Th. Khoury, K. Lüdicke, F. M... ... Petuchowski, K. Richter (Hg.), R. Sauer, H. Vorgrimler, P. Wei...
2. Auflage, 192 Seite... ...-451-02107-2

**108 Das Gesetz im Neuen ...tament**
J. Beutler, I. Broer, G. Dautzenberg, P. Fiedler, H. Frankenmölle, K. Kertelge (Hg.), J. Lambrecht, K. Müller, F. Mußner, W. Radl, A. Weiser
240 Seiten. ISBN 3-451-02108-0

**109 Theorie der Sprachhandlungen und heutige Ekklesiologie**
L. Averkamp. (Einf.), W. Beinert, N. Brox, E. Coreth, F. Courth, K. Demmer, A. Halder, F.-L. Hossfeld, P. Hünermann, R. Schaeffler
184 Seiten. ISBN 3-451-02109-9

**110 Unterwegs zur Kirche.** Alttestamentliche Konzeptionen
W. Breuning, H. F. Fuhs, W. Groß, F.-L. Hossfeld, N. Lohfink, Th. Seidl
200 Seiten. ISBN 3-451-02110-2

**111 Hans-Josef Klauck, Judas – ein Jünger des Herrn**
160 Seiten. ISBN 3-451-02111-0

**112 Der Prozeß gegen Jesus**
J. Blank, I. Broer, J. Gnilka, K. Kertelge (Hg.), F. Lentzen-Deis, K. Müller, W. Radl, H. Ritt, G. Schneider
240 Seiten. ISBN 3-451-02112-9

**114 Jürgen Moltmann, Was ist heute Theologie?**
104 Seiten. ISBN 3-451-02114-5



Herder Freiburg · Basel · Wien